D0527081

LAZARE
OU
LE GRAND SOMMEIL

ALAIN ABSIRE

LAZARE
OU
LE GRAND SOMMEIL

CALMANN-LÉVY

La loi du 11 mars 1957 n'autorisant, aux termes des alinéas 2 et 3 de l'article 41, d'une part, que les copies ou reproductions strictement réservées à l'usage privé du copiste et non destinées à une utilisation collective, et, d'autre part, que les analyses et les courtes citations dans un but d'exemple et d'illustration, « toute représentation ou reproduction intégrale ou partielle, faite sans le consentement de l'auteur ou de ses ayants droit ou ayants cause, est illicite » (alinéa premier de l'article 40).

Cette représentation ou reproduction, par quelque procédé que ce soit, constituerait donc une contrefaçon sanctionnée par les articles 425 et suivants du Code pénal.

© Calmann-Lévy, 1985
ISBN : 2-266-01829-9

8147

PARTIE I

1

LE rôle de Lazare ben Chaïm, tailleur de bois et charpentier, était considérable dans le village de Béthanie tout proche de Jérusalem. Chaque jour on voyait Éliphas, son apprenti, remonter la rue du village jusqu'à son atelier, le dos chargé de lourdes poutres. On venait chez lui pour commander un coffre, une table, un tabouret, pour lui demander de placer une pergola le long d'un mur, pour faire réparer le timon ou le coutre d'une charrue. Il taillait les montants et les linteaux de porte pour les maçons. Les femmes lui achetaient les boisseaux pour mesurer le blé, les cadres pour paillasses, les huches et les pétrins. Il ne s'arrêtait de travailler que pour honorer le jour du Sabbat. Il vivait avec ses deux sœurs : Marthe et Marie, et avec Suzanne, sa jeune épouse âgée de quinze ans à peine, qu'il aimait tendrement. Tour à tour bûcheron, menuisier, ébéniste, charron, poseur de charpentes, fabricant de jougs et de charrues, il était l'un des hommes les plus riches de Béthanie. Tous le respectaient et l'estimaient.

Or cet hiver-là, Lazare tomba malade.

Une mauvaise toux le prit et les quintes, de plus en plus violentes, déchirèrent bientôt sa poitrine. Son front devint brûlant et l'air se bloqua au fond de sa gorge. Incapable de marcher, de se tenir debout, lui qui ne quittait son atelier qu'à la nuit tombée, il dut s'arrêter de travailler. Le médecin lui fit avaler de grandes quantités de miel. Suzanne et ses deux sœurs prièrent durant des jours entiers pour qu'il se rétablisse, mais son état empira. Quand il se mit à suffoquer, Marthe envoya Éliphas à la recherche de ce Galiléen, charpentier lui aussi, qui, un soir d'automne, s'était réfugié chez eux pour se cacher et se protéger de ceux qui voulaient le tuer. Ne disait-on pas que cet homme étrange, à demi magicien, avait guéri un aveugle-né à Jérusalem, près de la piscine de Siloé, lors du dernier Sabbat ?

Hélas le Galiléen qui se trouvait au-delà du Jourdain ne voulut pas venir. « *Cette maladie est pour la gloire de Dieu,* se contenta-t-il de dire, employant l'une de ces formules obscures qu'il avait l'habitude d'utiliser, *par elle le Fils de Dieu doit être glorifié.* » Éliphas rentra seul à Béthanie et, deux jours plus tard, à la neuvième heure, Lazare mourut.

Dès que son souffle si rauque se tut et que ses mains cessèrent d'agripper la couverture posée sur lui, à demi arrachée, les trois femmes qui le veillaient comprirent qu'il venait de sombrer dans le *Grand Sommeil.* Marie, debout au fond de la chambre, commença à gémir : « Pourquoi le Galiléen n'est-il pas venu ? lança-t-elle dans un cri, nous l'avons reçu, nous l'avons caché, nous avons couru un grand danger pour lui, il rend la vue aux aveugles, il aurait pu le guérir s'il l'avait voulu ! » Marthe, silencieuse, passa doucement sa main sur les yeux fixes de son frère. Les paupières sans vie se fermèrent. Avec un linge elle essuya la sueur qui collait les cheveux de Lazare sur son front. Elle remonta la couverture sur sa poitrine nue immobile. Il dormait maintenant, la nuque posée sur l'appuie-tête d'albâtre.

Suzanne s'approcha. Son visage restait sec, elle ne parvenait pas à pleurer. Incapable de réagir, elle s'agenouilla auprès du mort. « Réveille-toi, réveille-toi... », murmura-t-elle en couvrant ses joues de baisers.

Elle aimait Lazare plus que tout au monde.

Marthe revint près de Marie qui continuait à gémir. Elle la prit dans ses bras. « Le Galiléen ne pouvait certainement pas revenir à Jérusalem, dit-elle à voix basse, on l'aurait arrêté et lapidé. »

A la onzième heure, alors que la nuit de l'hiver

tombait et que déjà le froid rentrait dans la maison, Marthe dévêtit totalement le corps tiède de son frère pour le laver. Suzanne, comme dans un rêve, versa l'huile odoriférante sur les cheveux de son époux tant aimé, puis elle répandit le nard, la myrrhe et l'aloès à la senteur douce sur ses membres raides. Avec Éliphas elles enveloppèrent ensuite le corps dans un linceul blanc. Elles entourèrent ses mains et ses pieds de bandelettes, elles couvrirent sa tête avec un linge qu'elles nouèrent autour de son cou, s'en servant comme d'un sac. Empruntant l'escalier extérieur, elles le portèrent alors dans la chambre haute. Elles l'allongèrent sur le lit. Elles rassemblèrent toutes les lampes qui brûlaient dans la maison et les disposèrent autour de lui, sur les pieds de métal et de terre. A cause du froid, elles allumèrent le brasero à charbon de bois. Avec Marie qui ne cessait de pleurer, elles se vêtirent de leurs plus vieux *saqs* faits d'étoffe grossière, gris et sales, puis elles allèrent chercher les gens de Béthanie, parents et amis, pour qu'ils viennent rendre hommage au mort.

Hommes et femmes les suivirent nombreux, malgré la nuit. Tous en effet aimaient Lazare. La chambre haute se remplit de gens en prière.

Pendant des heures Suzanne étourdie de chagrin se tint en retrait, assise dans un coin d'ombre. Longtemps elle regarda le corps enveloppé qui, éclairé par les petites lumières jaunes dansantes des lampes à huile, paraissait étonnamment long et grand. Les mêmes images, sans fin, repassaient devant ses yeux : elle revoyait Lazare à l'automne, deux années plus tôt. Revêtu de son habit de fête, il venait la chercher dans la maison de son père à l'autre extrémité de Béthanie. Elle l'attendait devant sa porte, c'était la veille de leur mariage. Un cortège se formait autour d'eux, elle s'allongeait dans un palanquin, on l'emmenait ainsi jusqu'à la demeure de Lazare, le visage recouvert d'un voile, le front orné de plaques et de bijoux dorés. L'assistance répétait les chants nuptiaux. Ce n'étaient que jeux, danses, concours d'adresse. « *Que tu es belle ma bien-aimée, que tu es belle,* avait chanté Lazare, *ta* chevelure est noire comme les chevrettes des monts de Galaad, tes dents sont blanches comme les brebis qui remontent du lavoir, tes lèvres sont rouges comme l'anémone et tes joues roses comme la chair de la grenade. » Sans cesse la fête avait repris, plus joyeuse, plus bruyante, mais dès le premier soir tous deux, jeunes épousés, s'étaient retirés pour monter ensemble dans cette même chambre haute, pour se caresser, s'aimer, seuls, sur ce même lit dans lequel il reposait aujourd'hui. Comment oublier maintenant la douceur de sa barbe, de ses cheveux longs parfumés, l'odeur de romarin et d'origan sur sa peau, le toucher un peu rugueux de ses doigts, de ses paumes de charpentier ? Alors que Marthe et Marie criaient leur chagrin près du corps inerte de leur frère, Suzanne resta ainsi à l'écart toute la nuit, pleurant en silence, la tête pleine d'images et de souvenirs heureux.

Le cortège funèbre se mit en route le lendemain matin à la deuxième heure. Le vent d'est, le *qadim*, soufflait et le ciel restait limpide au-dessus du village. Éliphas et Samuel portaient la civière, aidés de Judas le potier et de Joad le fabricant de sandales. Suzanne, Marthe et Marie, vêtues de leurs *saqs*, la tête recouverte par de vieux châles déchirés, les précédaient de quelques pas. Si les deux sœurs se lamentaient bruyamment, se jetant de la poussière sur le visage, Suzanne, la figure cachée, gardait le silence. La discrétion de son chagrin, contraire à tous les usages, étonna beaucoup les gens de Béthanie arrêtés sur le bord de la route pour voir passer le cortège, certains pensèrent que peut-être elle n'aimait pas Lazare autant qu'ils l'avaient cru. Quatre pleureuses professionnelles suivaient la couche du défunt enroulé dans son linceul, pieds et mains bandés, visage recouvert par le linge noué, souvent leurs cris dominaient les sons lugubres que les flûtistes tiraient de leurs instruments.

Arrivés devant le mur de pierres maçonnées, percé d'ouvertures de part en part, les quatre porteurs se baissèrent pour pénétrer dans le vestibule étroit. Ils descendirent les marches irrégulières taillées dans le roc. Pliés en deux, ils s'introduisirent dans la petite grotte cubique qui servait de chambre funéraire. Joad alluma une lampe et ils placèrent le corps enveloppé, raide et droit, sur la banquette creusée à même la pierre. Ils ressortirent aussitôt pour laisser entrer les trois femmes. Marthe et Marie disposèrent les vases et jarres pleins d'aromates autour du mort. Tandis que Marie se jetait face contre terre, Suzanne, en larmes, se recula pour se tenir un peu en retrait ainsi qu'elle l'avait fait durant la nuit entière dans la chambre haute. Il lui semblait qu'elle transpirait malgré le froid. Les cris aigus et les sons des flûtes venaient jusqu'à elle, du dehors, soudain insupportables. Dans la pénombre elle distinguait toutes les formes du corps de son époux sous les linges : ses longues jambes, les renflements de ses genoux, la pliure légère de ses bras ficelés contre ses hanches et son buste, la largeur de ses épaules fortes. Elle voyait le mouvement à peine perceptible du linceul sur sa poitrine puissante, ainsi que le creux de ses orbites, le dessin de son nez sous le linge noué. Regardant le long trait qui, entouré de plis, s'enfonçait droit dans le tissu, au niveau de ses lèvres, de sa bouche, elle pensa un instant que, peut-être, il respirait encore... Idée folle ! Pourtant elle ne pouvait croire que la vie ait quitté ce corps jeune, vigoureux, ni que cette peau chaude qu'elle avait tant caressée fût maintenant sèche et glacée. L'air lui manquait, le sol se mit à bouger sous ses pieds, elle dut s'appuyer contre la paroi pour ne pas tomber. « Ô Seigneur, s'écria Marthe près d'elle, vous qui voyez, qui entendez, écoutez ma prière, envoyez Gabriel le messager de la lumière et Michel le chef de vos anges avec toutes ses armées pour qu'ils marchent avec l'âme de mon frère Lazare, jusqu'à ce qu'ils l'amènent près de vous ! »

Quand elles furent ressorties du tombeau, Éliphas ôta la cale de bois qui maintenait en place la lourde pierre, ronde comme une meule de moulin. Celle-ci roula dans la rainure profonde et elle vint fermer l'entrée.

Tous alors regagnèrent la maison afin de partager le pain de deuil et les coupes de vin du repas funèbre.

2

QUATRE jours passèrent. Nombreux furent les juifs qui vinrent, parfois de Jérusalem, voir Marthe, Marie et Suzanne. Tous tentèrent en vain de les consoler.

La jeune veuve ne quittait plus la chambre haute. Elle passait de longues heures à parler de Lazare avec Marie, à prier pour lui. Elle ne se nourrissait plus, uniquement occupée à se souvenir de celui qu'elle avait aimé.

Au matin du cinquième jour, Marthe qui, plus forte que les deux autres femmes, s'était remise à broyer le grain aperçut un groupe d'une vingtaine de personnes qui se dirigeaient vers la maison. Tout de suite elle reconnut le charpentier magicien, à côté de ce géant à barbe de bouc qui l'accompagnait en tous lieux. Aussitôt elle courut vers lui : « Si tu avais été là, s'écria-t-elle, mon frère ne serait pas mort, je sais que tu guéris les aveugles ! Je t'ai envoyé chercher, pourquoi n'es-tu pas venu ? » Le Galiléen la regarda, elle vit ses petits yeux bruns enfoncés, son front court, son nez long busqué, ses lèvres épaisses et rouges, son manteau sale fait de deux couvertures cousues, sa peau foncée, la barbe qui lui dévorait les joues, ses cheveux poussiéreux qui tombaient négligemment de chaque côté de sa figure, sans ces deux nattes sur les tempes que la Loi rendait obligatoires... Cet homme n'est qu'un mendiant, pensa-t-elle.

« Ne me reproche rien, dit-il avec un accent ridicule propre aux Galiléens, ton frère ressuscitera.

— Je le sais bien, répliqua-t-elle sèchement, lors de la résurrection, au dernier jour.

— C'est moi qui suis la résurrection et la vie, reprit-il, celui qui croit en moi, fût-il mort, vivra. »

Comment osait-il prononcer de telles paroles ? Seul

14

le Très-Haut redonnerait la vie un jour à Lazare. Se prenait-il pour l'égal de Dieu ? En fait, s'il n'était pas venu plus tôt, c'est qu'évidemment il ne possédait aucun pouvoir. Cette histoire d'aveugle, à la piscine de Siloé, n'était qu'une supercherie. Elle jeta un regard à la poignée de miséreux qui le suivaient : un mendiant, un unijambiste, quelques boiteux… Pourquoi vous accrochez-vous à lui ? eut-elle envie de leur crier, il ment, il ne peut accomplir de miracles, il n'est qu'un blasphémateur, les gens de Jérusalem ont raison de vouloir le tuer.

« Quiconque croit en moi ne mourra jamais, répéta-t-il. Crois-tu en moi, Marthe ? »

Pourquoi posait-il cette question ? Il ne la quittait pas des yeux, comme pour lire dans ses pensées. Le géant à barbe de bouc aussi la regardait. Elle se détourna. Aucun de ceux qui, venus avec lui, l'entouraient ne protestait, ses paroles scandaleuses ne les choquaient-elles pas ? Il paraissait si sûr de lui que soudain, malgré sa colère, elle hésita. Elle se souvint de cette longue soirée d'automne pendant laquelle, par hasard, il était venu se réfugier dans leur maison, simplement parce que Lazare était charpentier, comme lui. Ils avaient partagé le pain, le poisson séché, le vin. « *Je suis la lumière du monde,* leur avait-il dit à la fin du repas, *celui qui me suit ne marchera jamais dans les ténèbres.* » A ce moment-là sans doute, pour des raisons qu'elle ne s'expliquait plus aujourd'hui, elle avait cru en sa force, en son pouvoir, et Lazare aussi car souvent, ensuite, il avait reparlé de cette étrange nuit.

« Crois-tu en moi, Marthe ? répéta-t-il doucement.

— Oui, je crois en toi », répondit-elle en baissant les yeux. Elle ne savait plus si elle mentait ou si elle disait la vérité.

Entendant cela le Galiléen s'adressa à ceux qui l'accompagnaient : « Lazare, mon ami, est mort, proclama-t-il, or il m'avait accueilli chez lui pour que je me cache alors que certains, gênés par mes paroles et mes actes, voulaient me tuer. Je me réjouis de n'avoir pas été là au moment de sa mort, maintenant en effet vous allez croire en moi. Sur ce il se retourna vers Marthe :

Va chercher les tiens, lui dit-il, et conduisez-moi à l'endroit où vous l'avez déposé. »

Arrivé devant la grotte où Lazare reposait, le Galiléen demanda au géant à barbe de bouc de retirer la pierre qui en interdisait l'entrée. « Mais il est mort depuis cinq jours, protesta Suzanne qui les avait suivis avec Marie et quelques amis du village.

— Si tu crois en moi, tu verras la gloire de Dieu, répliqua le Galiléen. Pierre, fais ce que je t'ai dit. »

Le géant se débarrassa de son manteau. Il posa ses larges mains sur la meule. Il s'arc-bouta sur ses jambes, les muscles de ses bras se gonflèrent. Lentement, la pierre se mit à bouger, l'homme devait être d'une force colossale car, malgré sa masse et son poids, il parvint, seul, à la repousser, à la faire rouler dans la rainure creusée dans le sol, à même la roche. Judas, Joad et d'autres gens de Béthanie, prévenus de ce qui se passait, accoururent. Marthe s'aperçut que plus de cinquante curieux se tenaient maintenant face au tombeau ouvert. Tous gardaient les yeux fixés sur l'entrée du couloir étroit et sombre qui, en bas de cinq ou six marches, menait à la chambre funéraire. Le Galiléen se couvrit la tête avec son manteau, il inclina le front, il tendit ses mains vers le ciel, et il se mit à prier : « Père exauce-moi, tire Lazare du sein d'Abraham, afin d'être glorifié dans le Fils », dit-il. Puis il se tut pendant un long moment.

Comme il ne se passait rien, certains se mirent à murmurer : pour qui se prenait-il ? de quel droit osait-il proclamer qu'il ferait revenir les morts à la vie ? Personne pourtant ne bougeait, tous, malgré leur incrédulité, leur indignation, attendaient. « Aucun magicien n'a le pouvoir de ressusciter, il est fou de se prétendre capable d'un tel prodige », pensait Suzanne... Une fois de plus, les larmes brouillèrent ses yeux, jamais ce matin elle n'aurait dû suivre Marthe jusqu'ici, cela ne servait qu'à lui faire plus de mal encore.

L'attente se prolongeait. Le Galiléen baissa les bras, mais il continua à se taire, tête couverte, front incliné. Beaucoup, derrière lui, protestèrent ouvertement

16

devant ce spectacle scandaleux. « Blasphémateur ! » lui cria-t-on. Alors que certains commençaient à ramasser des pierres pour les lui jeter, il se redressa, il leva les yeux au ciel. « Père, je te remercie de m'avoir exaucé, dit-il à haute voix de façon que tous l'entendent, je sais que tu m'exauces toujours, je n'avais nul besoin de cette preuve pour moi-même, je l'ai seulement réclamée pour ces gens qui m'entourent afin qu'ils croient que c'est bien toi qui m'as envoyé. Il se découvrit et il cria d'une voix forte : Lazare, viens ici, sors de ce tombeau ! » De nouveau le silence se fit, mais les gens de Béthanie, se demandant jusqu'où il oserait aller, ne lâchèrent pas les pierres qu'ils avaient ramassées.

Brusquement, chacun vit une ombre bouger dans le couloir bas qui menait au tombeau. Une silhouette enveloppée apparut, cassée, recroquevillée, au pied des marches. Suzanne reconnut le linceul de son époux, ainsi que le sac noué sur sa tête. Elle se jeta à genoux, effrayée, elle se cacha la tête dans les mains. Ceux qui tenaient des pierres les laissèrent tomber sur le sol. Deux femmes s'enfuirent en courant. Des enfants se mirent à pleurer, à hurler de peur. Marthe et Marie se serrèrent l'une contre l'autre. L'ombre se pencha en avant, puis elle s'immobilisa et ne bougea plus, l'escalier semblait l'arrêter.

« Aidez-le, dit simplement le Galiléen, déliez-le et laissez-le aller. »

3

LAZARE, le corps plié en deux, sentit qu'on le tirait, qu'on le poussait. Il n'y voyait rien. Des linges se collaient sur son nez, rentraient dans sa bouche, il ne parvenait pas à respirer. On le prit par la taille, que se passait-il ? On le soulevait, ses pieds ne touchaient plus le sol. Quand on le reposa, une sorte de chaleur tomba sur lui, il eut le sentiment que l'on venait de le hisser au sommet d'une pente, de le sortir, de l'extraire, d'un endroit froid, abrité, peut-être souterrain, pour l'emmener au-dehors, en plein soleil.

Il percevait des voix, un brouhaha assez lointain. On le touchait, sur les épaules, sur le ventre, sur la figure. Pourquoi faisait-il si noir ? A cause de ce sac sans doute qui enveloppait sa tête, l'empêchant de respirer. Il voulut l'arracher, mais il s'aperçut qu'il ne pouvait décoller ses bras de son corps, comme s'ils étaient liés, ficelés sur ses hanches. Il cria pour qu'on le délivre, mais il n'entendit aucun son sortir de sa bouche. Une idée affreuse jaillit en lui : il n'était pas attaché mais paralysé, muet, aveugle, incapable de faire un geste, de lever seulement la main.

Il essaya de se souvenir : où se trouvait-il, était-il tombé malade, d'où venait cette impression de torpeur, cet engourdissement qui enveloppait tout son corps, et cette brûlure, à cause certainement du soleil, sur ses membres inertes et glacés ? Il ne revoyait, dans sa mémoire, qu'un gouffre noir au fond duquel il lui semblait être enfermé pendant des années.

On le secouait, pourquoi le secouait-on ainsi ? Il entendait des voix, des cris, indistincts bien que très proches. Il étouffait. Enfin, il sentit que l'on ôtait le sac de son visage. Il voulut respirer, mais sa poitrine, lourde comme la pierre, se souleva à peine et il n'avala qu'un filet d'air brûlant. Il tenta de regarder autour de lui, il s'efforça de tourner la tête, malgré la raideur de sa nuque. Un voile blanc couvrait ses yeux, il ne distinguait que des zones de lumière derrière un brouillard épais, et des ombres qui se déplaçaient. On touchait sa bouche, son front, ses joues. On le serrait de toutes parts, on le pressait, il suffoquait. Il essaya de hurler pour qu'on le lâche, mais il ne parvint à émettre qu'un long gémissement.

Heureusement, on le détachait, et ses mains furent soudain libres. Il chercha aussitôt à se dégager de ceux qui l'écrasaient. Il souleva son bras mais il pesait plus de cent livres et il dut le laisser retomber. Sa peur se transforma en panique : ces gens allaient le tuer et il ne pouvait rien faire pour se défendre, pour leur échapper.

On le prit par les coudes et il comprit qu'on le poussait, qu'on l'entraînait encore, mais où l'emmenait-on ? Non, il ne voulait pas, « *Laissez-moi, laissez-moi...* », gémit-il. Personne ne l'entendait, ne le comprenait. Ses pieds, heureusement enveloppés, heurtaient le sol, il butait et se tordait les chevilles sur les pierres et les cailloux, à chaque pas il manquait de tomber. Il fallait absolument qu'il sache ce qui lui arrivait ! Mais il avait tellement sommeil, son corps entier restait si engourdi, la brume épaisse qui emplissait sa tête demeurait si lourde, qu'il ne parvenait pas à réfléchir, à se souvenir si, oui ou non, il n'avait pas été victime d'un accident. Au terme d'une marche qui lui avait semblé interminable, il eut l'impression que deux ou trois hommes le prenaient par les pieds et par les mains, qu'ils l'emmenaient dans un escalier, qu'ils l'allongeaient sur un lit... Dans ce nouvel endroit l'air paraissait moins brûlant, la température moins étouffante, « enfin, se dit-il, ils vont me laisser dormir et me reposer ».

Dès qu'il fut couché, un goût de terre remonta dans sa bouche et, presque immédiatement, la soif qui comprimait sa gorge devint intolérable. Il chercha à avaler un peu de salive, mais son palais et sa langue gonflée, raide elle aussi, étaient secs, durs comme du bois. Bien qu'il supposât que personne ne comprenait ses gémissements de bête, il supplia qu'on lui apporte à boire. A son grand étonnement on écarta bientôt ses lèvres et l'on versa de l'eau fraîche entre ses dents, hélas, celle-ci retomba sur son menton, glissa sur son cou, sur ses épaules. Seul un mince filet s'écoula jusqu'au fond de sa gorge, déjà on éloignait la coupe, il voulut s'asseoir, crier, mais avant même qu'il y parvînt, il sentit que des doigts légers caressaient sa joue, ses cheveux. Il ouvrit les yeux. Il distingua la tache brumeuse d'un visage qui, penché au-dessus de lui, s'approchait. Des lèvres douces, chaudes, se posèrent sur son front, puis tout devint noir et il se laissa glisser dans le plus profond des sommeils.

4

TANDIS que Lazare, déposé par Éliphas et Joad sur le lit de la chambre haute, s'endormait sous les yeux de Suzanne, les gens de Béthanie, hommes, femmes et enfants, se rassemblaient devant sa maison. Certains voulaient s'approcher du Galiléen, se prosterner à ses pieds, lui parler, le toucher, la plupart d'entre eux cependant, remplis de respect, et surtout de crainte, en face du prodige qu'il venait d'accomplir, restaient à l'écart.

« Tu es donc le Messie, celui de Daniel et d'Isaïe ! cria l'un de ceux qui se pressaient autour de lui. C'est toi qui vas purifier Jérusalem des païens !

— Mais c'est un Galiléen ! Est-ce de Galilée que doit venir le Messie ? interrogea un troisième.

— N'est-il pas écrit, lui répondit le porteur d'eau, que c'est de la postérité de Bethléem, le bourg de David, que naîtra le sauveur de Jérusalem ?

— Es-tu né à Bethléem ? lui demanda-t-on. Es-tu celui que nous espérons ou devons-nous en attendre un autre ?

— Les aveugles voient, les boiteux marchent, les morts ressuscitent, répliqua le Galiléen. Ces signes existent seulement pour que l'on croie en moi et dans la gloire de mon père.

— Mais qui est ton père, est-il de la lignée de David ? » interrogea le tisserand.

Il n'eut pas le temps de répondre, une rumeur, une bousculade, l'en empêcha. Deux jeunes garçons se présentèrent devant lui. Ils tenaient dans leurs bras une femme dont les jambes atrophiées, tordues, paraissaient nouées, soudées l'une à l'autre. « Guéris-la,

Seigneur, dirent-ils, c'est la sœur de notre mère, elle est ainsi depuis sa naissance, ne la laisse pas souffrir plus longtemps. » Le Galiléen regarda l'infirme puis, sans prononcer un seul mot, il se détourna pour entrer dans la maison. Comme les deux adolescents s'avançaient pour le suivre, le géant à barbe de bouc les repoussa rudement, d'un coup d'épaule.

A la huitième heure, la cour devant la maison de Lazare était noire de monde. Des loqueteux, venus par dizaines de Jérusalem, attendaient. Beaucoup, pieds nus, vêtus de chiffons, de tuniques et de manteaux en lambeaux, s'appuyaient sur des béquilles, ou portaient de vieux pansements gris et troués sur l'œil, sur le front. Des aveugles avançaient en tâtonnant, leur bâton tendu devant eux, des paralytiques que l'on amenait couchés sur des planches se faisaient déposer sur le sol, allongés le plus près possible de la porte du charpentier ressuscité. On vit même un lépreux s'approcher, tremblant sur ses jambes, mais dès qu'ils aperçurent son corps vicié et le terrible masque mangé et crevassé que le mal plaquait sur son visage, les autres le chassèrent en criant « *Amê! Amê!* Impur! Impur! », et le malheureux dut s'enfuir pour ne pas être lapidé.

Le Galiléen, enfermé à l'intérieur de la maison, ne voulait pas sortir. Marthe et Marie restaient près de lui. Assis sur le sol, le dos appuyé contre le mur, il parlait avec le géant et avec deux autres de ses amis : ce très jeune homme blond, nommé Jean, qui l'accompagnait déjà lorsqu'il était venu se cacher chez eux, et un certain Judas à la chevelure épaisse et frisée. Il ignorait le bruit, les appels de l'extérieur, les cris qui, derrière la porte, le suppliaient de venir et d'accomplir de nouveaux miracles.

Suzanne, pendant ce temps, ne bougeait pas de la chambre haute. Elle ne voulait pas quitter Lazare, ne fût-ce qu'un instant. Agenouillée près du lit, les yeux pleins de larmes, elle le contemplait et s'interrogeait depuis des heures. Elle ne parvenait pas à croire en sa résurrection.

Respirait-il ? Sa poitrine effroyablement creuse se soulevait à peine, heureusement, elle entendait son souffle, rauque comme avant sa mort. Et s'il allait mourir une seconde fois!... Le Galiléen affirmait qu'il ne courait plus aucun danger, impossible désormais de ne pas croire ce qu'il disait...

Mais pourquoi ne se réjouissait-elle pas comme elle le devait?

En fait, ce visage gris lui faisait peur. Elle ne reconnaissait pas ces lèvres exsangues, presque blanches, ces orbites sombres, ce corps décharné, ces os saillants, ces traits certes familiers, mais contractés, figés sur une douloureuse expression de souffrance, d'inquiétude, de terreur.

Tout ceci décidément paraissait trop incroyable. Elle allait se réveiller et s'apercevoir qu'elle rêvait. Personne n'avait déplacé la lourde pierre, ronde comme une meule, qui fermait le tombeau, et Lazare, enveloppé dans son linceul, reposait toujours allongé, raide dans l'obscurité, avec son visage recouvert, ses bras attachés, ses pieds et ses mains entourés de bandelettes... Et pourtant, nombre de détails semblaient bien, par leur exactitude, appartenir au monde réel, ainsi, par exemple, cette curieuse odeur de terre humide qui flottait autour du corps de Lazare. Ces relents de boue, d'aloès et d'huiles rancies, elle n'aurait pu, dans son sommeil, les sentir avec autant de précision.

Aucun doute, Lazare vivait, allongé là, devant ses yeux.

Hélas, cette figure terne, ridée, rétrécie par le temps, n'était pas la sienne. Ces cheveux et cette barbe couleur de cendre ne lui appartenaient pas.

Elle ne savait que penser.

Elle se répétait, pour se rassurer, qu'il ne pouvait, en sortant de la *région des ténèbres,* lui revenir tel qu'il l'avait quittée et, qu'en l'espace de quelques jours, la vie retrouvée lui rendrait force et beauté. Elle ne parvenait malheureusement pas à s'en convaincre.

Pour effacer ses doutes et ses craintes, pour lutter contre ce léger mouvement de recul que provoquait en elle la proximité de ce corps bizarre, elle s'obligea finalement à se pencher au-dessus de lui. Elle se dit que

Lazare, son époux, revenu miraculeusement à la vie, dormait bien là, devant elle, vivant comme auparavant. Elle oublia sa peur et, le cœur battant, elle couvrit son front, ses lèvres et son cou, de baisers tendres.

5

LE soir venu Marthe servit à dîner au Galiléen et à ses trois compagnons. Alors que, la fin du repas approchant, ils mangeaient les beignets de farine et de miel, Marie vint vers la table avec, dans les mains, un vase de parfum de très grand prix, de ce même nard venu de l'Inde lointaine que Suzanne avait utilisé pour oindre le corps de Lazare six jours plus tôt. Elle commença par en verser un peu sur la tête du Galiléen. Voyant qu'il se laissait faire sans bouger, elle s'agenouilla devant lui, elle ôta ses sandales et elle répandit le reste du précieux parfum sur ses chevilles, sur ses pieds blanchis par la poussière des chemins. Une odeur pénétrante envahit aussitôt la maison. Pierre, le géant, et celui nommé Judas, s'étonnèrent : « A quoi bon ce gaspillage ? demandèrent-ils, on aurait pu vendre ce parfum et en tirer un bon prix, nous n'avons pas ramassé une seule pièce depuis quatre jours et il ne nous reste plus que deux deniers. » Marie s'arrêta. Elle leva les yeux vers le Galiléen, la peur de l'avoir mécontenté se lisait sur son visage. « Ne tourmentez pas cette femme, dit-il, c'est une bonne œuvre qu'elle accomplit envers moi, elle gardait ce nard pour ma sépulture. Cessez donc de vous inquiéter ainsi sans cesse des pièces que l'on vous donne, ou que l'on ne vous donne pas, dès que vous tendez la main, de celles qui se trouvent, ou ne se trouvent pas, dans votre ceinture ! Je vous l'affirme, à travers le monde entier, on redira à la mémoire de Marie ce qu'elle vient de faire.

— As-tu l'intention de demeurer ici plusieurs jours ? demanda Judas, après un long moment de silence.

— Non, répondit-il, nous partirons quand ce repas sera terminé.

— Alors, nous allons enfin retourner à Jérusalem !

— L'heure n'est pas venue, nous devons d'abord nous rendre à Ephraïm.

— Mais tu nous emmènes dans le désert ! reprit Pierre, qui nous nourrira là-bas ?

— N'est-il pas arrivé que je vous nourrisse moi-même, alors que nous nous trouvions sans provisions sur des collines arides ? Ce que j'ai accompli ce matin ne vous suffit donc pas. Regardez cette femme, elle me connaît à peine, et cependant elle croit en moi. Vous, vous me suivez depuis deux années et vous doutez encore. Malheur à vous qui ne savez pas voir ce qui se trouve devant vos yeux ! »

Dès qu'il se tut, Marie, rassurée de voir qu'il ne dirigeait pas sa colère contre elle, essuya ses chevilles avec ses longs cheveux dénoués, puis elle les embrassa longuement.

Tard dans la soirée, à la nuit tombée, le Galiléen reprit son manteau fait d'une paire de couvertures cousues. Les trois femmes se prosternèrent encore devant lui. « Jamais nous n'oublierons ce que tu as fait, nous en témoignerons jusqu'à notre dernier souffle », répéta Marthe, avec émotion. Il sourit. Il leur demanda de se relever, puis il ouvrit la porte pour sortir. Malgré le froid très vif, de nombreux mendiants et estropiés restaient massés devant la maison, regroupés en cercles autour de grands feux. Dès qu'ils le virent, ceux dont les jambes pouvaient les porter s'élancèrent vers lui : « Guéris-nous, Seigneur ! crièrent-ils, nous croyons en toi, tu es le Messie, guéris-nous ! » Le gérant les écarta, avec brutalité. Le Galiléen, entouré de Judas et de son jeune compagnon à la chevelure blonde, se fraya un passage au milieu d'eux, dans la cour, obligé de repousser ceux qui s'accrochaient à son manteau en réclamant sa pitié. Marthe qui le regardait s'éloigner aperçut, à la lueur des flammes, les casques brillants et pointus de deux gardes du temple, ainsi que la tunique blanche et le bonnet en forme de cône d'un prêtre. Ainsi donc, pensa-t-elle, les gens de Jérusalem, les saducéens et les prêtres, ses ennemis, savent quel prodige il a accompli ce matin. Elle eut peur brusquement, n'allaient-ils pas trouver là une raison supplémentaire de le craindre, de le détester, de vouloir encore le tuer ?... Elle garda les yeux fixés sur celui qu'elle considérait désormais comme le vrai sauveur de son peuple, jusqu'à ce qu'il ait disparu dans la nuit, vers les collines, vers le désert. Quand elle ne le vit plus, elle s'enferma chez elle, derrière sa porte close, avec Suzanne, avec Marie sa sœur et Lazare son frère ressuscité.

6

SUZANNE resta près de Lazare toute la nuit.

Dès la première heure, au lever du jour, persuadée qu'il se réveillerait bientôt, qu'il la verrait et lui parlerait, elle décida de se faire belle pour lui, pour qu'il la reconnaisse et se remette immédiatement à l'aimer.

Elle emporta son miroir de métal poli et son peigne d'ivoire dans l'autre chambre. Là, loin du regard de Lazare, elle tressa ses cheveux et les décora de rubans multicolores. Quand elle fut satisfaite de sa coiffure, elle s'occupa de ses yeux. A l'aide d'une spatule, elle ramassa un peu de *pouch* bleu-noir à base de plomb, dans l'un de ses pots de maquillage. Elle attendit que ses mains ne tremblent plus pour l'étaler délicatement sur ses paupières, pour le passer sur ses sourcils afin d'en souligner le trait. Elle colora ensuite ses joues et ses lèvres avec la poudre rouge du *sikra*. Sur ses mains, elle écrasa enfin un peu de la cendre jaune sombre que donnait la feuille de l'*al-kenna*.

Sourcils et cils bleus, joues maquillées, paumes et

paupières teintes, elle scruta pensivement le reflet de son visage, se demandant si elle n'avait pas appliqué le fard avec trop de générosité. Elle hésita un instant, puis, se souvenant combien Lazare l'aimait ainsi, elle poursuivit le rite de sa toilette.

Elle mit ses boucles d'oreilles rondes, dorées comme le soleil, et elle enfila sa plus belle robe en fine toile de lin, ornée de rubans de laine et de soie. Elle regarda alors les deux vases de parfum déposés à côté du miroir. Elle ramassa celui qui ressemblait à un cylindre, le sentit, et se décida pour l'autre, pour celui qui, en forme de bulbe, contenait de la myrrhe. Elle mit une goutte du liquide précieux derrière chacune de ses oreilles, sur ses joues, et enfin sur ses lèvres.

Elle posa un châle sur ses épaules et l'attacha avec sa fibule d'argent décorée de perles et de pierres.

Persuadée de plaire ainsi à son époux, elle rangea le peigne, le miroir, la spatule, les pots, les flacons, et elle rejoignit la chambre haute.

Elle attendit toute la matinée que Lazare se réveille.

Vers midi, il bougea et murmura quelques mots incompréhensibles. Son visage, hélas, restait gris, son corps froid, l'odeur humide qui flottait autour de lui ne s'effaçait pas et l'air souvent se bloquait au fond de sa gorge, il semblait alors ne plus pouvoir respirer. Toutefois, au bout de quelques instants, sa poitrine, de nouveau, recommençait à se soulever, imperceptiblement. Suzanne, inquiète, regretta d'avoir laissé partir le Galiléen sans lui dire à quel point son époux paraissait aller mal.

Enfin, vers la huitième heure, Lazare ouvrit les yeux.

La première chose qu'il vit fut le visage de Suzanne. Bien qu'elles lui apparaissent derrière un voile de brume, il reconnut ses lèvres pleines, larges, d'un rouge étrangement vif. Il reconnut aussi ses cheveux tressés semés de taches de couleur, comme ornés de rubans pour célébrer un jour de fête. Elle se pencha au-dessus de lui, il tendit la main vers elle, il voulut se redresser mais la force lui en manqua et il retomba allongé sur le dos. « Suzanne... », murmura-t-il. Elle s'approcha, très près. Il remarqua un long sillon brillant qui s'étirait sur sa joue, pourquoi pleurait-elle ? Il se souvint de ce sac qui couvrait sa figure, de ses membres attachés, de sa soif, de la chaleur qui l'écrasait, qui l'étouffait, de tous ces gens qui le touchaient, qui le poussaient, qui le soulevaient... Que se passait-il ? « Suis-je malade ? demanda-t-il, où sont ceux qui criaient et qui me voulaient du mal ? » Il s'entendait à peine parler, les mots sortaient presque indistincts de sa bouche.

« Personne ne te voulait du mal, répondit-elle, le Galiléen t'a ressuscité, il t'a tiré du *Grand Sommeil*. Tu étais mort, au tombeau depuis cinq jours, et il t'a rendu la vie. »

« Quelle est cette histoire ? pensa-t-il, sommes-nous au jour du jugement dernier ? »

« Pourquoi me racontes-tu cela, Suzanne ? Aucun homme ne possède un tel pouvoir. »

Et pourtant, ce goût de terre humide qui remontait dans sa bouche, ce froid glacial qui engourdissait tout son corps, le souvenir, en lui, de ce trou noir, sans fond, pouvaient en effet être des signes, des images de mort.

Il demanda à se lever. Soutenu par ses deux sœurs, il descendit dans la grande pièce du bas qui servait de cuisine et de salle à manger. Incapable de se déplacer seul, il s'assit, à demi couché sur l'un des divans-lits que l'on utilisait pour les repas un peu solennels. Il regarda autour de lui : se trouvait-il réellement dans sa maison ? Bien qu'il vît mal les choses qui l'entouraient, sans contour précis, pratiquement privées de couleur et de forme au-delà de ce rideau de brouillard qui les rendait floues, il reconnut les murs blanchis à la chaux, les deux fenêtres étroites, seules ouvertures vers l'extérieur, le sol de terre battue, les poutres larges sur lesquelles reposait le plafond, le four à bois et à tourbe, la porte basse, les jarres, les tabourets, les sacs, les coffres, la table, les fauteuils tendus de paille ou d'étoffe.

« Veux-tu manger quelque chose ? lui demanda Marthe, je viens de cuire le pain. Voilà plus d'une journée que tu es revenu parmi nous et tu n'as encore rien mangé. »

Il réfléchit : avait-il faim ? Non, pas vraiment, seule la soif continuait à le faire souffrir. L'eau, hélas, n'effacerait pas ce goût de boue qui revenait sans cesse dans sa bouche.

« Donne-moi une coupe de vin », dit-il en s'obligeant à prononcer chaque mot le plus distinctement possible.

Marthe parut surprise, le comprenait-elle ? Il éprouvait tant de difficultés à articuler le moindre son, il parlait, il s'entendait, si mal !

« Je désire un peu de vin, répéta-t-il.

— Ne veux-tu pas plutôt un morceau de galette et du poisson séché ? »

Il fit non de la tête : du vin, seulement du vin.

Quand il but à la coupe que sa sœur apportait devant ses lèvres, une brûlure insupportable descendit en lui. Dès la seconde gorgée, il sentit qu'il allait tout rejeter. Il voulut retenir au fond de sa gorge le liquide qu'il venait d'avaler, mais celui-ci envahit brutalement son palais et il le recracha. Suzanne se précipita vers lui, il souleva son bras pour l'écarter et, portant péniblement la main à sa figure, il s'efforça d'essuyer sa barbe, son menton, mouillés de vin.

Un cri lui parvint du dehors, un hurlement violent, une exclamation de défi, peut-être de colère :« Lazare, le ressuscité, montre-toi, nous voulons te voir, te parler, te toucher ! » A l'extérieur aussi, dans la cour de sa propre maison, on l'appelait *le ressuscité !* Il demanda qu'on l'aide à se lever, qu'on le conduise jusqu'à la fenêtre, simple tache brillante, pour lui, au milieu du mur brumeux. Ébloui tout d'abord par la lumière éclatante du jour, il ne put garder les yeux ouverts, tant la douleur ressentie fut aiguë. D'autres cris fusèrent, de toutes parts : « Le voilà ! Le voilà ! — Sors donc ! — Viens nous raconter ! — As-tu vu Abraham ? — Et David ?... » La rumeur s'enfla, elle devint brouhaha, grondement sourd, confus.

« Ils t'attendent, ils te réclament depuis hier, dit Marthe, doucement, tu devrais aller sur le pas de la porte et te montrer à eux. »

Lentement, Lazare s'obligea à desserrer les paupières. Malgré la brûlure aveuglante de cette lumière blanche, il distingua un grand nombre de gens, la plupart debout, dans sa cour, un véritable attroupement, une foule qui se massait là, devant sa maison. Ils l'appelaient : « *Sors, viens à nous !* » continuaient-ils à crier. Que voulaient-ils ? Ce Galiléen dont il se souvenait à peine lui avait-il vraiment rendu la vie ? Isaïe, bien sûr, le proclamait : « *Les morts vivront, les cadavres ressusciteront, ceux qui dorment dans la poussière chanteront.* » Mais il parlait du jugement, celui du dernier jour, et de la vie éternelle. Ce moment de récompense, pour ceux qui l'auraient mérité, et de châtiment pour les autres, n'était pas venu... L'air lui manqua, un étourdissement fit basculer la cour, face à lui, il s'accrocha au mur pour ne pas tomber. Sa main agrippa la robe de Suzanne. Les trois femmes le soutinrent et le ramenèrent sur le lit. « Tout cela est un rêve, murmura-t-il, bientôt je vais me réveiller, et les choses continueront, comme avant. »

7

Comme il s'approchait de Béthanie, Haggaï, prêtre et membre influent du Sanhédrin, constata qu'on ne lui avait pas menti. Ainsi que le rapportaient Zerah et plusieurs autres témoins, près d'une semaine après le *miracle*, une foule compacte restait rassemblée aux abords du village. Quelques tentes se dressaient même sur la colline et beaucoup, à cette heure de midi, faisaient griller du poisson sur des feux de bois, ceux-là, manifestement, ne partiraient pas de sitôt. Des miséreux, assis ou couchés sur le bord de la route, attendaient, en plein soleil, les yeux fixes, l'air égaré ; plus de trente femmes, serrées autour du puits, se poussaient afin de pouvoir descendre leur cruche dans l'eau, des enfants couraient en tous sens, ils s'attrapaient, se battaient, roulaient dans la poussière, et des nouveaux venus, à dos d'âne, criaient pour que l'on s'écarte et qu'on leur laisse le passage. Haggaï entendit soudain des hurlements sauvages derrière lui, il se retourna, quatre hommes essayaient d'en maîtriser un cinquième, une sorte de fou qui, la bave aux lèvres, se tordait comme un possédé. Combien de temps les Romains toléreraient-ils un tel désordre ?

Plus il s'approchait du village et plus la foule devenait dense. Il enjamba le corps inerte d'un ivrogne affalé sur le sol, en travers du chemin. Un mendiant s'accrocha à son manteau, la main tendue : « *Un denier, donne-moi un denier, le Tout-Puissant te le rendra...* » Il dut lui envoyer un coup de pied pour se dégager.

Il fut stupéfait de trouver un tel rassemblement de loqueteux et d'estropiés dans la cour de Lazare, devant sa maison. Il passa près d'une enfant allongée sur une planche de bois. Il vit sa pauvre figure couverte de croûtes jaunâtres et de maux suppurants que cernaient des bourdonnements de mouches noires. Tous les miséreux de Jérusalem paraissaient s'être rassemblés ici, espéraient-ils donc tellement en de nouveaux miracles ? L'un d'eux, appuyé sur deux béquilles entourées de chiffons, l'interpella : « Sais-tu où est le Messie ? lui demanda-t-il, on dit qu'il est de retour chez Lazare, cela est-il vrai, le sais-tu ? » Occupé surtout à se frayer un passage au milieu de ce grouillement repoussant, il ne répondit pas.

Il fallut qu'il cogne six fois sur la porte en proclamant bien haut qui il était pour qu'enfin on accepte de lui ouvrir. Il se glissa à l'intérieur et nota que l'on refermait et abaissait aussitôt le loquet, d'un tour de clé, derrière lui.

Les trois femmes qui le reçurent ne montrèrent aucune chaleur à son égard. Immédiatement, il sentit qu'il leur faisait peur et qu'elles se méfiaient de lui, cela ne l'étonna pas, chacun savait que le Sanhédrin, les prêtres, les scribes et les saducéens détestaient ce *Messie* venu de Galilée.

Il s'assit de lui-même sur un tabouret et il demanda à voir Lazare fils de Chaïm.

« Il dort, lui répondit l'une des femmes, nous devons le laisser se reposer.

— Réveillez-le, insista-t-il, il n'a rien à craindre de

moi, je ne viens pas en ennemi. Je ne suis là que pour lui poser quelques questions. Ce n'est pas lui qui m'intéresse, mais ce Jésus de Galilée. Vous l'ignorez peut-être, mais il a déjà accompli trente-quatre miracles et toute la Judée est en effervescence à cause de lui. J'ai moi-même rencontré un aveugle, un certain Yaïr, à qui il a rendu la vue à la piscine de Siloé, s'il est aussi capable de ramener les morts à la vie, il faut que nous le sachions. »

Les trois femmes le laissèrent seul. Elles se consultèrent un moment, puis, convaincues que rejeter la demande du prêtre ne ferait qu'éveiller inutilement ses soupçons, elles montèrent réveiller Lazare qui dormait dans la chambre haute.

Depuis l'entrée d'Haggaï dans la maison, des excités, de plus en plus nombreux, criaient à l'extérieur pour réclamer le Messie et Lazare le ressuscité. Ces hurlements et le désordre dont ils témoignaient exaspéraient le prêtre. « Rien que pour cela, pensa-t-il, ce Jésus doit disparaître. »

Quand Lazare apparut, marchant avec peine, appuyé sur Marthe, la plus grande, la plus solide des trois femmes, Haggaï eut l'impression qu'un courant d'air glacé s'introduisait dans la pièce pourtant fermée. Il considéra Lazare avec stupeur. Même si, pour avoir vu, avec des médecins, certains miraculés, il ne doutait pas du pouvoir du Galiléen, pas un instant, il n'avait cru à cette histoire de résurrection. Or l'homme qui s'avançait lentement vers lui paraissait sortir réellement des ténèbres. Lazare se laissa tomber sur le divan-lit. Il se coucha à demi sur les coussins empilés. Sa jeune épouse s'assit auprès de lui, Haggaï remarqua ses paupières gonflées, cette femme avait pleuré.

Lazare respirait mal, sur un rythme saccadé, l'air sifflait en sortant de sa gorge. Haggaï le regarda longuement, une impression de malaise monta en lui. La couleur gris mat et la maigreur extrême de son visage sec à l'ossature saillante évoquaient irrésistiblement le masque de la mort. Il se souvint avoir remarqué sur nombre de cadavres cette même expression de douleur, ou de peur, qui contractait ses traits et creusait un sillon profond au milieu de son front. Bien qu'assis à distance, il sentait l'odeur qui se dégageait de son corps, mélange diffus de terre humide et d'huiles rances. Les yeux de Lazare se posèrent sur lui, il remarqua aussitôt le voile brumeux qui les recouvrait, les rendant bizarrement troubles. Il se détourna, son aplomb et sa morgue avaient disparu.

Il détestait l'idée de la mort.

Alors qu'il venait avec la certitude de pouvoir réunir assez de preuves pour dénoncer la plus scandaleuse des supercheries, avec l'espoir de confondre enfin le Galiléen et de le perdre, il se retrouvait muet, en face d'un personnage incompréhensible, aux lèvres incolores, à la poitrine enfoncée, à la barbe et aux cheveux ternes comme la cendre.

Il regretta, furtivement, d'être venu... Mais il pensa que les raisons pour lesquelles il se trouvait là avaient suffisamment d'importance pour qu'il oubliât son malaise.

Il attendit un peu avant de poser sa première question, son trouble ne devait pas se remarquer.

Quand il se sentit plus calme, plus maître de lui et de ses émotions, il releva la tête et de nouveau il se força à regarder Lazare, en plein visage. « La rumeur qui est venue jusqu'à nous, à Jérusalem, est-elle exacte ? demanda-t-il très lentement. On dit que Jésus fils de Joseph t'a rendu la vie. Certains affirment t'avoir vu sortir du tombeau cinq jours après ta mort. » Il se tut un moment. Les yeux troubles restaient fixés sur lui. Seuls les cris venus de l'extérieur et la respiration sifflante trop rapide, assez insupportable, troublaient le silence. « Tu dois me dire si cet homme t'a réellement sorti du *Grand Sommeil* », reprit-il, d'une voix plus forte.

Lazare parut hésiter. Il regarda les trois femmes qui se tenaient près de lui. A son tour, il baissa la tête, comme s'il craignait de dire la vérité.

« Ainsi que je l'ai affirmé tout à l'heure, tu n'as rien à craindre de moi, reprit le prêtre. Tu comprends certainement que si un tel prodige a eu lieu, le Sanhédrin doit en avoir connaissance. »

Lazare resta muet pendant un long moment. Haggaï continuait à l'observer. Sans aucun doute cet homme au souffle rauque, au corps décharné, ressemble à une ombre, pensait-il. Se peut-il donc que ce *faiseur de miracles* sache ressusciter les morts ? et si oui, alors qui est-il, que veut-il ? que cherche-t-il à démontrer ?... Ces questions le tourmentaient. Comment, lui l'un des plus farouches adversaires du Galiléen, expliquerait-il au grand prêtre et aux juges assemblés qu'à son avis il fallait abandonner tout espoir de trucage ou de super-cherie dans l'affaire de Béthanie ?... Mais non, il s'emballait sous l'emprise d'une émotion trop forte, sa conclusion était trop hâtive... Comment pourtant admettre ce visage, ce regard, cette odeur, comment expliquer ce froid qui se répandait dans toute la pièce malgré le brasero allumé ?... Et quand bien même le Galiléen ramènerait les morts à la vie, cela ne prouvait pas qu'il fût le Messie tant espéré par le peuple. Élie aussi possédait ce pouvoir et il n'était qu'un prophète, pas le sauveur d'Israël...

Enfin Lazare se décida à parler. Dès qu'il ouvrit la bouche, Haggaï sentit un souffle glacé passer sur lui. « Je ne puis rien affirmer, dit-il, avec infiniment de difficultés. Tous me répètent que j'étais mort et que le Galiléen m'a ressuscité. » Sa voix, très faible, paraissait venir de sa poitrine. Il n'articulait pas, comme si sa langue engourdie refusait de bouger dans son palais, il coupait chaque mot en deux ou en trois, sa mâchoire et ses lèvres elles-mêmes bougeaient à peine tandis que des sons hachés sortaient de sa bouche, tout juste compréhensibles. Sa jeune épouse, assise près de lui, gardait les yeux baissés, elle n'osait vraisemblablement pas le regarder. « Je me souviens d'un gouffre noir au fond duquel je restais enfermé, poursuivit-il. On m'af-firme que, lorsqu'il m'a dit " *lève-toi* ", je me suis levé et j'ai marché... De ces moments-là, je ne garde en mémoire que ce sac qui couvrait mon visage, que ces liens qui attachaient mes bras contre mon corps, que ces gens qui semblaient crier, qui me poussaient, me bousculaient, que cette chaleur torride qui me brûlait et m'étouffait... »

Il se tut, afin surtout de reprendre son souffle. La marque de douleur sur sa figure se creusa plus profondément encore.

« N'as-tu rien vu dans ton gouffre noir ? demanda Haggaï.

— Non, répondit-il à voix basse, je n'ai rien vu.

— N'as-tu pas vu Abraham, ou David ? Souviens-toi.

— Je n'ai rien vu... que ce trou noir, seulement ce trou noir. »

Haggaï pensa que s'il avait essayé de le tromper, il se serait au moins efforcé d'inventer quelque chose, que certainement il aurait parlé de ce lieu mystérieux que les Écritures appelaient *schéol*, « région des ténèbres », dans lequel erraient les ombres de la mort. Beaucoup, dans le peuple, croyaient à ces légendes, persuadés que l'on entrait dans le séjour du silence en déplaçant le gros rocher qui, au centre du Saint des Saints, lui servait de couvercle. Non, malheureusement, cet homme ne mentait pas, personne ne savait feindre un tel état de peur et de souffrance. A cause de lui les choses devenaient soudain beaucoup plus compliquées et beaucoup plus graves. Malgré l'envie qu'il avait de s'éloigner de Lazare et de quitter cette maison au plus vite, Haggaï se tourna vers les femmes. « Et vous, leur demanda-t-il, affirmez-vous que le Galiléen a rendu la vie à Lazare ?

— Oui, répondit Marthe. Nous avons assisté à ce miracle et nous avons promis d'en témoigner.

— Alors, racontez-moi en détail comment les choses se sont passées. »

Marthe obéit. Visiblement à contrecœur, elle relata les faits, depuis la mort de son frère jusqu'à sa sortie tu tombeau. Haggaï, qui n'ignorait rien de ces événements pour en avoir entendu le récit de la bouche de plusieurs témoins, l'écouta attentivement. Il nota qu'elle évitait de citer les paroles exactes prononcées par le Galiléen. Il en conclut qu'elle cherchait à le protéger. Il savait heureusement à quel point il avait blasphémé en réclamant, à toute force, que l'on croie en lui, comme on devait croire dans la seule gloire du Très-Haut.

Plus elle parlait, et plus les miséreux, rassemblés dehors, devant la maison, s'agitaient. Certains, maintenant, venaient même cogner contre la porte.

« Est-ce ma présence qui les excite ? demanda Haggaï.

— Non, répondit Marie, c'est ainsi depuis cinq jours, ils veulent voir Lazare et le Galiléen. »

Il se contenta de hocher la tête et Marthe reprit le cours de son récit.

Dès qu'elle eut terminé, il se leva, après tout il en savait assez, pour l'instant du moins. « Où est-il actuellement ce Jésus ? demanda-t-il simplement.

— Nous l'ignorons », mentit Marthe.

« Qu'importe, pensa-t-il en franchissant le seuil de la porte, il finira bien par se montrer et par accomplir de nouveaux miracles, il tient trop à ce que l'on croie en lui pour rester longtemps caché. »

Une fois dehors, sur la route de Jérusalem, il eut le sentiment de sortir d'un tombeau. L'air vif qu'il respira lui donna l'impression de revenir à la vie.

Perturbé par cette rencontre, il ne parvint pas à mettre de l'ordre dans ses idées alors qu'il rejoignait la cité haute.

Une fois revenu chez lui, dans le quartier riche du palais des Asmonéens, il s'aperçut que l'odeur de terre humide et d'huiles rancies s'était collée à ses vêtements. Très vite il se dévêtit et il se lava le visage et les mains.

8

CELA faisait dix jours maintenant que Lazare était sorti de son tombeau.

On disait, depuis la veille, que le Galiléen était de retour à Jérusalem. L'annonce de son entrée triomphale dans la ville avait suffi à vider les rues de Béthanie. Curieux et miséreux s'en étaient allés à la recherche de leur Messie. Plus personne n'attendait ni ne criait dans la cour, devant la maison.

Lazare dormait moins, son hébétude s'effaçait et petit à petit il retrouvait sa lucidité. Il demeurait toutefois incapable de se déplacer sans aide, il ne se nourrissait pas, il ne sortait pas, son visage restait gris et l'odeur sur son corps persistait. Tout lui paraissait vide, désert, en lui et autour de lui. Il ne s'expliquait pas ce qui lui arrivait. Suzanne qui l'observait sans cesse, guettant tous ses gestes, épiant la moindre de ses réactions, loin de voir son état s'améliorer, le découvrait plus souffrant au contraire, chaque jour, et plus sombre. Elle craignait, sans oser se l'avouer, de ne plus jamais retrouver son bonheur passé.

Elle en venait à se demander si elle ne devait pas, elle aussi, partir pour Jérusalem, à la recherche du Galiléen. Pourquoi, apprenant à quel point Lazare allait mal, ne la suivrait-il pas à Béthanie et n'accomplirait-il pas un second miracle, pour lui, pour qu'il redevienne comme avant ?... Il ne pouvait l'avoir ressuscité pour accepter de le laisser vivre ainsi. Pourtant, une fois déjà il avait refusé de venir le guérir, rien ne prouvait qu'il agirait différemment aujourd'hui. Elle hésitait. Peut-être était-il trop tôt, il fallait laisser à Lazare le temps de retrouver sa force.

Elle craignait que le Galiléen et son compagnon, ce géant à barbe de bouc, ne la repoussent et, malgré tout son amour pour Lazare, elle redoutait de partir seule pour Jérusalem.

9

CE matin-là, Lazare, à son réveil, se sentit mieux. Pour la première fois, il parvint à se lever seul, dans la chambre haute, à enfiler sa tunique, à attacher ses sandales, sans l'aide de Marthe ou de Suzanne. Il réussit même à descendre l'escalier, en appuyant son dos contre le mur, en posant ses pieds, prudemment, l'un après l'autre, côte à côte, sur les marches. Parvenu dans la grande pièce du bas il alla s'asseoir, très lentement, sur le divan pour y reprendre son souffle. Si sa respiration restait courte et rauque, le poids considérable qui pesait sur sa poitrine et la paralysait à demi semblait soudain moins lourd.

Un espoir surgit en lui.

Dès que Suzanne fut revenue de la fontaine avec sa cruche pleine, il lui expliqua qu'il s'était levé et habillé sans aide, qu'il était descendu seul. Sa voix elle-même semblait plus claire, il s'entendait parler, avec application, mais de manière compréhensible. « Peut-être, finalement, qu'avec le temps, je redeviendrai tel que j'ai été », dit-il à sa jeune épouse. Jamais encore, depuis son retour, il n'avait prononcé des paroles semblables. Suzanne, bouleversée, voulut y voir, elle aussi, un premier signe d'espoir.

A l'heure de midi, bien qu'il n'eût toujours pas faim, il se força à manger un peu de hareng sec et il but une pleine coupe d'eau. L'arrière-goût de terre mouillée se collait toujours à sa bouche, il couvrait la saveur des aliments, même celle du poisson pourtant très prononcée. Il mâchait simplement des substances, des matières insipides, trop dures et trop compactes pour lui. Qu'importe, l'essentiel était d'avaler un peu de nourriture et de la garder, de ne pas la recracher ni la vomir.

Après le repas, lui qui ne sortait plus, évitant même de regarder à l'extérieur par la fenêtre, il voulut monter sur la terrasse de sa maison. Il gravit l'escalier en s'appuyant sur une béquille fabriquée dans son atelier plusieurs années auparavant. Là-haut, la lumière l'aveugla. Il ne put garder les yeux ouverts. Étourdi, il s'éloigna du bord plat de son toit, pour ne pas tomber. Il sentait la chaleur du soleil et le souffle tiède du vent, le printemps éclatait, il le savait, il fallait qu'il vôie les fleurs qui surgissaient de la terre. Lentement, il s'obligea à desserrer ses paupières et à les maintenir ouvertes malgré la puissance de cette clarté blanche qui l'éblouissait. Bientôt, face à ce paysage si familier, avec sa rue de village, ses vignobles, ses champs plantés d'oliviers et de figuiers, il perçut un ensemble de couleurs, mais, au lieu de reconnaître l'étendue bleu cru du ciel si large, celle rouge fauve de la terre et des collines plus lointaines, les taches contrastées, violettes, bleu lavande ou jaune d'or des parterres de crocus et celles, roses, des bouquets de fleurs d'amandier, il ne distingua que des surfaces de grandeur inégale, ternes, presque uniformes, tirant toutes sur le gris. Ce paysage ne ressemblait en rien à celui qu'il aimait auparavant. Bien que ce fût le début de l'après-midi, il se crut à l'approche du soir. Il contempla cette grisaille désertique autour de lui et son cœur se serra étrangement. La petite lueur d'espoir du matin n'existait plus.

Était-ce là le monde dans lequel il devait vivre désormais ?

Vers la dixième heure il rejoignit son atelier de charpentier. Depuis qu'il était descendu, désemparé, de sa terrasse, l'idée que, peut-être, il ne serait plus jamais capable de travailler tournait dans sa tête. Il fallait, dès maintenant, qu'il se prépare à tailler de nouveau le bois. Il se rendait compte, brusquement, que s'il attendait trop, tous dans le village, constatant qu'il n'exerçait plus aucun métier, le considéreraient comme un paresseux, un inutile, un malfaisant. Cela, jamais il ne le supporterait.

Dans son atelier, fermé depuis sa mort, il vit avec émotion les poutres de pin et de cèdre entassées contre le mur, juste avant son *départ,* ainsi que les troncs de sycomore dur coupés voilà bien longtemps pour fabriquer des socs de charrue. Appuyé sur sa béquille, il s'approcha de son établi. Ses pieds, *comme avant,* écrasaient les copeaux et la sciure répandus sur le sol. Il regarda longuement ses outils : la cognée, les marteaux, la varlope, l'herminette, les couteaux, l'équerre, le serre-point, disposés exactement comme il les avait laissés, le dernier soir avant de tomber malade. Il contempla le coffre dont il avait entamé la fabrication pour Saül, ainsi que les montants de porte et les linteaux, presque terminés, pour la maison neuve de Daniel. Sa gorge se serra : serait-il réellement capable de terminer cela un jour ? « Qui suis-je, se demanda-t-il, sans ce métier que j'aime tant et qui me fait vivre ? » Il considéra la planche posée sur son établi... Et s'il essayait de la couper, maintenant... Sans attendre, il prit la meilleure de ses scies et, appuyé tant bien que mal sur sa béquille, il entreprit de la scier, par le milieu. Deux fois, il fit le mouvement de va-et-vient nécessaire, deux fois, la lame glissa sur le bois sans l'entamer. Il voulut peser plus lourdement sur son bras, donner plus de force, plus de puissance à son geste, mais il ne sentit que la faiblesse de son épaule, la mollesse de ses doigts. Son poignet se tordit, au lieu de pénétrer dans la planche, la scie lui échappa des mains. Il se laissa tomber assis, sur un tabouret. « Je ne suis plus capable de rien, murmura-t-il. Qui donc va gagner l'argent pour nous nourrir et acheter nos vêtements ? comment pourrai-je me soustraire à l'obligation imposée par Yaweh au premier homme : celle de gagner son pain à la sueur de son front ?... » Pendant un instant il se vit, vêtu de chiffons, mendiant sur le bord d'une route, comme tous ces miséreux qui, quelques jours auparavant, envahissaient sa cour... Il fallait qu'il retrouve ses forces ! Il fallait qu'il prie pour cela, et qu'il s'oblige à manger, il fallait qu'il bouge, qu'il sorte, il le pouvait maintenant que plus personne n'assaillait sa maison, il fallait qu'il marche dehors, sans aide, et que, chaque matin, il revienne dans son atelier, jusqu'à ce qu'il réussisse à scier sa planche.

Il sortit aussitôt sur le seuil de sa porte. De nouveau le soleil l'aveugla. Il attendit que ses yeux s'habituent à la lumière, puis il fit une vingtaine de pas à l'extérieur, dans sa cour. Il regarda encore autour de lui. Il se tourna vers sa maison. Une couche de cendre, hélas, semblait s'être abattue sur elle pour la recouvrir, la salir, l'abîmer et l'enlaidir.

10

C'ÉTAIT veille de Sabbat. Marthe, qui venait de s'approvisionner en poisson, dattes et figues pour les repas du lendemain, surveillait la cuisson des pains et galettes dans le four, et Marie remplissait d'huile la lampe sabbatique.

Peu avant l'heure du repas, alors que Suzanne finissait de nettoyer la maison avec soin, elle vit son époux sortir de son atelier, comme chaque soir. Elle remarqua qu'il avait noué sa ceinture de charpentier, en cuir, autour de sa taille afin de remonter sa tunique pour que, comme au temps où il taillait le bois, elle ne le gêne pas dans ses mouvements. Il paraissait exténué et de nouveau il se déplaçait appuyé sur sa béquille. Plus encore que les autres soirs, sa figure était grave et douloureuse. Malgré son inquiétude, elle le laissa s'éloigner et gravir une à une les marches de l'escalier sans oser lui demander ce qu'il faisait, enfermé ainsi devant son établi.

Lazare se dévêtit dans la chambre haute. Une fois de plus il regarda son pauvre corps. Voilà cinq jours qu'il essayait en vain de scier cette planche. La lame n'attaquait même pas le bois et son outil, sans cesse, lui échappait des mains. Il toucha son bras si maigre, si fragile, il passa son doigt sur le nœud osseux de son coude, il détestait le contact de sa peau sèche. Il remonta vers son épaule..., rien à faire, ses muscles ne se reformaient pas !... Comment, dans ces conditions, serait-il capable, un jour, de retravailler ?... Ses jambes, ce soir, le portaient à peine, il se demandait si elles ne commençaient pas à se tordre, entre le genou et la cheville, comme si elles ne pouvaient plus soutenir le poids, pourtant si léger, de son corps. Il frôla la coupure qu'il s'était faite, avec la scie, tout à l'heure, sur sa main. Bien qu'assez profonde, elle ne saignait pas et, curieusement, ne lui causait aucune douleur. En fait, passé les premières brûlures, à l'intérieur de sa poitrine, lorsque, peu après sa sortie du tombeau, il avait voulu boire une coupe de vin, il ne souffrait pas. Il ressentait seulement, parfois, de lointains élancements dans le dos et dans la nuque.

Il ne supportait plus le spectacle de ses côtes saillantes, de son ventre creux ridé, de son bassin squelettique. Il fallait qu'il se lave encore, qu'il essaie, une fois de plus, d'effacer cette couleur grise sur sa peau. Il prit le *natron* venu d'Égypte dont il se servait, *avant*, chaque veille de Sabbat, pour se nettoyer de toute impureté. Il se couvrit de mousse, de la tête aux pieds, et il se frotta, du plus fort qu'il pût, jusqu'à ce que la nuit tombe et que le hazzan, monté sur le toit de la plus haute maison de Béthanie, sonne trois fois dans sa trompette pour annoncer que l'on devait allumer les lampes à huile, afin que le Sabbat *commence à briller*.

A la première heure de la journée, le lendemain, Suzanne eut la surprise de le voir descendre de la chambre haute revêtu de sa tunique de cérémonie, brodée, ornée de bandes de couleur, avec, en guise de ceinture, une large pièce de soie enroulée et tournée plusieurs fois autour de sa taille. Son corps rétréci flottait dans ce vêtement désormais ridiculement grand. L'encolure bâillait, elle laissait apparaître le haut de sa poitrine cave, les manches, pourtant retroussées, restaient trop longues et trop amples, et les glands rituels, bleu jacinthe, en bas de la tunique trop longue, se balançaient juste au-dessus de ses pieds.

Sur lui, couvrant l'odeur de sa peau, elle sentit le parfum du romarin et de l'origan.

« Bien que je ne veuille pas encore me rendre à la synagogue ce matin, dit-il, je me suis frotté avec les plantes aromatiques, j'ai croqué le poivre odorant et je me suis habillé, pour honorer le Tout-Puissant. »

Le soleil venant de se lever, désireux d'observer le rituel des jours de Sabbat, ils se mirent à table.

Lazare tint à réciter lui-même la triple bénédiction. Puis, le premier, il rompit le pain et les galettes préparés par Marthe. Suzanne le regarda manger les dattes et les figues séchées et, sans en recracher une goutte, boire une coupe presque entière de vin aromatisé. Elle pensa que, décidément, il allait mieux. Ainsi recommençait-il à se nourrir, peu, mais avec régularité : deux fois par jour il avalait quelques fruits et cinq ou six bouchées de pain ou de poisson. Maintenant, il se déplaçait seul dans la maison, en appuyant simplement sa main contre le mur. Chaque après-midi il sortait et, s'aidant de sa béquille, il faisait plusieurs fois le tour de sa cour. Il semblait aussi respirer avec moins de peine, il parlait plus et de façon plus intelligible, et surtout, chaque soir, il partait s'enfermer dans son atelier, sans doute pour y reprendre l'habitude de travailler. Il était vrai, malheureusement, qu'il en ressortait toujours abattu et que, dans ces moments-là, les rides de douleur se creusaient plus profondément sur son visage.

Même s'il continuait à lui faire peur, même si son souffle restait glacé, son corps sec et décharné, son dos et ses épaules voûtés, comme écrasés par une masse invisible, même si cette odeur de mort se collait toujours à sa peau, même si cette expression de souffrance et de peur restait gravée sur sa figure, il redeviendrait comme avant, elle voulait s'en persuader. D'ailleurs, s'il parlait de plus en plus souvent de retrouver sa force c'était parce que, certainement, d'ores et déjà, petit à petit, il la sentait revenir.

Lazare s'aperçut que Suzanne l'observait. Il lui sourit, se redisant qu'il avait sous les yeux quelque chose de beau qui lui était très cher. Hélas, sur elle aussi, parée pour le Sabbat, avec ses rubans de couleur dans ses cheveux tressés, ses joues et ses lèvres rouges de fard, une couche de cendre semblait s'être déposée. Il regarda ses deux sœurs, Marthe et Marie, qui se partageaient le gâteau de fleur de farine, et il se fit l'effet d'un étranger en face d'elles, d'un intrus qui venait déranger leur vie.

Malgré l'heure matinale, il entendit les cris joyeux d'enfants qui s'amusaient dehors, dans la rue. Il pensa que comme eux, jadis, il avait été heureux de vivre et, pour la première fois, il se dit que le Galiléen aurait mieux fait de le laisser au fond de son tombeau.

Sitôt le repas terminé, il voulut se mettre en prière. Il demanda à Suzanne de fixer les phylactères sur son front. Elle noua la courroie derrière sa nuque et elle recouvrit sa tête, ses épaules et son dos, avec son taleth de soie blanche. Elle l'aida à s'agenouiller, tourné dans la direction de Jérusalem, du Temple, et elle se tint auprès de lui, pour le soutenir. Il récita d'abord le *Schema*, très doucement : « *Écoute Israël, l'Éternel est notre Dieu, l'Éternel est Un. Tu aimeras l'Éternel ton Dieu de tout ton cœur, de toute ton âme et de tout ton esprit...* », puis, levant les mains, il enchaîna, plus fort, sur les *Dix-huit bénédictions* qui, dès les premiers versets, louaient, glorifiaient, le Dieu d'Abraham, d'Isaac et de Jacob, « *maître grand, fort et redoutable, dispensateur de tous bienfaits* ». Front incliné, yeux clos, il demanda ensuite le pardon de ses offenses et, avec émotion, il supplia le Tout-Puissant de lui accorder son pain quotidien. Enfin, il se prosterna, face contre terre, et Suzanne dut le lâcher. Elle voulut le relever mais il la repoussa d'un geste du bras. Replié ainsi sur lui-même, le front appuyé sur le sol, le dos brisé, il se mit à implorer le Très-Haut pour qu'il lui rende sa force.

11

LE lendemain Lazare demanda à Suzanne de l'accompagner au sommet de la colline. « Je veux marcher, lui dit-il, en m'appuyant seulement sur toi. J'ai besoin de sortir de cette maison, de dépasser les limites de cette cour. »

Il attendit, pour s'avancer dans le village, que l'éblouissement, dû comme toujours à la lumière du soleil, se fût dissipé. Quand, derrière son rideau de

cendres, il distingua la rue, face à lui, droite, poussiéreuse, bordée de maisons semblables à la sienne,
cubiques et blanchies à la chaux, il prit le bras de
Suzanne et il se décida à marcher.

Il boitait sur sa jambe gauche et, dès qu'il posait le
pied sur un caillou, ses chevilles se tordaient. Les gens
de Béthanie, qui le voyaient sortir pour la première fois
depuis le miracle de sa résurrection, cessèrent leurs
activités et vinrent sur le pas de leur porte pour le
regarder passer. Surpris par sa démarche bancale, par
son visage gris, par son corps recroquevillé, ils restèrent
tous silencieux. Se souvenant de sa force, de sa beauté
et de sa vigueur, ils pensèrent que la mort s'accrochait à
lui par-delà son tombeau et que, malgré l'étendue de
son pouvoir, le Galiléen n'était pas parvenu à l'éloigner. Mal à l'aise devant ce spectacle étrange, beaucoup préférèrent s'enfermer chez eux, jusqu'à ce qu'il
fût sorti du village. « *Voilà pourquoi il ne se montrait
pas* », se dirent-ils au fond d'eux-mêmes.

Serrés l'un contre l'autre, Lazare et Suzanne commencèrent à gravir la pente.

Ils durent s'arrêter tous les vingt pas pour que Lazare
reprenne son souffle. « Qu'importe, répétait-il, je sens
que je marche mieux aujourd'hui. J'atteindrai le haut
de cette colline. Demain j'irai plus loin encore et
bientôt je partirai seul sur la route de Jérusalem et j'irai
prier dans le Temple. » Plus que jamais ses pieds
roulaient sur les pierres, et pour ne pas tomber il
s'agrippait de plus en plus fort au bras de Suzanne.
L'air surtout lui manquait, sa respiration redevenait
rauque et sifflante, elle se bloquait au fond de sa gorge,
comme au soir de sa résurrection.

Ils parvinrent malgré tout au sommet. Exténué, il se
coucha sur le sol. Tandis que, bouche grande ouverte, il
cherchait avidement à reprendre son souffle, Suzanne
vint s'allonger auprès de lui.

« Tu as raison, tu vas beaucoup mieux, lui murmura-
t-elle au creux de l'oreille. Tes forces reviennent. Oui,
bientôt tu pourras aller au Temple. »

Heureuse de constater quel effort nouveau il venait
d'accomplir, elle lui caressa la joue. Elle remonta ses

cheveux tombant sur son front. Sa peau n'était plus froide désormais, mais tiède. Son visage, brusquement, lui parut moins gris, moins sec, moins ridé. Elle ne sentit plus son odeur et elle se demanda si sa barbe couleur de cendre ne redevenait pas noire, de jour en jour, si ses lèvres ne commençaient pas à rosir.

Il haletait, sa poitrine pourtant se soulevait à peine. Oubliant sa peur, elle frôla son sourcil avec ses lèvres. Il ouvrit les yeux. Elle le prit alors dans ses bras et se coucha sur lui. Ils restèrent ainsi un long moment.

Quand le rythme saccadé de sa respiration redevint plus calme, il l'enlaça et il couvrit doucement son cou de baisers.

Elle commença à toucher son ventre, ses hanches, ses cuisses. Elle ne pensa plus à cette peau desséchée, à ces os saillants, sous ses doigts. Elle glissa entre ses jambes et elle commença à le caresser.

Il la tenait serrée contre lui, il la laissait faire. Il imaginait sa petite main blanche qui s'agitait, enfoncée entre ses cuisses. Il dénoua son châle, il ôta les agrafes de sa tunique, il prit sa poitrine, si chaude qu'elle lui parut brûlante. Leurs deux visages se touchaient. Il perçut les battements de son sang sous sa peau douce et fine, ses dents qu'il entrevoyait, floues entre ses lèvres, avaient un éclat juvénile, ne pouvait-elle lui transmettre un peu de sa jeunesse et de sa vie ?

Sa chaleur se répandait sur lui. Elle tourna légèrement la tête et ses cheveux longs frisés glissèrent sur sa figure, rentrèrent dans sa bouche, pourquoi n'en sentait-il plus l'odeur parfumée ? Il mordit le croissant doré de sa boucle d'oreille, puis il redescendit vers son épaule nue. Si près d'elle, derrière son rideau de cendres, il ne distinguait pas les nuances exactes de sa peau. La tache floue de son visage paraissait étonnamment claire au-dessus de son cou d'un blanc presque éclatant. Sa poitrine, plus foncée, prenait, elle, une couleur de miel.

Le souffle de Suzanne se faisait rapide et court. Elle se redressa, s'assit sur son ventre. Elle le caressait toujours, mais en lui ne montait aucune forme d'excitation ni de plaisir. Elle secoua la tête, puis elle la rejeta en arrière, yeux clos, bouche entrouverte. Ne devait-il pas la supplier d'arrêter, d'interrompre tout ceci qui ne servait à rien ? Sa main libre vint se poser à plat sur lui, comment supportait-elle le contact de son corps froid ? Il toucha ses doigts, il voulut les prendre dans sa bouche, les mordre, mais il pensa à sa langue à moitié sèche, et il s'en empêcha. Il préféra frôler l'arrondi plein de ses hanches. Elle continuait à balancer sa tête, son cou se mouvait avec souplesse, tantôt il se gonflait, rejeté en arrière, tantôt il s'allongeait au contraire, puis il s'inclinait, se ployait. « Je t'aime, Suzanne », murmura-t-il.

Elle se coucha de nouveau sur lui. Les mouvements de sa main se firent plus vifs, plus saccadés, plus désordonnés aussi et plus nerveux. Il sentit encore le battement, sous sa poitrine qui se collait à la sienne, de plus en plus rapide, si fort qu'il crut l'entendre, succession ininterrompue de coups brefs et sourds. En lui hélas la vie ne cognait pas avec tant de force et de désir.

Elle continuait à secouer en vain cette chose molle, grise et plissée, que plus jamais sans doute elle ne recevrait, droite, gonflée, vigoureuse. Un débordement de larmes lui serra la gorge, inutilement puisqu'il ne savait plus pleurer. « Il faut cesser, dit-il, pardonne-moi mais cela ne sert à rien. »

Ils repartirent, silencieux. Collé à elle, il s'appuyait de nouveau sur son bras. Ils descendirent de la colline sans prononcer un mot. Sitôt revenu dans la maison, Lazare, honteux, désespéré, écrasé de fatigue, monta s'allonger, seul, dans la chambre haute. Suzanne, au bout d'un moment, vint le rejoindre. « Ne t'inquiète pas pour moi, lui dit-elle, je sais que ton ardeur reviendra, tout entière, et au printemps prochain, j'en suis certaine, je te donnerai ce fils que tu désires tant. » Il lui sourit. Il aimait tellement sa bonté, sa jeunesse, sa douceur... Elle ne parvenait malheureusement pas à dissimuler sa tristesse, ni son inquiétude ; il les lisait sur son visage, dans ses yeux, malgré l'effort qu'elle faisait pour les lui cacher. Que se passerait-il s'il n'arrivait plus à la satisfaire ? L'assemblée des juges, conformément à l'enseignement rabbinique, l'obligerait à la répudier et elle retournerait vivre chez son père à l'autre extrémité de Béthanie.

Au milieu de la nuit, comme il ne dormait pas, il s'approcha, se coucha sur le côté, légèrement penché sur elle. Il colla sa jambe contre la sienne et le renflement de sa hanche s'enfonça dans son ventre. Il se serra plus près encore, jusqu'à ce qu'il sente son sein pressé sous sa poitrine. Elle bougea, elle inclina la tête vers lui et, glissant sur sa joue, il perçut l'effleurement de son souffle. Délicatement il passa ses doigts écartés sur son visage. Dans l'obscurité presque totale de la chambre, il se rendit compte alors que, sous ses paupières closes, les gouttes fines de deux larmes finissaient de sécher.

12

LAZARE qui avait d'abord passé des journées entières à dormir, après sa sortie du tombeau, ne parvenait plus maintenant à trouver le sommeil. De la première à la dernière heure de la nuit, il se tournait et se retournait sans répit sur son lit. Il s'allongeait à plat, il repoussait les coussins, puis il les ramenait sous sa nuque au contraire, l'instant d'après, afin de surélever et de soutenir sa tête. Saisi tantôt par le froid, il s'enveloppait dans la couverture et accablé tantôt par une chaleur imaginaire, il l'arrachait. S'il s'approchait souvent de Suzanne couchée à ses côtés, s'il se collait à elle, c'était pour s'en écarter presque aussitôt, pour s'en éloigner et lui tourner le dos, de peur de la gêner, de l'indisposer par son odeur, par le contact froid de sa peau desséchée. Quoi qu'il fît, quelle que fût la position qu'il choisît, il restait éveillé. Il s'interrogeait, luttant en vain contre les pensées les plus sombres.

Comme les habitants de Béthanie sur son passage,

une semaine plus tôt, il se demandait si le Galiléen n'avait pas atteint les limites de son pouvoir en le sortant de son tombeau. Ce qu'il savait faire s'arrêtait peut-être à la simple « réanimation » d'un corps, dans l'état exact où il se trouvait au moment de son intervention. Entre redresser, relever, un cadavre, au bout de cinq jours, le tirer de son sommeil avec son odeur de terre humide et son corps déjà en décomposition, et ressusciter un mort, lui rendre la vie, le bonheur et la chaleur de la vie, il existait une différence fondamentale.

Penser que le Galiléen réveillait simplement les morts (ce qui, en soi, paraissait déjà extraordinaire) l'effrayait, car cela signifiait qu'il ne possédait pas la moindre chance de *revivre* un jour.

Une nuit, ne supportant plus de rester inutilement couché, il se leva, il s'enroula dans son manteau, et il monta sur sa terrasse. Là, face à l'obscurité, il se souvint combien ces nuits froides qui précédaient la Pâque lui plaisaient autrefois. Il respirait alors les odeurs de terre chaude et de plantes sauvages qui montaient du sol, il écoutait les mille bruits minuscules qui animaient presque imperceptiblement le grand silence, il contemplait la multitude d'étoiles qui piquetaient le ciel bleu-noir faisant flotter une brume de lumière au-dessus des collines. Maintenant, il ne percevait plus les senteurs du printemps, il n'entendait plus ses bruissements infimes. Il ne distinguait même plus la constellation d'Orion qui, il le savait, scintillait à l'horizon, derrière Jéricho, par-delà le mur sombre du djebel Qarantal.

Il tremblait simplement de froid, prisonnier de son brouillard muet.

Il ne pouvait décidément plus continuer à *vivre* de cette manière. Ce qui lui arrivait n'avait aucun sens : personne ne revenait, après la mort ! Rien ne prouvait d'ailleurs qu'il ne rêvait pas tout ceci, qu'en fait ces images ternes, ces sensations amorties, dénaturées, ne défilaient pas au fond de son *Grand Sommeil*. « Je subis peut-être là mon châtiment, se dit-il, en réparation de mes fautes. Mais quels péchés si graves ai-je commis pour que le Tout-Puissant m'impose cette épreuve et m'abandonne ainsi ?... » S'il y réfléchissait, beaucoup de signes donnaient à penser qu'il était toujours effectivement mort, le fait, par exemple, qu'il ne souffrait jamais de la faim ni, désormais, de la soif, qu'il se forçait à boire, à avaler du pain ou quelques fruits, non parce qu'il en ressentait l'envie ou le besoin vital, mais uniquement dans l'espoir que cela lui rendît un peu de ses forces. Le fait qu'il ne pouvait plus procréer, ni même avoir de rapports avec son épouse, allait aussi dans ce sens. Sans parler de cette étonnante faculté qui lui permettrait de vivre sans plus jamais dormir... « Suis-je mort ou vivant ? », dit-il pour lui-même... L'envie lui prit soudain de se jeter du haut de sa maison pour mettre fin tout de suite à ce cauchemar. Il posa ses deux pieds sur le bord du toit plat. Il lui suffisait de laisser son corps se pencher en avant pour perdre l'équilibre et tomber. Il hésita : quel autre châtiment terrible l'attendrait pour s'être ainsi volontairement détruit ? Et quel mal exactement allait-il se faire ? Au lieu de se tuer pour de bon, ne risquait-il pas plutôt de se blesser, de se briser les deux jambes ou de se casser le dos sur les dalles de la cour et de ne plus jamais marcher, pour de bon cette fois ? La maison après tout n'était pas très haute...

Il se recula et il essaya de se souvenir de ce gouffre noir sans fond dans lequel il était resté enfermé si longtemps. Il ne vit qu'un trou illimité, une sorte de puits au milieu duquel il restait en suspens, privé de toute sensation. Ces idées le rendaient fou. Il n'existait rien après la mort, le corps redevenait glaise et, au lieu de monter portée par un ange, ainsi que le prétendait le troisième chapitre de l'*Ecclésiastique,* l'âme au contraire descendait, lentement, dans un gouffre infini.

La récompense ou le châtiment, si châtiment il y avait, n'interviendrait qu'au jour lointain de la réincarnation et du jugement dernier.

Il revint dans la chambre haute et il se recoucha sans bruit auprès de Suzanne endormie. « Bientôt, pensat-il, je pourrai rejoindre Jérusalem seul, et alors, j'irai trouver le Galiléen, pour qu'au moins il me dise si je suis vivant, ou toujours mort. »

Le lendemain, au lever du soleil, il entreprit de compter l'argent qui restait encore dans la maison, celui de son travail lointain, de ses économies déjà anciennes. Il mit de côté les deniers pour le prochain paiement de l'impôt aux Romains et il pesa les pièces prévues pour les dépenses de chaque jour. Il constata avec beaucoup d'inquiétude qu'ils ne disposaient plus que de quatre *sicles d'argent* et de seize *sicles* de petite monnaie de bronze pour les courses des femmes sur le marché. Comment survivraient-ils, dans quelque temps ? Jamais, malgré ses infirmités, il ne s'abaisserait à mendier dans les rues de Béthanie, ou de Jérusalem. « *Celui qui ne travaille pas n'a pas le droit de manger* », proclamaient les Écritures. Il fallait absolument qu'il reprenne son métier le plus vite possible ! D'ailleurs, s'il ne s'en montrait pas capable, un autre occuperait vite sa place, on ne se passerait pas longtemps de charpentier à Béthanie. Éliphas, son apprenti, ne le suppliait-il pas, presque chaque jour, de le laisser s'installer dans son atelier, afin de terminer seul, avec ses outils à lui, Lazare, le coffre commencé pour Saül et les linteaux que Daniel attendait toujours pour sa maison neuve ?

Sans attendre il alla s'enfermer dans son atelier. Il prit sa scie, à deux mains. Il appuya ses cuisses contre le rebord de l'établi. Il engagea la lame dentelée dans l'encoche qu'il avait réussi à faire, au fil des jours, dans le bois. Il ferma les yeux, pendant un moment. Il se concentra, de toutes ses forces, sur cet effort apparemment anodin qu'il lui fallait absolument fournir. Il se représenta Éliphas maniant ses outils, à sa place, reconnu, considéré et respecté dans le village, comme il l'avait été lui-même, auparavant. Il se vit recroquevillé, la main tendue, allongé, en haillons, sur les marches de la piscine de Siloé... Il plaça toute l'énergie qui lui restait dans les épaules, les bras, les poignets. Il appuya comme un fou sur la scie, il la poussa en avant, aussitôt elle se déplaça et elle sortit de l'encoche. Il voulut l'y remettre et la ramener vers lui mais elle lui échappa et elle tomba sur le sol.

Il ne la ramassa pas. Il remonta dans la chambre haute et il s'assit sur son lit. « Je ne sais plus rien faire, se dit-il, inutile d'insister, jamais plus je ne manierai le moindre outil. Je ne suis qu'un cadavre réanimé, il me manque le souffle essentiel de la vie, une fois pour toutes, il faut que j'enfonce cette évidence dans ma tête. »

A l'issue du repas, il prit la décision de ne plus attendre. « Je partirai demain matin pour Jérusalem, dit-il à Suzanne, je trouverai le Galiléen, je me montrerai à lui dans toute ma misère et je le supplierai de me dire jusqu'où va son pouvoir. S'il peut vraiment ressusciter les morts, je lui demanderai alors d'accomplir pour moi un second, un extraordinaire, miracle. »

13

LE lendemain, alors que le soleil se levait à peine, Lazare quitta sa maison.

Suzanne voulut l'accompagner mais il insista pour partir seul. « Si je ne suis pas de retour ce soir, ne t'inquiète pas, lui dit-il, je ne reviendrai pas tant que je n'aurai pas parlé au Galiléen. »

Il prit son manteau et un bâton solide. Il embrassa sa femme ainsi que ses deux sœurs, puis, de sa démarche bancale, il s'éloigna sur le chemin de Jérusalem.

Dès qu'il atteignit le mont des Oliviers, il se trouva au milieu de la foule des pèlerins qui, partis de Jéricho ou de Bétharaba, venaient pour célébrer la Pâque. Fatigué, à bout de souffle, il s'assit un moment sur une grosse pierre plate. Les collines aux alentours se couvraient de tentes. Il aperçut ceux de Jaffa ou de Césarée qui arrivaient par le Gareb, de l'autre côté des remparts, et ceux de Galilée, plus près, ceux de Samarie, de Capharnaüm, de Naïm, d'Éphrem, qui, blancs de poussière, descendaient par centaines les pentes du mont Scopus. Ceux-là, harassés après leur long voyage à pied ou à dos d'âne, se prosternaient devant la ville sainte, certains pleuraient d'émotion. Il entendait leurs chants : « *Ô ma joie quand il me fut dit entrons dans la maison de l'Éternel...* » Il se souvint de sa venue pour la Pâque de l'année précédente, avec Suzanne, Marthe et Marie. Il se souvint de l'achat de l'agneau sans défaut et sans tache exigé par la Loi, de sa présentation aux sacrificateurs à l'entrée de la cour des Prêtres. Il revit leur retour à Béthanie, leur repas dans la chambre haute... Ils récitaient les psaumes de la sortie d'Égypte, ils partageaient le pain azyme, la première coupe de vin, les morceaux de l'agneau immolé rôti, accompagné par les herbes amères. Plus tard, ils chantaient dans les rues, vêtus de leurs habits de fête, ils dansaient en cadence, avec Joad et Éliphas, autour des maisons, puis la nuit tombait et le village entier faisait une grande ronde, à la lueur des flambeaux. Il tenait la main de Suzanne, il entendait encore son rire clair, jeune et joyeux... Retrouveraient-ils jamais un tel bonheur ?

Il regarda la ville à ses pieds, le Cédron, les murailles de pierre noire et leurs redons, la forteresse Antonia et ses tours crénelées, les taches blanches des palais derrière les remparts et les toits plats des maisons, si resserrés qu'ils ne formaient qu'un plan ocre presque uniforme. Le Galiléen se trouvait là, quelque part... Il entendit les coups de trompette qui annonçaient les premiers sacrifices. Il se tourna vers la masse écrasante du Temple dominant la ville. Malgré la pluie de cendres qui recouvrait ses yeux, il vit les enceintes, les colonnades, les parvis, se superposer dans un scintillement vif de marbres purs, d'aiguilles et de pointes brillantes, de balustrades et de frontons dorés. Déjà des fumées noires s'élevaient des autels, droites, lourdes et hautes. Des musiques montaient de la cité, psalmodies, vibrato, battements de tambourins, claquements de mains, coups de cymbales, chants de flûtes aigus émergeant du magma, rythmes saccadés et sons profonds des cors, les réjouissances de la Pâque commençaient. Il s'interrogea : devait-il descendre, entrer maintenant ? Il risquait de ne pas trouver celui qu'il cherchait au milieu de ce désordre, de cette cohue, de ce débordement. Déjà, il ressentait fatigue et lassitude. Il se leva. Ses jambes faibles le portaient à peine et il devait s'appuyer sur son bâton pour ne pas tomber. Ne valait-il pas mieux repartir pour Béthanie et revenir dans quelques jours ?... Mais non, il ne pouvait attendre, il devait voir le Galiléen *maintenant,* à tout prix.

Il pénétra sur le parvis du Temple par la porte d'Or. Il passa sous les colonnes du portique de Salomon. Ainsi qu'il le redoutait, il se trouva pris immédiatement dans la foule. Il atteignit le parvis des Femmes. Il se fraya un passage entre les tables des changeurs de monnaie et les étals des marchands de tourterelles et de passereaux. Il s'avança tant bien que mal au milieu de ce peuple amassé. Certains écoutaient les discussions des docteurs de la Loi, d'autres priaient, les lèvres murmurantes, les bras levés ou le corps ployé, prosternés. Personne ne s'écartait sur son passage, personne ne semblait le remarquer. Il ne savait à qui s'adresser. Il se dirigea vers la cour des Israélites, il passa sous la porte Nicador. Les prêtres égorgeaient les animaux, plus loin, au sommet des escaliers, sur le côté du bâtiment sacré, cœur du Temple. Il baissa les yeux, le sang recueilli, versé devant l'autel, coulait en flux continu, à ses pieds, dans les canalisations creusées à même le sol, ce soir, le lit du Cédron serait rouge.

Il s'approcha d'un groupe d'hommes en prière : « Savez-vous où est le Galiléen, celui que l'on appelle Jésus ? demanda-t-il.

— Quel Galiléen ? lui répondit-on, il y a des milliers de Galiléens ici, laisse-nous tranquilles. »

Il alla plus loin. « Avez-vous vu le Galiléen, celui qui rend la vue aux aveugles ? » interrogea-t-il encore.

Ceux auxquels il s'adressait le regardaient étonnés, quel était cet être bizarre au visage gris, au souffle glacé ? « Nous ne sommes pas de Jérusalem », répliquaient-ils en se détournant, en se poussant, en s'écartant de lui.

Il gravit les trois marches qui menaient au parvis des Prêtres. Il passa près des bêtes bêlantes et beuglantes qui, attachées aux huit poteaux de cèdre, attendaient d'être poussées sur la pente douce qui menait au couteau du sacrificateur. On le bouscula, deux hommes traînaient, par les pattes, un gros mouton blanc qui résistait, hurlant et se tordant en tous sens. « Pousse-toi donc ! » lui cria-t-on. Porté et couché de force sur la haute et grande table de marbre, l'animal, solidement maintenu, reçut la lame tranchante en plein cœur. Il eut un dernier spasme, son sang bouillonnant coula dans les rigoles creusées sur l'autel. On arracha ses entrailles, on les jeta dans le brasier. Ce spectacle, pourtant familier, semblait lointain à Lazare, irréel, il se déroulait devant lui comme dans un rêve. Le vent, à ce moment, rabattit la fumée des sacrifices sur la foule. Bien qu'il ne perçoive plus aucune odeur, il crut sentir ces relents d'encens, de chairs sanglantes, de graisses brûlées et de boyaux frais qui, durant toute la durée de la Pâque, stagnaient au-dessus de Jérusalem. Une fois de plus, il se demanda s'il était possible qu'il reçoive de telles images, perdu tout au fond de son *Grand Sommeil*.

On le bouscula encore, il faillit tomber. « Le Galiléen qui accomplit des miracles se trouve-t-il ici ? L'avez-vous vu ? » On ne prenait même plus la peine de lui répondre, on l'ignorait, on le repoussait. A quoi bon rester, perdu dans cette cohue qui l'écrasait ? En butte au silence, à la brutalité et au malaise trop visible qu'il inspirait à chacun, il quitta le Temple, convaincu qu'il n'y apprendrait rien.

Il s'enfonça dans le dédale des rues étroites qui, coupées de degrés et d'escaliers, zigzaguaient entre les maisons, vers la piscine de Siloé. L'agitation régnait dans la ville. Des cris, des musiques et des rires montaient de toutes parts, on dansait devant les maisons ouvertes, des prostituées couvertes de bijoux, le visage peint, s'accrochaient aux soldats romains à demi ivres. Un groupe de pèlerins avançait devant Lazare, en récitant à haute voix les psaumes de la Pâque :

Quand Israël est sorti d'Égypte
Quand la maison de Jacob s'est délivrée des barbares
La mer le vit et se retira.

Ceux-là portaient les robes noires traînantes des juifs de Babylone, ils venaient de loin, inutile de les interroger.

Lentement, appuyé sur son bâton et respirant avec difficulté, la bouche grande ouverte, il atteignit le quartier grouillant de Sion. Il distingua des corps vautrés au fond des ruelles sombres, il perçut des chants d'ivrognes et des éclats de disputes lointaines. D'où lui venait cette peur, pourquoi n'osait-il questionner ni les boutiquiers ni les marchands ambulants qui tiraient leurs ânes chargés de tuniques, de toiles fines, de tapis, d'anneaux et de croissants d'or ? Soudain un voleur qui s'enfuyait, une bourse à la main, surgit devant lui. Il n'eut pas le temps de se pousser pour l'éviter et l'homme le heurta. Il tomba aussitôt sur les pavés, il laissa échapper son bâton et roula sur lui-même de façon grotesque. Il entendit des rires, un groupe d'enfants se moquait de lui. Alors qu'il se relevait, l'un des gosses lui jeta une pleine poignée de cailloux.

Ne voulant plus rester dans ces rues trop étroites, dangereuses pour lui, il remonta vers le palais des Asmonéens. Sur la place des Foulons il interrogea deux femmes : « Connaissez-vous ce Galiléen nommé Jésus qui accomplit des miracles ? » Elles lui tournèrent le dos et s'en allèrent plus loin, vers une autre boutique.

« Dites-moi seulement où il est, insista-t-il.

— Nous n'en savons rien, passe ton chemin », répondit l'une d'elles sans se retourner.

On devait approcher de la troisième heure désormais, le soleil brillait haut dans le ciel et il faisait chaud. Ces bousculades, ces cris et ces musiques sourdes et obsédantes, ne cesseraient-ils donc jamais ? Il n'en pouvait plus. Il fallait qu'il rentre à Béthanie, qu'il se couche, qu'il se repose. Sa nuque le faisait souffrir et la lumière, désormais trop crue, l'éblouissait. Le palais fortifié d'Hérode, pris dans les enceintes de la ville, se mit à tanguer devant lui, avec ses hautes tours quadrangulaires. En levant les yeux vers les remparts, il aperçut, brouillés devant la brume du soleil, les casques dorés des gardes, ainsi que leurs turbans rouges et leurs lances droites, eux savaient peut-être... Mais comment pénétrer dans cette forteresse ? Au pied de la tour Phasaël, allongés sur le sol dans un enchevêtrement de bâtons et de béquilles, il vit un groupe de mendiants loqueteux semblables à ceux qui avaient envahi sa cour après le miracle. Eux, bien sûr, le renseigneraient !... Il les rejoignit aussitôt : « Où est Jésus le Galiléen, celui qui guérit les miséreux ? » Ils levèrent les yeux vers lui. Eux aussi parurent surpris et gênés par son aspect.

« Tu es malade ? lui demanda l'un d'eux.

— Oui, je suis malade et je le cherche pour qu'il me guérisse. »

Les mendiants se regardèrent.

« Inutile de le chercher, il ne peut rien pour toi, affirma le plus vieux. Ni pour toi, ni pour personne. C'est un charlatan, un faux messie ! Il paraît qu'il voulait détruire le temple et le reconstruire en trois jours !...

— Tu n'as pas un peu d'argent pour nous ? enchaîna un autre en se levant, main tendue.

— Je n'ai rien, répliqua Lazare. Si je ne trouve pas le Galiléen, bientôt je serai des vôtres. Pourquoi dites-vous que c'est un faux messie ? Il a rendu la vue à un aveugle à la piscine de Siloé. Je le connais, je sais qu'il accomplit des miracles extraordinaires. »

Le loqueteux s'approcha de lui. « Tu n'es pas des nôtres, tu es trop bien vêtu, ta tunique est une tunique de riche. Allez, tu as bien une pièce à nous donner...

— Non, je cherche seulement le Galiléen. »

L'homme le prit brutalement par le bras, mais, sentant la tiédeur de sa peau sèche, il le lâcha aussitôt et se recula.

« Dites-moi où est le Galiléen, je vous en supplie. Vous voyez bien que je suis malade, que j'ai besoin de lui. Je crois en lui et je sais qu'il peut tout pour moi.

— Tu le trouveras vers la porte d'Éphraïm, répondit un aveugle en riant. Vas-y puisque tu crois en lui ! On verra si, toi, il te guérit. Mais surtout, dépêche-toi, ne traîne pas en route, il n'est plus là-bas pour très longtemps ! »

14

ALORS qu'il atteignait le quartier triste, souvent désert, de la porte d'Éphraïm, Lazare aperçut un rassemblement d'hommes et de femmes devant lui, entourés par une dizaine de soldats romains casqués, armés de lances. Le groupe avançait lentement, il occupait toute la largeur de la rue, empêchant de voir ce qui se passait plus loin. « Ils vont me retarder, pensa Lazare qui essayait de marcher du plus vite qu'il pouvait, j'arriverai trop tard, le Galiléen sera parti. »

En se rapprochant il entendit quelqu'un crier : « Sauve-toi si tu peux, roi des juifs ! » Il ne comprit pas ce que cela signifiait.

On lâcha d'autres insultes, les gens (une vingtaine tout au plus) semblaient excités. Peut-être conduisait-on un condamné à mort sur le mont du Crâne... Cela paraissait étonnant toutefois que l'on exécute une sentence un 13 *nisan*, à la veille de la Pâque, à moins qu'il ne s'agisse d'un criminel particulièrement dangereux, peut-être un zélote que les Romains tenaient à faire mourir sans attendre ?

Le groupe s'immobilisa, il le rejoignit. « Laissez-moi passer », demanda-t-il aux quatre légionnaires qui, côte à côte, barraient la rue étroite. Ils ne bougèrent pas d'un pouce, inutile d'insister.

Après un moment d'arrêt qui parut bien long à Lazare, ils repartirent. Ils avançaient plus lentement encore qu'auparavant. Les gens continuaient à crier. Il pensa rebrousser chemin, prendre une autre ruelle, mais ils étaient tout près maintenant de la porte fortifiée, il l'apercevait, plus loin, haute, crénelée, entourée d'une triple rangée de murailles. Que faisait donc le Galiléen dans ce quartier sinistre ? Voulait-il s'opposer à une crucifixion ?

Arrivé au dernier escalier avant la sortie de la ville, alors qu'il se tenait en haut des marches, il l'aperçut enfin, plus bas. Il s'arrêta sur place. Il refusa d'abord de croire ce qu'il voyait... On avait attaché ses bras avec des cordes à la poutre qui servirait de traverse à sa croix. Il portait une tunique rouge déchirée, il titubait, des épines tressées, enfoncées comme un casque sur sa tête, faisaient couler le sang dans ses cheveux. Les coups de fouet avaient marqué sa peau, sur ses reins, de longues traînées rouges, à vif. Soudain un boiteux le frappa de sa béquille. « Tiens, hurla-t-il, pour ne pas m'avoir guéri ! »... Il rêvait. Plus de doute : il n'avait jamais quitté son *Grand Sommeil* et cette vision folle appartenait au séjour des morts.

Ils s'éloignaient. Il descendit l'escalier, il essaya de courir, tordu sur son bâton, pour les rattraper. De nouveau, sur la pente trop douce de la rue, il ne les vit plus.

Pourquoi les Romains se mêlaient-ils de le condamner ? Était-il un zélote, un voleur, un assassin ? Ne le prenait-on pas pour un autre ? Et si on se trompait, si on le tuait par erreur, à la place d'un de ces chefs de bandes qui infestaient les montagnes...

Il rejoignit les légionnaires. Il tremblait, il respirait à peine. Comment pouvait-on tuer un messie, un sauveur d'Israël ?... Mais non, heureusement, tout ceci était irréel, ces images folles l'assaillaient au fond de son tombeau, dans l'obscurité de son gouffre sans fin.

Il chercha la tête rousse du géant à barbe de bouc, au milieu du cortège, ou celle, blonde, du tout jeune homme nommé Jean. Il ne vit ni l'une ni l'autre, ses compagnons le laissaient mourir. Il se retourna : personne ne viendrait donc à son aide ! Les trompettes des sacrifices continuaient à lancer leurs appels lugubres par-dessus les enceintes, les toits et les murs ; l'écho étouffé des chants, des rires, des cymbales et des tambourins résonnait toujours, venant d'autres quartiers plus animés. Les habitants de Jérusalem, trop occupés, noyés dans la foule et le bruit, ne s'intéressaient pas aujourd'hui au spectacle banal d'une simple crucifixion, fût-elle celle de ce Galiléen qui rendait la vue aux aveugles et sortait les morts de leur tombeau. Mais où se cachait le géant à barbe de bouc? Hélas, seule une poignée d'agités, en cette veille de la Pâque, accompagnait le supplicié.

Heureusement, il allait se réveiller et cette vision effrayante d'un messie crucifié allait s'éteindre.

L'un des mendiants, tout à l'heure, avait dit qu'il voulait détruire le Temple en trois jours...

Le condamnait-on pour cela?

Mais pourquoi, dans ce cas, les Romains se mêlaient-ils d'une affaire qui ne regardait que les juifs et le Sanhédrin? Cela n'avait aucun sens.

« Et qui me guérira, moi, s'il meurt? dit-il à voix basse, qui m'aidera, qui me rendra ma force, qui viendra à mon secours? »

Ils sortirent de la ville. Ils se dirigèrent vers le mont du Crâne. Lazare, oubliant l'étendue de sa fatigue, continuait à suivre ce cortège sinistre. Maintenant il voyait parfaitement le Galiléen, titubant tel un homme ivre, à dix pas devant lui, écrasé par la lourde poutre sur laquelle il serait cloué. Une idée soudain lui vint, une évidence qui le frappa : il allait se délivrer ! Il se laissait faire pour tromper les Romains et tous ses ennemis. Bientôt il se dresserait et, en grand roi guerrier, il les terrasserait tous et il laverait Israël de ses humiliations. Non, il ne rêvait pas, ainsi que l'annonçait l'un des *Psaumes de Salomon,* le Messie briserait l'orgueil des pécheurs comme des poteries, puis il rassemblerait le peuple saint et le conduirait avec justice dans la paix et l'égalité. Il n'existait aucune autre explication à ce qui arrivait là. Il allait assister au plus grand des miracles. Sa puissance, à lui qui tirait les morts de leurs tombeaux, était telle qu'il choisissait, pour établir son royaume, le moment exact où l'on voulait le faire mourir comme un voleur.

On le dépouilla de sa tunique, on le coucha sur le dos, complètement nu, à même le sol, on enfonça les pointes dans ses paumes, dans ses mains ouvertes, à plat sur la poutre traversière. Le choc sourd de chaque coup de marteau pénétra Lazare comme si l'on clouait ses propres mains. Pourquoi les laissait-il lui faire autant de mal ?

Ils se mirent à quatre pour le relever, pour passer, sous la traverse, les cordes qui pendaient au cadre inamovible, dressé en permanence sur le Golgotha, à deux pas des murailles de Jérusalem. Lentement, on le hissa, les bras toujours attachés pour ne pas qu'ils s'arrachent. Ses mains saignaient, il hurla de douleur, qu'attendait-il pour se libérer ? Lazare regarda encore autour de lui dans l'espoir de voir le géant à barbe de bouc et ses autres compagnons, présents, une épée cachée sous leur manteau, prêts à se jeter sur les Romains. Il aperçut seulement Haggaï qui observait la scène, un peu en retrait.

Les soldats durent s'y reprendre à plusieurs fois pour monter le Galiléen. Ils relevèrent, puis ils baissèrent la poutre, jusqu'à ce que ses deux encoches s'engagent dans les crochets de fer sur le montant vertical.

Ce travail accompli, on cloua ses pieds, puis un serviteur du Temple grimpa sur une échelle et fixa un écriteau au sommet de la croix. Celui-ci, simple pancarte de bois, portait, écrite en trois langues, l'inscription ROI DES JUIFS.

La sueur et le sang collaient les cheveux du Galiléen sur son front, sur ses joues, il suffoquait à moitié. Son corps maigre paraissait étroit soudain, et court. La douleur déformait son visage. Lazare, s'approchant, vit qu'il pleurait, alors, pour de bon, il prit peur.

15

DEUX voleurs crucifiés entouraient maintenant le Galiléen. L'un criait, l'insultait, il crachait son mépris à ce *Messie* qui ne pouvait ni sauver les autres, ni se sauver lui-même.

Un long temps s'était écoulé depuis que l'on avait hissé la poutre de traverse. Le Galiléen, la tête inclinée sur sa poitrine, respirait de plus en plus difficilement. Lazare restait immobile, les yeux fixés sur ce corps agonisant. Petit à petit il perdait tout espoir de le voir se détacher de sa croix, et pourtant, il ne s'en allait pas.

Il faisait une chaleur torride. Le vent brûlant rabattait les fumées des sacrifices sur le mont du Crâne, l'air devait empester. Deux femmes en noir pleuraient près de Lazare, pourquoi ne quittait-il pas ce lieu maudit où la vue de ces autres corps, déjà suppliciés, jetés sans sépulture au pied des portiques et des croix, achevant de se corrompre, de pourrir, séchés, noircis par le soleil, lui rappelait sa propre mort ?

Le Galiléen vivait toujours, et il voulait croire encore au miracle.

Le ciel se couvrait, s'assombrissait, était-ce déjà l'heure de la nuit ? Suzanne devait s'inquiéter, à Béthanie. Il ne s'imaginait pas revenant vers elle dans l'état exact où il l'avait quittée. Le Galiléen, hélas, ne relevait pas la tête, il ne l'avait pas regardé une seule fois, alors qu'un simple regard, peut-être, aurait suffi...

Un soldat, afin de calmer les souffrances du condamné, fixa une éponge au bout d'une pique et la trempa dans le vin aigre mélangé de myrrhe et d'encens dissous. Le Galiléen, à demi inconscient, ne vit pas la drogue qu'on lui présentait, que l'on montait jusqu'à lui. Le Romain écrasa l'éponge sur son visage, la *liqueur forte* coula sur la poitrine et le ventre nus haletants. Était-ce là l'image d'un messie ?

Lazare guettait les tressaillements, les signes de vie, infimes, qui continuaient à se manifester sur le corps mou, de plus en plus affaissé, retenu par les cordes et les clous à sa croix. Il ne savait plus comment le temps s'écoulait.

A un moment, alors qu'il semblait ne plus respirer, le supplicié prit appui sur ses pieds. Il réussit à se redresser. Sa poitrine recommença à se soulever. Qu'il fût capable encore de fournir un tel effort rendit, pour un instant, confiance à Lazare. Le Galiléen demeura longtemps dans cette position, jambes et buste tendus.

Puis il ouvrit les yeux et il regarda la poignée de spectateurs qui l'observaient, en bas de sa croix. Allait-il enfin se détacher, sauter à terre, foudroyer ses ennemis ? Il se tourna douloureusement, à droite, puis à gauche... Lazare pensa qu'il cherchait ses compagnons. Mais tous, apeurés, s'étaient enfuis, à l'exemple du géant à barbe de bouc, et ils se cachaient, dissimulés derrière des murs épais. Ses yeux, rendus vitreux par l'approche de la mort, se posèrent enfin sur lui. « Je crois en toi ! s'écria aussitôt Lazare. Tu es le Messie, délivre-toi, rends-moi la force, rends-moi la vie ! »

Le Galiléen ne parut pas l'entendre, il baissa la tête et il retomba, affaissé. « Tu m'as sorti du tombeau et je crois en ton pouvoir ! » répéta Lazare.

Inanimé, mou et sanglant, le Galiléen, de nouveau, semblait ne plus respirer.

16

IL se mit à pleuvoir. L'eau de l'averse, bientôt, ruissela sur le corps blanc inerte.

A part trois soldats qui jouaient aux dés, les deux femmes en noir et Lazare, les spectateurs étaient rentrés dans la ville.

A plusieurs reprises, alors qu'on eût pu le croire mort, il appela le prophète Élie.

Vers la neuvième heure, tandis que les six coups rituels des trompettes annonçaient l'ouverture du jour saint entre tous, il poussa un long cri de souffrance. Il eut un sursaut, comme pour arracher ses mains du bois auquel elles étaient clouées.

Puis, une fois de plus, son corps retomba. Il parut s'apaiser. Il s'adressa alors à l'une des femmes en noir au pied de sa croix, mais Lazare ne comprit pas ce qu'il disait.

17

LES bruits de la fête avaient cessé depuis longtemps, derrière les remparts. Il faisait presque nuit. Il pleuvait toujours et de profondes rigoles creusaient la terre.

Lazare ne bougeait pas malgré l'averse de plus en plus violente qui s'abattait sur lui.

L'un des soldats vint frapper d'un coup de barre les jambes des deux voleurs crucifiés, morts depuis longtemps. Il entendit le craquement de leurs os qui se brisaient. Le Romain monta ensuite à une échelle et il enfonça la pointe de son glaive dans la poitrine du Galiléen.

Enfin, alors que sa peau noircissait déjà sur ses membres, on se décida à le descendre de la croix. On passa des cordes sous ses bras, on arracha ses paumes et ses pieds qui, à cause des clous toujours enfoncés dans le bois, se déchirèrent.

Lentement, on le laissa glisser sur le sol. Son corps désarticulé roula dans la boue. L'une des femmes en noir se précipita sur le cadavre et elle le prit dans ses bras en hurlant, elle le souleva, dégoulinant de pluie.

A ce moment seulement Lazare comprit que tout était fini.

18

LAZARE vit que l'on déposait le corps du Galiléen dans un tombeau au pied du Golgotha, puis il s'en alla, lentement, sans but.

Il remonta, pas à pas, vers la forteresse Antonia. Il

ne pleuvait plus, il faisait nuit. Il se dirigea du côté de la piscine aux cinq colonnes. Il ne pensait plus à Suzanne ni à ses sœurs qui devaient l'attendre. Il n'entendait plus rien, il avançait tremblant, dans une sorte de brouillard. Il voulait seulement s'éloigner du mont du Crâne, de cet endroit de mort.

Il marcha longtemps ainsi. Il ne prêtait plus attention à rien, il ne savait plus qui il était, où il allait. Il gravit une pente aride semée de buissons et il s'aperçut qu'il ignorait où il se trouvait, cela le laissa indifférent. Il sentit, petit à petit, que la nature du sol changeait sous ses pieds et la terre, bientôt, devint sèche autour de lui.

Quand ses jambes refusèrent de le porter encore, il s'enveloppa dans son manteau et il se coucha sur le flanc. Très vite, lui qui jamais plus ne dormait, il sombra dans une demi-inconscience proche du sommeil.

Il demeura ainsi, replié sur lui-même, prostré. Le froid, à plusieurs reprises, le tira vaguement de son hébétude. Il lui sembla, dans ces moments-là, que mille bruits indécis le cernaient. Une bête hurla soudain, il voulut se redresser mais une douleur violente traversa sa nuque et il ne bougea pas. Il vit seulement l'obscurité gris-bleu au-dessus de lui. Il sentit ses vêtements glacés collés sur sa peau. Il entendit la nuit bruisser, se mouvoir. Il se souvint d'une croix dressée, d'un casque d'épines, d'une main sanglante arrachée, d'un corps inerte s'affaissant dans la boue... Il se mit à claquer des dents.

La chaleur du soleil, le lendemain matin, le sortit de son inconscience. Assailli de mouches et de moustiques, il se traîna jusqu'à une ouverture dans la roche, plus haut sur la colline, sorte de renfoncement peu profond où un simple coin d'ombre le protégerait de la lumière et des brûlures. Il ne distinguait même plus les murailles de Jérusalem, au loin que faisait-il si près du désert ?

Il resta blotti dans son refuge jusqu'à l'heure de midi.

Il ne cessa de penser au Galiléen. Il le revoyait clairement désormais, attaché et cloué, misérable, pleurant et hurlant de douleur sur sa croix. Il n'avait rien tenté pour se défendre, pour se sauver, il s'était laissé fouetter, humilier, crucifier. Comment avait-il pu le prendre pour le Messie ?... Et pourtant, il l'avait bel et bien sorti de son tombeau. Même s'il ne lui avait pas rendu la vie, il était néanmoins parvenu à le réveiller de son *Grand Sommeil*... Et maintenant, il reposait à son tour, enfermé dans un tombeau, il flottait, suspendu au milieu d'un puits sans fond. « Un messie ne meurt pas, murmura-t-il, le Tout-Puissant l'envoie sur la terre pour faire triompher sa cause, pour tirer vengeance des ennemis d'Israël et rendre ses droits et sa gloire au peuple qu'il a lui-même choisi... » Cet homme n'était qu'un magicien, qu'un mendiant !...

Le soleil montait dans le ciel, il tournait et sa lumière insupportable avançait vers lui, dans sa grotte trop peu profonde. Il sentait comme des coups frappés à l'intérieur de sa tête. Le sable devenait blanc, à l'extérieur, il ne pouvait plus le regarder. Il entendit le sifflement d'un serpent, il fallait qu'il rentre à Béthanie, même s'il craignait de se montrer inchangé à Suzanne et à ses sœurs.

... Mais le Galiléen, en le ressuscitant, ne voulait-il pas prouver qu'il venait au nom du Très-Haut et qu'il ne tenait son pouvoir que de lui seul ? Car enfin, qui d'autre que le Messie, que l'envoyé de Dieu savait réveiller les morts ? Ce n'était pas là le tour d'un simple magicien... Alors, pourquoi cette fin pitoyable, pourquoi ne pas lui avoir rendu sa jeunesse, sa force et sa beauté, afin que tous, en le contemplant, lui, Lazare, connaissent l'étendue de sa grandeur ?

Et s'il n'avait été qu'un prophète, tel Élisée, ou Élie qu'il avait appelé sentant sa fin venir... Cette possibilité l'effrayait car elle signifiait qu'en disparaissant le Galiléen, homme presque semblable aux autres, l'abandonnait à son sort, à ses souffrances, à sa demi-vie.

Même si, au fond de lui, Lazare savait qu'il ne lui restait plus aucun espoir de redevenir tel qu'il avait été, il refusait de se l'avouer. « Un miracle aussi grand que mon réveil, se répétait-il, ne peut venir que du Tout-Puissant lui-même, il sait que je le crains et que je l'honore depuis toujours, je suis *revenu* de par sa volonté, il ne m'oubliera pas. »

Il n'entra dans Béthanie que vers la huitième heure. Suzanne, dévorée d'inquiétude, l'attendait, debout depuis le lever du soleil sur le toit de sa maison. Elle l'aperçut de loin, claudiquant sur le chemin. Partagée entre la joie de le savoir de retour et le chagrin de constater que, certainement, il n'avait pas trouvé le Galiléen, elle hésita à se précipiter vers lui. Elle avait tant espéré en sa guérison! Et voilà qu'il revenait appuyé sur son bâton comme au matin de son départ, avec son dos courbé et son visage gris. Sa tristesse, sa déception surtout, l'empêchèrent de courir à sa rencontre. Sans bouger, elle le regarda s'avancer, avec tant de peine. De sa terrasse, elle vit la farandole de la Pâque se briser dans la rue, à son approche, les gens s'écarter pour lui laisser le passage, ils le craignaient, tous. Elle s'avoua qu'elle aussi, souvent, à ses côtés, elle sentait la peur monter en elle, la nuit surtout, une peur irraisonnée, brève et violente, contre laquelle elle ne pouvait rien. La ronde se reforma derrière lui, les flûtes et les tambourins qui s'étaient tus recommencè-rent à jouer. Son pied se tordit, il vacilla. Ses vêtements étaient tachés de boue, la souffrance déformait sa figure, il ne marchait plus droit, ses jambes fléchissaient à chaque pas, pourquoi ne lui portait-elle pas secours?

Quand il pénétra dans la cour, elle se décida enfin à descendre l'escalier et à le rejoindre. Elle voulut l'embrasser mais l'air froid humide qui flottait autour de lui l'en empêcha. Elle regarda ses lèvres exsangues, elle sentit son odeur, et brusquement une sensation d'écœurement, comme seules en inspirent les choses très sales, monta en elle. S'efforçant d'oublier ce dégoût brutal, irraisonné et indigne, elle le prit par le bras. Sa peau était glacée sous son manteau encore humide. « J'ai eu si peur, dit-elle, pourquoi n'es-tu pas revenu hier soir? Tu serais reparti à la recherche du Galiléen ce matin. Nous nous sommes tant inquiétées toutes trois! »

Il ne répondit pas, l'air lui manquait trop pour qu'il fût capable de parler.

Il s'appuya sur elle, au moment de monter dans la chambre haute.

Devant le lit, elle lui enleva son manteau et sa tunique. Dieu merci, son corps, nu soudain et tremblant, ne soulevait plus sa répulsion. Que lui était-il arrivé ? Ce rejet brusque lui faisait honte. Il se plaignit du froid et elle l'enveloppa dans une couverture épaisse. Il s'allongea, lentement, avec d'infinies précautions, comme s'il avait eu peur de se casser, de se briser les os du dos et des jambes. Elle remarqua que la peau de ses pieds était arrachée et partait en lambeaux, elle s'étonna qu'il ne saignât pas.

Elle s'assit près de lui. Ses yeux grands ouverts restaient fixes. Elle n'osait pas lui demander ce qui était arrivé. Elle se reprocha de l'avoir laissé partir seul, la prochaine fois, qu'il le veuille ou non, elle l'accompagnerait et, ensemble, ils trouveraient celui qu'il cherchait, même s'il leur fallait pour cela traverser le désert et remonter jusqu'à Tyr.

Marthe et Marie, averties du retour de leur frère, accoururent. Consternées de voir qu'il n'était pas guéri, elles n'hésitèrent pas à le presser de questions : que s'était-il passé ? Tous, pourtant, affirmaient que le Galiléen ne quittait plus Jérusalem, un marchand ambulant l'avait même vu dans le temple, trois jours plus tôt, renverser les tables des changeurs de monnaie sur le parvis des Païens, près des colonnes du Portique Royal...

Lazare, après un long silence, finit par leur raconter les événements auxquels il venait d'assister. Il parla du casque d'épines, des bras attachés par des cordes à la poutre transversale, des vêtements arrachés, des clous enfoncés dans les mains, de la croix montée, du voleur hurlant sa haine, son mépris, des larmes et des cris de douleur, de l'éponge au bout d'une pique, de l'averse, des deux femmes en noir, de l'appel lancé à Élie et de la pointe du glaive traversant la poitrine déjà noircie. « Il n'a rien fait pour se délivrer, dit-il, il s'est laissé mourir, misérablement, il n'était pas le Messie, il ne pouvait rien pour moi, il n'était qu'un prophète, qu'un mendiant... » Les trois femmes l'écoutaient, incrédules. Suzanne pensa qu'il délirait.

« Désormais j'irai mendier aux portes de Jérusalem, ajouta-t-il, et chaque jour, je prierai au Temple, jusqu'à ce que le Tout-Puissant, qui, seul, a pu décider de me sortir de mon tombeau, me vienne en aide. »

19

ALORS que le soleil se levait à peine au-dessus de Jérusalem, en ce lendemain de la Pâque, un garde du temple fit irruption chez Haggaï pour lui annoncer que des inconnus, pendant la nuit, avaient roulé la pierre qui fermait le tombeau du Galiléen et enlevé son corps.

« C'est impossible ! s'exclama le prêtre, Caïphe et moi-même sommes intervenus auprès du procurateur pour qu'il place des sentinelles armées devant la sépulture. Il a donné les ordres nécessaires devant nous.

— Le tombeau est vide, je te l'assure, répliqua le garde, les Romains dormaient, ils n'ont rien vu. Des femmes déjà annoncent qu'il est ressuscité. »

Haggaï se tourna vers la cour intérieure de sa maison. Il éprouva le besoin de faire quelques pas. Il se dirigea vers l'escalier qui montait à la galerie du premier étage. Ainsi ce qu'il redoutait s'était produit ! Il fallait agir vite, empêcher la rumeur de se répandre. « Qui sont ces femmes ? demanda-t-il.

— Une prostituée du nom de Marie-Madeleine, Abigaïl fille d'Alphée et Marie mère de Jacques.

— Il faut les arrêter immédiatement, elles ne doivent pas parler.

— Elles sont reparties il y a plus d'une heure en criant au miracle. L'une d'elles est entrée dans Jérusalem, une autre a pris la route d'Emmaüs et la troisième celle de Béthanie. »

Sans attendre Haggaï quitta sa maison pour rejoindre le mont du Crâne. Il ne pouvait croire que les deux ou trois mendiants qui suivaient le Galiléen jusqu'à son arrestation aient réussi à tromper la vigilance des soldats, à déplacer la pierre et à sortir le corps sous leurs yeux, cela paraissait impossible. A moins que... ce Jésus de Nazareth n'avait-il pas déclaré lui-même qu'il reviendrait à la vie au bout de trois jours ? Et le *Deutéronome* n'annonçait-il pas la résurrection du Messie pour le troisième jour qui suivrait sa mort ? Non, il ne devait pas douter, il ne fallait pas, à aucun prix, que le doute s'installe en lui !

Arrivé au pied du Golgotha, il vit le tombeau ouvert, la meule roulée sur le côté. Déjà un attroupement s'était formé devant l'entrée béante.

Il s'approcha.

Il s'arrêta en haut de l'escalier sombre. Il se souvint du visage gris de Lazare, de son souffle glacial, de l'odeur de terre humide et d'huiles rancies qui s'était collée à ses vêtements, à sa peau. Un frisson parcourut son dos. Il descendit, une à une, les marches irrégulières taillées dans le roc. Avec appréhension il suivit le couloir étroit et il pénétra dans la chambre funéraire. Les parfums de l'encens et de l'aloès flottaient encore entre ces murs froids resserrés. Quand ses yeux se furent habitués à l'obscurité, il distingua le linceul jeté sur la banquette de pierre et les bandelettes qui entouraient les mains et les pieds du supplicié déroulées, abandonnées sur le sol. Il ramassa l'une d'elles, sentant l'humidité poisseuse du sang étalé sur le tissu, il la lâcha aussitôt. Pourquoi les voleurs les avaient-ils ôtées ? N'aurait-il pas été plus simple pour eux, et plus rapide, d'enlever le corps dans l'état même où il se trouvait ? Il avait fallu qu'ils fussent bien sûrs de leur coup pour prendre ainsi tout leur temps !

Il ressortit et il se précipita vers les soldats. « Que s'est-il passé ? leur demanda-t-il, vous aviez la garde de ce tombeau !

— Nous ne savons rien, répondirent-ils, nous dormions tous les deux, nous n'avons rien vu.

— C'est impossible, répliqua Haggaï, personne n'a pu déplacer cette pierre sans vous réveiller.

— Nous l'avons trouvée ainsi au lever du jour, le corps avait disparu.

— Le procurateur vous punira pour votre négligence, je vais aller le trouver pour qu'il vous punisse.

— Pilate est reparti à la première heure pour Césarée, intervint le décurion, de toute façon, il ne prenait pas cette affaire très au sérieux.

— Il a tort! s'exclama Haggaï, grand tort, cet agitateur se proclamait *roi des juifs,* il portait atteinte à la souveraineté de César. Sa disparition va provoquer des émeutes dans le peuple, des soulèvements. Elle fera courir un grave danger à Rome. Nous dirons au propréteur de Syrie que des mendiants sont venus enlever son corps. Ce Jésus était un usurpateur. Nous avions prévenu Pilate, il devra répondre de tout ceci. »

20

LE Sanhédrin se réunit peu avant l'heure de midi. La plupart de ses membres se retrouvèrent, derrière l'enceinte du Temple, dans cette même *salle aux pierres polies* où, trois jours auparavant, ils avaient condamné le Galiléen à mort. Chacun prit sa place sur les bancs de pierre, autour du siège de Caïphe le grand prêtre. Tous, revêtus du manteau noir ouvert, la longue écharpe blanche autour du cou, le turban et le couffieh traditionnels posés sur la tête, remarquèrent l'absence de Nicomède, celui qui, parmi eux, avait défendu l'accusé avec le plus d'acharnement durant son procès.

Haggaï, nerveux, prit la parole le premier. Sachant que tous connaissaient les événements de la nuit, il ne les rappela pas, il se contenta d'insister pour que les gardes du Temple partent immédiatement à la recherche des voleurs.

Si le groupe entier des saducéens parut d'accord avec lui, il nota les murmures de désapprobation de certains pharisiens et ceux, en particulier, de Barthélemy, l'ami de Nicomède. Il se tourna vers Caïphe pour connaître sa réaction, mais celui-ci qui l'avait écouté sans bouger, yeux fermés, enfoncé dans son siège, continua, enfermé dans son silence, à passer doucement ses doigts dans sa barbe épaisse. Constatant à quel point cette affaire semblait brusquement l'ennuyer, Haggaï s'adressa à Joseph d'Arimatie. « Est-il vrai que le tombeau dans lequel on a déposé le Galiléen t'appartenait ? demanda-t-il avec brutalité.

— Oui, répondit Joseph, il m'appartenait en effet.

— Est-ce toi qui as fait enlever le corps ?

— Bien que je n'aie jamais entendu cet homme dire autre chose que ce qui avait déjà été dit par les prophètes, bien que je ne partage pas la haine que beaucoup ici, à commencer par toi, éprouvent envers lui, je me suis, comme toujours, plié à la décision du Grand Conseil. Je lui ai cédé mon tombeau, rien de plus. Je ne voulais pas que son corps reste cloué sur sa croix le jour de la Pâque. C'était un mendiant, il ne possédait rien, surtout pas de sépulture, je ne voulais pas qu'il pourrisse, jeté sur le sol au milieu des cadavres d'assassins et de voleurs. Pour le reste, j'ignore ce qui s'est passé durant la nuit, et je me permets de te dire que je trouve cette agitation inutile et ridicule. Comme si nous avions quelque chose à craindre d'un mort, d'un crucifié !

— Beaucoup dans le peuple proclament qu'il est ressuscité ! intervint Élihu.

— Cela n'a aucun sens, répondit Barthélemy en haussant les épaules.

— L'essentiel est que certains le croient et le répètent, poursuivit Haggaï. Nous avons eu la sagesse de condamner ce blasphémateur et en cela nous avons seulement appliqué la Loi. Nous ne devons pas laisser se répandre la nouvelle, fausse, de sa résurrection, car alors, le danger que nous courrons tous à cause de lui sera beaucoup plus grand que si nous l'avions laissé vivre.

71

— Alors il ne fallait pas le condamner ! s'écria Barthélemy.

— Ce qui est fait est fait ! s'exclama Haggaï, debout. Nous savons bien que certains répètent en secret qu'il est le fils de Dieu, même si la majorité des gens à Jérusalem le prennent pour un fou et un usurpateur, il n'est pas difficile d'imaginer ce qui se passera si nous ne retrouvons pas son corps. Ce peuple a trop besoin d'un messie...

— Ils attendent un roi, un guerrier, un autre David, répliqua calmement Joseph d'Arimatie, lui se contentait de répéter que son royaume n'était pas de ce monde, tu le reconnais toi-même, tous dans le peuple l'ont abandonné, qui donc croit encore en lui ?

— Tu oublies qu'il a accompli des miracles, dit Samuel, le plus âgé, le plus respecté des membres du Sanhédrin, assis à la droite de Caïphe, trente-sept miracles. Il en a accompli partout, ici, à Jérusalem bien sûr, mais aussi en Samarie et en Galilée. De toute ma vie, je n'ai jamais entendu parler de tant de prodiges : il a rendu la vue à des aveugles-nés, il a guéri des paralytiques, délivré des possédés de leurs démons, et même sorti un mort de son tombeau, à Béthanie, nous avons assez parlé de cette affaire ici.

— Cette résurrection n'a jamais été prouvée ! s'exclama l'un des scribes.

— Ceux d'entre nous qui ont vu Lazare fils de Chaïm affirment que sa résurrection ne fait aucun doute, dit lentement le vieillard. Tous ces gens, ces miraculés, témoigneront pour le Galiléen, n'en doutons pas, ils sont des preuves ineffaçables de son pouvoir. »

Haggaï contempla un instant le visage de Samuel avec ce nez puissant et cette longue barbe blanche qui descendait plus bas que sa poitrine. Il savait quelle influence il exerçait sur Caïphe.

« Qu'il ait accompli des miracles ne prouve pas qu'il ait été le Messie ! répliqua Barthélemy, après un bref moment de silence.

— La venue du Messie est au cœur de notre foi, intervint Haggaï en se tournant vers le grand prêtre. Pourquoi imaginer que le libérateur d'Israël sera forcément un nouveau Salomon ou un nouveau David ? Le Très-Haut pourrait bien après tout choisir le fils d'un charpentier de Nazareth, David n'était-il pas berger ? Nul ne peut décider la manière dont Dieu choisira de venir au secours de son peuple. Tu as raison, Samuel, les miracles de ce Jésus peuvent troubler les esprits faibles.

— Tu parles comme si tu croyais toi-même qu'il est le Messie ! lança Barthélemy sur un ton moqueur. »

Beaucoup, parmi les saducéens, entendant cela, se levèrent.

« Non, je ne crois rien de tel, répliqua Haggaï.

— En es-tu sûr ? demanda en souriant Joseph d'Arimatie, ne nous as-tu pas affirmé qu'il avait sorti Lazare du *Grand Sommeil* ?

— Ce miracle n'était qu'un tour de magie inspiré par le diable ! proclama Hillel.

— Un magicien ne ressuscite pas les morts !

— Il n'a jamais ressuscité personne !

— Tout cela n'est que magie, tu le sais bien ! »

Zerah prit Barthélemy à partie, violemment. « C'est toi qui te laisses troubler par des miracles, c'est ton esprit qui est faible, lança-t-il, c'est toi qui crois que le Galiléen est le Messie !

— Allons, ce que tu ne supportes pas, répondit Barthélemy, c'est qu'il nous ait reproché notre opulence et notre hypocrisie !

— Tu parles pour toi, c'est à vous, pharisiens, qu'il a tenu ces propos, pas à nous ! »

Caïphe ouvrit enfin les yeux. « Cessez donc de vous quereller comme des enfants ! » ordonna-t-il d'une voix forte. Il redressa sa lourde silhouette sur son siège. Il se tourna vers Samuel, puis il regarda tous les membres du Sanhédrin, debout face à lui. Le silence se fit. « Il faut que le pouvoir de ce Galiléen soit bien grand pour que nous en venions à nous déchirer ainsi à cause de lui, murmura-t-il avec tristesse. Tu te trompes, Haggaï, dit-il sur un ton grave. Les Écritures nous annoncent que le Messie viendra en la personne d'un roi. Cet homme était-il un roi ?... Non, il n'était qu'un mendiant, et un blasphémateur, nous l'avons condamné pour cela. Il n'existait aucune vérité en lui qui fût assez forte pour que le peuple d'Israël, en son nom, rejette deux mille ans d'enseignement et mette son existence en péril, sur une simple rumeur de résurrection. Nous avons obtenu des Romains qu'ils le crucifient, maintenant il faut conclure et oublier cette affaire. » Haggaï, à ce moment, voulut prendre la parole, mais il l'en empêcha, d'un geste de la main. « Si nous partons à la recherche de son corps, poursuivit-il, et de ceux qui l'ont volé, nous donnerons l'impression que nous avons peur de lui, de ce qu'il représente dans l'esprit de quelques-uns, et beaucoup, dès lors, le prendront vraiment pour le Messie. Mieux vaut que nous ne bougions pas. Cette rumeur absurde de résurrection s'éteindra d'elle-même, tout comme s'éteindra bientôt le souvenir de ce faux prophète... Je suis un vieil homme et toute cette histoire, dès le début, m'a troublé profondément. Pourquoi tant de passion soudain ? Nous avons connu bien d'autres affaires de faux messies... Nous nous sommes déchirés à cause de cet homme, ici même, il y a trois jours et, fait sans précédent, maître Nicodème ce matin a refusé de venir assister au Conseil. Comment en sommes-nous venus à tant de divisions et de rancœurs ? Est-ce à cause d'un simple mendiant, d'un blasphémateur à moitié magicien qui se prétendait le fils de Dieu ? Je ne veux plus que l'on évoque cette affaire devant moi, jamais ! Jésus le Galiléen est mort, il n'était pas le Messie, personne ne partira à la recherche de son corps. Il n'était rien. Nous sommes désormais délivrés de lui. »

21

Haggaï quitta le Temple persuadé que Caïphe venait de commettre une erreur irréparable. En regagnant sa demeure, il alla jusqu'à envisager d'envoyer lui-même les gardes à la recherche des voleurs... Mais pouvait-il se permettre d'agir ainsi ? Si forte que fût sa position au Sanhédrin, il courait un risque réel en désobéissant aussi ouvertement aux ordres du grand prêtre.

Rentré chez lui, le visage grave, la mine sombre, il passa près de son épouse Élisabeth sans la regarder. Traversant la cour intérieure, il aperçut la table du repas dressée par la servante. Les pains de proposition et la viande de mouton coupée en tranches fines, restes des sacrifices pratiqués au Temple pendant la Pâque, l'attendaient. Bien que l'heure de midi fût passée depuis longtemps, il n'avait pas faim. Il pensa monter dans la chambre qui lui servait de lieu de travail et de prière, mais sa fille Yona, impatiente, l'appela pour qu'il vienne bénir le repas. Elle paraissait affamée. Sans réfléchir à ce qu'il faisait, il ôta son manteau, son écharpe blanche, et il vint s'allonger sur le divan, en face d'elle. Il repensa à cette rumeur de résurrection qui déjà devait se répandre dans toute la Judée, prête à gagner la Samarie. « Il est trop tard pour l'arrêter, se dit-il, mieux vaut oublier cette histoire... » Élisabeth vint prendre place à ses côtés. Il baissa le front et il récita les versets du *Schema* afin que le Très-Haut bénisse leur nourriture de ce jour. Il rompit le pain, en silence, et il le distribua autour de lui. Il se servit du vin dans sa coupe et il en but aussitôt plusieurs gorgées. De nouveau il se demanda quel danger exactement ce faux bruit ferait courir à Israël. Risquait-on vraiment d'assister à une remise en cause des principes les plus essentiels de la foi ? N'exagérait-il pas le danger ? Caïphe avait raison sans doute en affirmant qu'il n'existait rien d'assez fort en ce Jésus pour que la rumeur invérifiable de sa résurrection amène à rejeter deux mille ans d'enseignement. Il prit trois tranches de mouton entre ses doigts, il en déposa une dans l'assiette en argent de son épouse, une autre dans celle de sa fille, et la troisième dans la sienne. Finalement, ce qu'il redoutait surtout c'était que la seule idée de ce *Messie ressuscité* provoque des soulèvements, entraîne des mouvements de révolte contre les Romains, il en fallait si peu parfois pour exciter le peuple d'Israël toujours prêt à s'enflammer contre l'envahisseur. Le procurateur était nerveux depuis que Tibère l'avait désavoué dans l'affaire des boucliers, et il n'attendait qu'une occasion pour prendre sa revanche. Il n'était pas difficile d'imaginer quelle serait son attitude en cas de troubles graves, le Golgotha, de nouveau, se couvrirait de croix, et les attentats succédant aux répressions, l'escalade de la violence et de la haine se déclencherait, une fois de plus. Ce serait la fin du libre exercice de cette foi que l'envahisseur ne comprenait pas et qu'il tolérait à peine, la fin de cet équilibre précaire des pouvoirs mis sur pied avec tant de difficultés, grâce à l'action patiente des saducéens. Pilate serait trop heureux de faire taire ce *peuple de fanatiques* et cette fois, si le sang était encore versé, Tibère, lassé par les problèmes que posait ce territoire éloigné, minuscule et à demi désertique, ne le désavouerait pas. Le Sanhédrin perdrait alors ce qui lui restait d'influence, les païens envahiraient le Temple et ils y accrocheraient l'effigie de leur empereur. Il est vrai, pensa-t-il en roulant la fine tranche de viande entre ses doigts, que le Galiléen ne s'est jamais élevé contre Rome, bien au contraire, puisqu'il conseillait même de payer l'impôt à César. Il est vrai qu'il ne prêchait rien d'autre que ce qui est écrit, mais il est vrai aussi qu'il le faisait avec trop de violence, comme si, pour lui, les Écritures ne devaient servir qu'à remettre en cause l'ordre établi, le seul ordre possible, unique ciment d'Israël.

Élisabeth, étonnée de voir son époux si sombre, lui demanda ce qui s'était passé au Sanhédrin.

« Rien, répondit-il, aucune décision n'a été prise. Il est désormais trop tard pour arrêter cette rumeur de résurrection. Caïphe ne mesure pas le danger que nous courons, je n'ai pu le convaincre d'agir. »

A la fin du repas, tandis qu'il mangeait le gros gâteau parfumé à la menthe, les paroles de Samuel lui revinrent en mémoire : « *Tu oublies qu'il a accompli des miracles. Il a donné la vue aux aveugles-nés, il a délivré les possédés de leurs démons, il a rendu l'usage de la parole aux muets, celui de leurs bras et de leurs jambes aux paralytiques, il a même sorti un mort du* Grand Sommeil... *Jamais je n'ai entendu parler de tant de prodiges...* » Chacun de ces miracles, en effet, apportait une preuve irréfutable du pouvoir surnaturel du Galiléen. Véritables symboles ils risquaient de persuader les hésitants, de fanatiser les convaincus... Il revit Yaïr, l'aveugle guéri rencontré à la piscine de Siloé, et Lazare surtout, à demi couché sur son divan dans sa maison de Béthanie, avec sa figure décharnée et son odeur glaciale de terre humide. Il se souvint de lui, ruisselant de pluie, appuyé sur son bâton au pied de la croix. Seul, il avait suivi Jésus le Nazaréen jusqu'au bout, alors que tous l'abandonnaient, qu'aucun de ses fidèles, de ses amis, n'osait se montrer sur le Golgotha. Malgré ses souffrances physiques facilement imaginables, il était resté sous l'averse, des heures durant, devant le supplicié agonisant. Une telle attitude, avec ce qu'elle représentait de courage, de détermination, prouvait qu'il considérait bel et bien le Galiléen comme un messie et que sa condamnation le bouleversait. Le danger considérable qu'il représentait apparut brusquement à Haggaï : Lazare témoignait du plus extraordinaire de tous les miracles, celui-là même que le Galiléen, disait-on, venait d'accomplir une nouvelle fois pour se sortir de son propre *Sommeil*. Scandalisé par la mort misérable de son sauveur, il n'hésiterait pas à se montrer, afin que tous croient que Jésus était le fils de Dieu... Mais pouvait-on réellement ressusciter d'entre les morts ? Ne se laissait-il pas abuser, l'histoire de Lazare n'était-elle pas une supercherie ? Quelle importance ? La question ne se posait plus puisque, vraie ou fausse, presque personne, dorénavant, ne la mettrait en doute.

Il se demanda s'il ne fallait pas que Lazare disparaisse.

Il regarda sa fille allongée face à lui, de l'autre côté de la table. Sous le tissu fin de sa robe couleur de safran il distingua les formes, encore douces, de sa poitrine, le temps bientôt viendrait de lui trouver un époux... Elle se rendit compte qu'il la fixait et elle baissa les yeux. Possédait-il le droit de prendre devant elle une décision aussi grave que celle de faire mourir un homme ? Et si le Galiléen était vraiment le Messie... Quelle erreur inimaginable il commettrait alors en supprimant une preuve de sa divinité. Bien sûr, ainsi qu'il l'avait dit devant le grand prêtre, Dieu pouvait choisir le fils d'un charpentier et Lazare, à n'en pas douter, revenait du *Grand Sommeil...* L'idée qu'un messie ait accepté de mourir afin de ressusciter trois jours plus tard n'était finalement pas si absurde. S'il en est ainsi, pensa-t-il pour se rassurer, l'existence de Lazare ne revêtira plus grande signification et l'arrivée du Royaume en aucun cas ne dépendra d'elle.

Il soupira. « Si je n'étais jamais allé à Béthanie, se dit-il, je ne me poserais pas tant de questions. »

Il se leva sitôt son repas terminé et il rejoignit l'étage. Il suivit la galerie qui courait au-dessus de la cour intérieure et il alla s'enfermer dans sa chambre pour y étudier la transcription des trois témoignages retenus contre Tirzah femme d'Arcan, l'épouse adultère que le Grand Conseil devait juger le lendemain.

Sans cesse l'image de Lazare revenait devant ses yeux. Dix fois il lui sembla entendre son souffle rauque, comme s'il avait été présent dans la pièce. L'idée que quiconque, voyant cet homme et sachant d'où il venait, croirait forcément que le Galiléen disposait d'un pouvoir surnaturel le poursuivait... Malgré lui, il continuait à penser que Lazare devait disparaître... Il envisagea de le faire enfermer, mais il se dit que cette solution comportait de réels dangers. D'une manière ou d'une autre en effet, on finirait par savoir, dans Jérusalem, que le ressuscité de Béthanie était emprisonné. Dès lors, il lui serait difficile de prétendre qu'il ne craignait pas le souvenir du Galiléen et la situation se retournerait contre lui et contre le Sanhédrin dont il était l'un des membres les plus en vue.

Qu'il le veuille ou non, le seul moyen d'éliminer Lazare et le danger qu'il représentait était de le faire tuer, le meurtre passerait pour un crime de rôdeur, il y avait suffisamment de bandits dans les collines autour de Jérusalem pour que cela parût vraisemblable.

Il cessa de travailler dès la huitième heure et,

longuement, bras levés, mains ouvertes, son châle de prière posé sur la tête et sur les épaules, il demanda au Très-Haut de l'éclairer sur la décision à prendre.

La menace de soulèvements, de massacres et de destructions le poussait à ordonner la mort de Lazare, mais la simple perspective de devoir faire assassiner, personnellement, un homme, d'accomplir, quel qu'en fût le motif, un geste si essentiellement contraire à la Loi et à tout l'enseignement des Écritures, l'empêchait de se déterminer. Condamner un faux prophète blasphémateur avec les soixante-dix membres du Grand Conseil était un acte collectif qui ne ressemblait en rien à cette décision solitaire dont il assumerait, pour toujours, l'entière responsabilité.

Vers la onzième heure, il pensa se rendre chez son ami Zerah afin de recueillir son avis, mais Zerah était un homme impulsif aux jugements parfois trop rapides, trop tranchés, et il n'était pas certain de trouver à ses côtés la lumière dont il avait besoin.

Le temps pressait, bientôt on viendrait chercher le miraculé de Béthanie et on le montrerait en tous lieux afin qu'en le voyant beaucoup se mettent à croire en Jésus le Nazaréen. Si lui-même, prêtre et membre influent du Sanhédrin, avait été troublé devant Lazare, qu'en serait-il des gens du peuple, plus crédules, plus naïfs ?

La question n'était plus de savoir si, oui ou non, le Galiléen avait ressuscité. Le problème était autre, il concernait la défense d'Israël et de sa foi.

22

QUAND la poudre d'étoiles répandit ses innombrables scintillements dans le ciel de Jérusalem, Haggaï fit appeler Matthéos son serviteur et il lui donna l'ordre d'aller à Béthanie pour tuer Lazare.

23

LA nuit effrayait Lazare, il la redoutait. Il guettait le déclin de la lumière et, dès que le jour commençait à baisser, l'angoisse montait en lui. Il craignait ces heures interminables pendant lesquelles il restait allongé dans le noir, sans dormir, seul avec sa peur. Dans ces moments-là, il en venait à regretter de ne pas souffrir plus car la douleur ne se manifestait qu'avec la vie et une vraie souffrance, aiguë et prolongée, lui aurait prouvé qu'il existait.

Depuis son retour de Jérusalem, il revoyait sans cesse ces images de casque d'épines, de front sanglant et de paumes arrachées. Il pensait continuellement à la mort, à ce puits sans fond dans lequel il désirait tant disparaître de nouveau. Il essayait de se souvenir de cette obscurité, de ce flottement perpétuel, sans heurt ni chagrin, mais il ne retrouvait pas ce sentiment d'abandon, d'équilibre, d'absence. Souvent il montait sur son toit et il fixait la cour grise, à ses pieds, elle l'attirait. Tôt ou tard, il se jetterait du sommet d'une tour et il s'écraserait, en bas, il se briserait, s'éclaterait sur le sol dur. Il ne retournerait à Jérusalem que pour accomplir cela.

Il voulait tellement ne plus penser.

Tout le jour il cherchait à prier. Il se prosternait dans sa chambre haute, il écartait les bras, il fermait les yeux et baissait le front, mais les mots ne venaient pas malgré ses efforts désespérés, il ne savait plus s'adresser à Dieu, il n'était plus certain que cela serve à quelque chose de l'implorer.

Une seule solution s'offrait à lui : repartir dans son *Grand Sommeil* et s'y tenir en suspens, pour toujours.

On disait pourtant, dans Béthanie, que le Galiléen était ressuscité. Il n'éprouvait même pas l'envie d'aller à sa recherche. Qui d'ailleurs osait croire réellement qu'il s'était laissé crucifier pour *revenir* trois jours plus tard ? Cela n'aurait eu aucun sens.

Depuis trois nuits, couché sur son lit près de Suzanne endormie, il attendait fébrilement l'apparition de la lumière, il gardait les yeux fixés sur le carré ouvert de la fenêtre, guettant l'éclaircie faible de la première lueur sur le ciel. Il imaginait que la nuit ne cesserait jamais, cette nuit angoissante qui ne ressemblait en rien à celle tranquille du *Grand Sommeil*.

Il ne se révoltait plus, il ne voulait plus se battre, tout, hormis le trait de lumière terne qui, sans force ni joie, finissait par se glisser au pied de son lit, lui était égal. Il ne sentait plus aucun désir en lui, aucune volonté. Il n'aspirait qu'à dormir, pour de bon.

Ce matin-là, le quatrième après la crucifixion du Galiléen, il se leva bien avant que la première transparence du jour n'ait éclairci le ciel. Il descendit l'escalier et, pieds nus, sans revêtir son manteau, il sortit dans la cour. La nuit s'étendait encore sur le village et sur les collines. Il s'avança jusqu'à la rue droite. Il s'éloigna entre les maisons sombres, le froid ne le gênait pas. Il marcha sur un caillou pointu mais il ne sentit rien, il pensa qu'au moins, lorsqu'il s'écraserait au pied des remparts de Jérusalem, il ne souffrirait pas.

… Même pour Suzanne, il fallait qu'il disparaisse. La veille au soir il avait surpris une expression de peur dans son regard quand il s'était couché à ses côtés. Cette crainte furtive, impossible à cacher, lui avait brisé le cœur.

Il passa près de la maison d'Éliphas et il résolut de lui parler aujourd'hui même : l'atelier du charpentier devait rouvrir ses portes, Saül attendait toujours son coffre et Daniel les linteaux de sa porte. Éliphas partagerait les gains de son travail avec Suzanne, Marthe et Marie. Ainsi elles continueraient à vivre, à se nourrir et à se vêtir, même s'il n'était plus là.

Soudain il entendit un bruit derrière lui, il se retourna. Tout dès lors alla très vite. Il distingua la silhouette d'un homme qui se jetait sur lui. Un poids terrible s'abattit sur ses épaules, il roula à terre. Quelque chose de pointu s'introduisit aussitôt sous son bras, entre ses côtes, bien qu'il ne sentît aucune douleur, il essaya de se débattre, de se relever, de s'échapper, mais l'objet le frappa de nouveau, en plein ventre. Il ramena ses jambes vers la poitrine, pour se protéger, un souffle chaud s'écrasa sur sa nuque. Il leva les bras devant son visage, il lui sembla qu'une multitude d'insectes grouillants s'introduisait dans son corps et que le fourmillement d'un millier de pattes minuscules entremêlées courait sous sa peau. Il voulut crier mais il suffoquait. L'homme grogna, attrapa son poignet, l'écarta, le tordit. L'objet tranchant s'enfonça, une troisième fois, il pénétra dans son cou, sous son oreille, avec une facilité déconcertante. Alors la lourde forme noire se releva, brusquement, et elle s'enfuit en courant. Les insectes se mirent à crisser dans la tête de Lazare, à se bousculer sous son front, à remonter jusqu'à la racine de ses cheveux. Le bruit de leurs abdomens frottés devint insupportable, certains cherchèrent à percer ses os et sa peau, pour s'échapper. Des milliers de dards traversèrent ses joues, sa gorge et son dos. Enfin, il aperçut l'ouverture du puits devant lui. Il oscilla doucement dans la brume noire, il se coucha, s'allongea, au-dessus de l'orifice sombre. Les piqûres se calmèrent. Il s'approcha encore. Une chaleur douce et infinie l'envahit, et il la reconnaissait, maintenant il se souvenait d'elle.

24

Il eut l'impression de se réveiller, et pourtant, il savait parfaitement qu'il n'avait pas dormi. Une bande mauve sans limite précise débordait sur la nuit, au sommet des collines, le jour commençait à se lever. Il voulut se souvenir de la chaleur et du puits, mais il ne vit qu'un trou noir et aucune douceur ne l'enveloppa.

Il bougea, ses bras d'abord, puis ses jambes. Il chercha une douleur sur lui, un point de souffrance, en vain… Il ne ressentit que le poids de son corps et une certaine consistance autour de ses os. Les pattes des insectes ne s'entremêlaient plus et leurs dards avaient cessé de piquer. Il ferma les yeux, cherchant désespérément l'entrée du puits sans fond. Il ne trouva que le noir et le vide insignifiant.

Il ne pouvait l'avoir perdue, après s'en être tellement approché !

Comme il se redressait légèrement, il aperçut sa tunique déchirée, sur son ventre et sous son bras. L'homme roulant sur lui et le frappant en trois endroits distincts lui revint en mémoire. Il avança prudemment sa main vers ses côtes et, très vite, sans regarder, il trouva la coupure, largement ouverte. Il y enfonça les doigts, profondément. Comment pouvait-il vivre encore avec une telle blessure ? Il ôta sa main et il la regarda : pas plus que ses vêtements, elle ne portait la moindre trace de sang. Il toucha la plaie, béante, sur son cou. Elle aussi était sèche. Il baissa les yeux vers la déchirure de son ventre. Il crut défaillir : elle s'écartait atrocement, découvrant des couches superposées de chairs grises. Il réalisa que ce seul coup aurait dû le tuer. Il frôla de nouveau son cou, à n'en pas douter, cette autre blessure aussi, avec ses lèvres ouvertes, était mortelle. « Et pourtant je vis, murmura-t-il, cet homme m'a ôté la vie et je continue de voir, de bouger et de penser ! »

Il se releva et se dirigea vers sa maison pour appeler Marthe et Suzanne, mais il s'arrêta dans la cour, devant la porte. Il se souvint de cette coupure qu'il s'était faite un jour, dans son atelier, en voulant scier sa planche, elle non plus n'avait pas saigné.

Il n'avait plus de sang en lui !

Il entrevit alors une chose dont il ne pouvait saisir la portée : il n'avait plus de vie à ôter. Il était sorti du *Grand Sommeil* et jamais plus il n'y retournerait.

25

LAZARE, dans les jours qui suivirent, se replia plus encore sur lui-même. Il demanda à Marthe d'installer un rideau de toile devant son lit, dans la chambre haute, afin qu'il pût rester couché derrière, des journées entières, sans voir personne ni que personne ne le vît.

Au-delà du choc provoqué par l'agression dont il avait été victime, il ne s'expliquait pas ce qui lui arrivait.

Son plus grand désir, jadis, avait été de ne jamais mourir, mais pas une seule fois il n'avait réfléchi au sens réel d'un tel souhait. Vivre éternellement !... Il comprenait maintenant que l'éternité n'avait rien à faire avec la vie, qu'illimitée, elle était le contraire de la vie. Souvent il touchait les déchirures de ses plaies, qu'elles ne le fassent pas mourir, finalement, ne l'étonnait pas, tout, hormis cette inexplicable agression, œuvre sans doute d'un voleur assassin, s'enchaînait de façon logique, depuis sa sortie du tombeau. Dès son *réveil*, en se voyant simplement sans force, avec un corps à demi pourri, une peau de cadavre malodorante, froide et grise, et des coupures qui ne saignaient pas, il aurait dû comprendre qu'il ne retournerait jamais dans son *Grand Sommeil*.

Or il était bon, et nécessaire, que toute vie s'achève tôt ou tard. Il se rendait compte soudain que, privée de sa fin inévitable, l'existence perdait tout son sens. Seule la certitude que le temps était mesuré poussait à agir, à utiliser chaque heure en vue d'atteindre un but précis, à profiter pleinement et avec avidité de chaque journée, de chaque occasion, de chaque bonheur comme s'il devait rester unique et ne jamais se reproduire. Le temps, heureusement, était mesuré, chacun ne disposait que d'une durée brève, déterminée de façon précise, et le jeu passionnant consistait justement à remplir au mieux cet espace. Exister pour toujours revenait à effacer les désirs, les luttes et les risques de la vie, à ne plus connaître ses chagrins, ni ses joies d'autant plus fortes qu'elles étaient brèves. Comment imaginer un monde d'êtres éternels incapables de mener le moindre combat, sans foi, sans crainte de Dieu, privés de besoins, d'envies et d'émotions ?

L'éternité était un horizon sans limites, infini, c'était la mort.

Et lui, Lazare, croyait y demeurer, pour toujours ! Il ne parvenait pas à croire qu'un châtiment aussi cruel lui fût réservé.

Il resta ainsi à s'interroger, abattu, allongé sur son lit derrière son rideau de toile, sans bouger pendant de longues journées. Saisi parfois de fureur contre son destin et contre le Dieu inhumain qui le lui imposait, il se révoltait, il se redressait en criant qu'il ne voulait pas. « Je ne veux pas ! hurlait-il, je ne veux pas ! Je veux vivre ! Je n'ai rien fait de mal, je veux vivre comme les autres et redevenir ce que j'ai été ! » Mais très vite, convaincu de son impuissance, il retombait dans son affliction et dans sa détresse.

Suzanne montait de temps à autre dans la chambre haute, elle lui apportait un peu de nourriture à laquelle il refusait de toucher. Elle ne savait que lui dire, quand elle essayait de lui parler, il répondait à peine un mot. Parfois elle jetait un coup d'œil derrière le rideau, elle le voyait, immobile, les yeux fixes, grands ouverts.

A l'évidence, il allait encore plus mal depuis ce matin où il était rentré avec ces trois blessures inexplicables, horribles à regarder. Qui donc lui avait fait cela ? On aurait cru des coups de couteau... Elle avait voulu le soigner, mais il l'avait repoussée. « Ne touche pas à ça ! » lui avait-il dit avec dureté. Depuis, les plaies, sèches, demeuraient dans le même état, elles ne saignaient pas, ne coulaient pas, ne se refermaient pas.

Elle craignait de l'approcher. Son corps lui paraissait de plus en plus froid et son souffle glacial de plus en plus nauséabond. Elle souhaitait maintenant qu'il ne restât plus auprès d'elle, la nuit, mais elle n'osait le lui avouer.

Malgré son désir de s'écarter de lui, elle continuait à venir, chaque soir, se coucher à ses côtés, épaules et gorge nues dans sa chemise légère. Pour se donner du courage, elle se répétait qu'il souffrait assez comme cela, et qu'elle n'avait pas le droit, par son comportement, d'augmenter encore sa solitude et sa douleur.

Elle cherchait à se persuader qu'elle l'aimait toujours autant.

Un soir, le voyant si grave, replié sur lui-même, silencieux, elle s'approcha et se força à le prendre dans ses bras.

Lazare, aussitôt, sentit combien elle était douce et chaude. Il se tourna vers elle. Elle ne souriait pas, une profonde tristesse, au contraire, se lisait sur son visage. Sa chaleur glissait sur lui... Il la trouvait jeune et belle, mais il ne la désirait pas. « Autrefois, se dit-il, elle écartait les jambes presque chaque soir pour que je vienne en elle. » Désormais il n'avait plus besoin de rien, même pas de sa tendresse, et il en serait toujours ainsi. Il pensa qu'elle allait vieillir sous ses yeux. Jour après jour il la verrait se transformer, ses cheveux deviendraient gris, puis blancs, sa taille fine s'épaissirait, sa poitrine ronde s'alourdirait, son visage, aujourd'hui si lisse, se creuserait, deux longs sillons s'étireraient sur son cou et des grosses veines bleues, noueuses, apparaîtraient sur ses jambes. Jusqu'à ce qu'un soir elle s'éteigne devant lui et s'en aille pour le *Grand Sommeil*.

Un jour, elle ne serait plus qu'un souvenir si vague, si lointain, si reculé dans le temps, qu'il ne saurait même plus comment étaient faits son visage et son corps.

Comme il regrettait de ne pas s'être occupé plus d'elle avant ! Il l'avait aimée, et désirée, bien sûr, dès ce premier matin où, réparant une charpente chez son père, à l'autre bout de Béthanie, il l'avait vue sortir de sa maison en courant et en riant. Mais il se rendait compte qu'il l'avait toujours considérée comme une enfant. « Finalement, dit-il, je n'ai jamais parlé de choses sérieuses avec toi. »

Elle le regarda, étonnée. Il la sentit tendue, craintive, très distante en fait, bien qu'elle l'enlaçât toujours. Il s'écarta. « Je sais que tu me fuis, dit-il, que je te fais peur et que tu m'observes en cachette. Sans doute préférerais-tu que je ne reste pas près de toi, la nuit. »

Entendant cela, elle le fixa douloureusement. Ainsi il ne servait à rien qu'elle se force à venir vers lui, puisqu'elle n'arrivait pas à cacher ses sentiments. Elle le regarda, dans les yeux, puis, sans répondre, elle baissa la tête.

26

MARTHE, depuis une dizaine de jours, était obligée, pour gagner un peu d'argent, de se rendre, un matin sur deux, dans le val du Jourdain, à cinq heures de marche de Béthanie. Là, sur les rives du fleuve, elle ramassait de l'argile, à pleines mains, et elle la déposait au fond de deux grands sacs qu'elle ramenait, pleins, sur son âne, à la nuit tombée. Le matin suivant, elle repartait avec son chargement, afin de le vendre, pour quelques pièces, aux potiers de Jérusalem.

Une rumeur finit par lui parvenir, dans les rues étroites de la ville basse : on murmurait, à mi-voix, pas ouvertement, comme en secret, que le Galiléen mort sur la croix était le fils de Dieu, qu'il était ressuscité et que certains l'avaient vu et lui avaient parlé, dans la région d'Emmaüs.

Elle chercha à s'informer, elle essaya de savoir d'où venait cette rumeur et qui l'avait propagée, mais la plupart de ceux qui la tenaient pour vraie refusaient d'en parler, ils semblaient se cacher.

Un vieil homme, enfin, accepta de répondre à ses questions : oui, le Galiléen était revenu à la vie, les soldats avaient trouvé son tombeau vide, trois jours après sa mort. « J'ai toujours su qu'il était le fils de Dieu, dit-il. Il a accompli toutes sortes de miracles qui prouvent que la chose est vraie, mais le plus important de ces miracles est que, avant même de savoir qu'il guérissait les aveugles et les paralytiques, nous sommes nombreux à avoir senti, intérieurement, qu'il était le fils de Dieu. »

Elle interrogea d'autres gens, dans la ville haute et aux abords du Temple, mais la plupart lui rirent au nez en affirmant qu'il ne s'agissait là que de balivernes et que tout le monde savait que le corps du Galiléen avait été enlevé par des voleurs. « Je l'ai vu passer ici, dans la rue, devant chez moi, lui répondit un jeune homme, avec la poutre de sa croix attachée sur le dos et les épines enfoncées sur la tête, il titubait, lamentable, la figure en sang, il ressemblait à tous les condamnés qui passent devant ma maison, peut-être même paraissait-il encore plus misérable que les autres. Il pleurait, je l'ai bien vu, de très près, ceux qui le prennent pour un dieu sont des fous, des menteurs, ou... de pauvres idiots.

— Pourtant beaucoup croient en lui !

— Il y aura toujours des imbéciles sur la terre », répliqua l'homme en haussant les épaules.

Malgré ces avis contradictoires elle monta, le soir, parler de cette rumeur à Lazare. « Je sais, répondit-il, le bruit court qu'il est ressuscité, mais c'est un mensonge. »

Alors que, depuis deux ou trois jours, il était parvenu à s'enfoncer dans une demi-hébétude dont il ne voulait surtout pas sortir, Lazare, le lendemain, à cause des paroles de sa sœur, fut de nouveau assailli par les pensées qui le pourchassaient. Il était couché et il regardait autour de lui la chambre vide, blanche et nue qui, pour ses yeux ternes, n'avait plus de limites déterminées. Depuis combien de temps était-il, allongé, inerte, sur ce lit ? Quelle part de son éternité cela représentait-il ? Une fois encore, l'image des paumes arrachées passa devant lui, ainsi que celle du corps mou, déjà noirci, ruisselant de pluie, qui s'affaissait dans la boue... « Pourquoi me poursuis-tu ainsi ? murmura-t-il, pourquoi ne me laisses-tu jamais tranquille ? Ce que tu m'as fait ne te suffit donc pas ? Pourquoi me contrains-tu toujours à penser à toi ? »

Dire que certains étaient assez fous pour le croire ressuscité ! Marthe elle-même semblait convaincue... Mais Marthe était toujours prête à croire n'importe quoi. Sa certitude, tout de même, le troublait.

Mais pourquoi, s'il avait été le fils de Dieu, son père les aurait-il laissés le crucifier ? Il ne pouvait sacrifier son propre fils, pourquoi aurait-il agi ainsi, dans quel but ?

Lazare enfonça sa tête dans un coussin, il mit ses mains sur ses oreilles, il ne voulait plus penser à lui, ni à son propre destin !

Et pourtant, s'il restait ainsi, à lutter contre des images, à se poser des questions sans réponses, jamais il n'aurait la moindre chance de connaître la vérité ni de comprendre cette chose incroyable qui lui arrivait. Il se redressa, il ne voyait même plus s'il pleuvait, ou si le soleil brillait, dehors, derrière le carré ouvert de la fenêtre, perpétuellement gris... Il regarda le coffre, les murs blancs, le sol de terre battue... Non, il ne s'enfermerait pas, *vivant,* dans ce tombeau sans issue. La vérité existait forcément quelque part, il fallait qu'il essaie de la découvrir.

Le soir venu, il se leva, pour la première fois depuis l'agression dont il avait été victime, vingt jours plus tôt, il sortit. Il alla rendre visite à Éliphas pour lui demander de rouvrir son atelier de charpentier, à sa place, dès le lendemain. Même si Daniel avait fini par s'adresser à un tailleur de bois de Jérusalem pour que quelqu'un fabrique et pose enfin les linteaux de sa porte, Saül, lui, attendait toujours son coffre. De toute façon les commandes reviendraient vite. « Je te permets de t'installer chez moi pour travailler, dit-il à son ancien apprenti, je te laisse utiliser mon établi et mes outils mais toi, en échange, tu donneras la moitié de ce que tu gagneras à mon épouse et à mes deux sœurs, et cela jusqu'à mon retour. » Revenu dans sa maison, il attendit que les trois femmes dorment. Debout devant son lit, il observa longuement Suzanne, dans son sommeil. Elle reposait, couchée sur le ventre, ses longs cheveux frisés descendaient sur ses épaules nues, son bras s'allongeait, mollement, sur la couverture, l'extrémité de ses doigts un peu courts touchait le coussin sur lequel sa tête était posée. Il s'approcha, se pencha au-dessus d'elle, frôla sa main, main d'enfant, avec sa joue. Elle soupira, doucement. Il s'écarta, de crainte de la réveiller. Il regarda ses lèvres rouges, épaisses. Il pensa que, quand il connaîtrait la vérité, l'envie de les embrasser lui reviendrait. Il revit brièvement une de leurs étreintes. Il la serrait dans ses bras vigoureux, sa bouche fraîche et parfumée se collait à la sienne, il allait et venait entre ses jambes écartées, vite, puis plus lentement soudain, de peur de laisser exploser trop tôt son désir. Ce souvenir ressemblait à un rêve, il appartenait à un autre monde, très lointain, à une autre vie… Et s'il ne revenait jamais ! Ne devait-il pas attendre, pour s'en aller, de l'avoir répudiée ? Qu'elle puisse se remarier avec un autre homme qui saurait l'aimer et lui donner un fils… L'émotion lui serra la gorge : non, il n'avait plus le temps de faire cela, chaque heure, brusquement, comptait. Il approcha ses lèvres froides le plus près possible de sa nuque, blanche entre deux mèches de cheveux écartées.

Puis il noua un linge autour de son cou pour qu'on ne vît pas sa blessure ouverte, il prit son manteau, son bâton, et, sans que personne le sût, il quitta son village et il partit dans la solitude de la nuit pour commencer sa longue recherche, à travers le temps.

PARTIE II

PARTIE II

1

LAZARE marcha longtemps avant d'atteindre Emmaüs. Il n'entra chez Cléophas, le forgeron, qu'à la fin du jour, alors que l'ombre du crépuscule commençait à glisser sur les collines.

Assis devant son enclume, vêtu d'un tablier de cuir, poitrine et bras nus, la chair rongée par le rayonnement du foyer, Cléophas travaillait. Absorbé par la tâche qu'il était en train d'accomplir, assourdi par le bruit régulier du marteau qu'il abattait sur la pointe triangulaire d'un soc chauffé au rouge vif, il ne vit pas son visiteur et ne l'entendit pas s'approcher. Avant de s'adresser à lui, Lazare le regarda un moment forger le croc de fer. Il levait le bras dans la chaleur étouffante de son atelier étroit, ses muscles luisants de sueur se gonflaient et, à chaque coup de son marteau, le triangle incandescent du soc semblait s'aplatir, s'affiner un peu plus. Il l'envia de pouvoir ainsi, grâce à sa force, exercer son métier.

Quand Cléophas s'arrêta, un silence étonnant se fit. Il souleva la lame solidement maintenue au bout d'une longue pince.

« Je voudrais te parler, dit Lazare, je suis venu de Jérusalem pour te rencontrer. »

L'homme se retourna. Surpris, il se trouva nez à nez avec Lazare, étrange visiteur appuyé sur un bâton, recroquevillé sur lui-même.

« Qui es-tu ? demanda-t-il.

— Je suis Lazare fils de Chaïm, c'est moi que le

Galiléen a ressuscité à Béthanie, tu as dû entendre parler de moi. »

Le forgeron, stupéfait, regarda cette figure sèche et crevassée, rendue presque effrayante par les lueurs du fourneau. Il fronça les sourcils... « Que veux-tu ? interrogea-t-il après un moment de silence.

— Je cherche celui qui a rencontré Jésus de Nazareth, le lendemain de la Pâque, trois jours après sa mort. On m'a dit à l'auberge que c'était toi. J'ai fait une longue marche pour te trouver, je voudrais savoir ce que le Galiléen t'a dit, comment il était lorsqu'il est venu ici. »

Cléophas ne lâcha pas sa longue pince ni son marteau. Il ne répondit pas. Il continuait à dévisager Lazare.

« Tu vois bien, puisque tu me regardes, que, tel que je suis, je ne peux que venir du *Grand Sommeil*... Est-il possible que personne ne t'ait raconté mon histoire ?

— Oui, j'ai entendu parler de toi, dit le forgeron, sans le quitter des yeux.

— Alors, je t'en prie, raconte-moi ta rencontre avec le Galiléen.

— S'il t'a vraiment ressuscité, c'est qu'il était ton ami, tu dois en savoir plus long que moi sur lui, pourquoi viens-tu m'interroger ?

— Non, je ne sais rien, je ne l'ai plus revu depuis qu'il est mort sur la croix.

— La nuit va bientôt tomber, je n'ai pas encore terminé mon travail... Et puis, je n'ai pas envie de parler de tout cela, pas plus avec toi qu'avec un autre. Personne ne me croit lorsque j'explique ce qui s'est passé, on se moque de moi, on prétend que j'étais ivre ce soir-là, j'en ai assez de ne pas être cru.

— Mais moi je te croirai, affirma Lazare. Tu vois, par toi-même, que je ne suis pas semblable aux autres hommes, tu vois ma peau de cadavre, tu sens mon odeur de terre et de pourriture, si tu me regardes ainsi c'est parce que tu te rends parfaitement compte que je suis à la fois mort et vivant... Qui d'autre que lui, à ton avis, aurait pu me sortir ainsi du pays des ombres ? Je sais que tout est possible, quoi que tu me dises, je te croirai. Même si tu me racontes des choses invraisemblables, je te croirai. »

Cléophas se tourna vers son fourneau. « Je t'écoute et mon feu s'éteint ! » Il posa sa pince et son marteau et il se leva. Il dépassait Lazare d'une tête. Il alla actionner son grand soufflet sous la hotte de pierre. Il y mit toute sa force et aussitôt la tourbe rougit. « Rien ne me prouve qu'en sortant d'ici tu n'iras pas à l'auberge, répéter ce que je t'aurai dit aux gens du village contre une ou deux coupes de vin, pour qu'ils rient tous encore de moi.

— Je ne bois plus, répliqua Lazare, je n'ai plus soif ni faim, je ne mange plus et jamais plus je ne m'endors. Je n'ai plus aucun désir, aucun besoin, ce que je vis est pire que la mort.

— Alors pourquoi le Galiléen t'a-t-il ressuscité ?

— Je ne sais pas, je suis venu à toi parce que je cherche à comprendre. »

L'autre secoua la tête. Il se tut, un long moment, puis il recommença à ouvrir et à refermer puissamment son soufflet, une multitude d'étincelles rouges s'envola dans le foyer... « Je l'ai rencontré sur le chemin de Jérusalem, finit-il par dire. J'étais avec Philippe, mon frère. Je croyais en lui, à cause de tout ce que j'avais entendu à son sujet, les miracles et le reste. Mais attention, je ne l'avais jamais vu auparavant, je ne le connaissais pas, si bien que n'importe qui a pu se faire passer pour lui devant moi... J'avais appris ce qui s'était passé trois jours plus tôt à Jérusalem, sur le mont du Crâne, et j'étais triste car j'avais la certitude qu'il délivrerait Israël à la tête de ses légions. » Une grande flamme jaillit tandis qu'il parlait, au fond du foyer, entre les bûches entassées. Il s'écarta de son feu pour prendre sa pince avec la pointe du soc maintenant refroidie. « L'inconnu venait de Jérusalem, et pourtant il paraissait joyeux, poursuivit-il en posant la lame au-dessus des braises. Nous avons parlé du Nazaréen et de sa crucifixion, il nous a dit alors une chose étrange, je me souviens de ses paroles exactes, elles m'ont frappé, il a dit : " *Il fallait que le Christ endure ces souffrances pour entrer dans la Gloire.* " Je n'ai pas compris ce que cela signifiait. Comme la nuit tombait, qu'il était seul et qu'il paraissait aussi démuni qu'un mendiant, nous l'avons invité à notre table. Dès le début du repas, nous avons vu ses mains, deux grands trous les perçaient, en plein milieu.

— Étaient-elles arrachées ? interrogea Lazare.

— Non, trouées, trouées comme par des clous.

— Il ne saignait pas ?

— Non, ses plaies étaient à vif mais elles ne saignaient pas... Je n'y ai pas pensé sur le moment, mais je crois, maintenant, qu'il aurait très bien pu se faire ça lui-même, tout seul, ajouta-t-il en retournant le soc qui commençait de nouveau à rougir... Ensuite, à table, son comportement est devenu étrange, il a rompu notre pain et il nous en a distribué les parts en nous disant qu'il s'agissait de son corps. Alors que nous l'interrogions sur le sens de son geste, il s'est mis en colère et il nous a dit que nous étions des aveugles, que, comme l'avaient annoncé les prophètes, il était ressuscité au troisième jour... A ce moment, nous avons compris qui il était. »

Il ressortit son soc incandescent et il revint le poser à plat sur son enclume.

« Mais toi, crois-tu qu'il était vraiment le Galiléen ressuscité d'entre les morts ? demanda Lazare.

— Je l'ai cru, oui, alors qu'il était en face de moi, maintenant, je ne sais plus... Il regarda Lazare... et je ne sais pas non plus si toi tu dis la vérité. Je ne comprends pas pourquoi le Galiléen t'aurait sorti du tombeau pour te laisser ainsi... J'ai répondu à tes questions, dit-il en reprenant son marteau, laisse-moi travailler, toute cette histoire de Messie, maintenant, me dérange, je n'y comprends plus rien, je n'ai plus envie d'en parler.

— Et ton frère ? Il l'a vu, lui aussi, peut-être pourrais-je le rencontrer...

— Mon frère habite à Capharnaüm, il est retourné chez lui, il n'était venu ici que pour passer la Pâque avec moi. » A ces mots, il brandit de nouveau son marteau et il l'abattit lourdement.

« Mais comment était-il ? insista Lazare en criant du

plus fort qu'il le pouvait, afin de couvrir le heurt sourd de l'outil cognant la pointe de fer rouge. Était-il comme moi, avec cette peau cassée, ces lèvres grises, cette odeur, sur lui, de terre pourrie ?

— Non, il ne te ressemblait pas, sinon je ne l'aurais jamais invité à entrer chez moi et à s'installer devant ma table pour partager mon pain. Il était normal, à part les plaies dans ses mains et dans ses pieds il était absolument normal.

— Avait-il une blessure, en dessous de la poitrine, comme un coup de glaive ?

— Je n'en sais rien, répondit Cléophas avec impatience, je n'ai pas vu ça.

— Où est-il reparti ?

— Il remontait en Galilée, il a parlé de Tabgha. Je n'en sais pas plus. »

Il leva son bras plus haut encore et le bruit devint assourdissant. Lazare comprit qu'il voulait rendre ainsi toute conversation impossible. Persuadé qu'il n'apprendrait rien de plus, il s'en alla, à contrecœur.

2

LAZARE passa la nuit sur une colline au-dessus d'Emmaüs. Il ne savait que penser de son entrevue avec Cléophas. Cette conversation vague et décevante ne lui avait rien appris, elle ne lui apportait aucune certitude. Il savait seulement que le Nazaréen était reparti en Galilée, mais devait-il croire le forgeron alors qu'il doutait lui-même ? Plus il s'efforçait de se souvenir de cette rencontre et des propos échangés, dans leurs moindres détails, plus il repassait la scène devant ses yeux, et moins il parvenait à se convaincre de la réalité de cette *apparition* du Galiléen, trois jours après sa mort. Cléophas pourtant semblait sincère, il avait du mal à croire qu'il ait pu inventer cette histoire, dans

97

quel but aurait-il agi ainsi ? Pour se faire valoir aux yeux des villageois ? Cela paraissait peu probable, l'homme, visiblement simple et droit, ne s'embarrasserait pas d'un tel mensonge.

Malheureusement, non seulement il ne fournissait aucune preuve de la visite du Nazaréen, mais il ne se gênait pas pour admettre que, peut-être, on l'avait joué.

Et puis certains détails ne collaient pas, ces simples trous dans les mains par exemple. Lazare avait vu les clous déchirer la peau du crucifié, briser les os, arracher les paumes et les doigts. Il suffisait, trop souvent, qu'il ferme les yeux pour que cette image sanglante et cruelle lui revienne, avec une précision de jour en jour plus effrayante. Le corps nu noirci, ruisselant de pluie, s'affaissait ensuite, à peine soutenu par les cordes passées sous ses bras. Un soldat tirait de toutes ses forces sur ses chevilles, jusqu'à ce que les pieds, à leur tour, s'enfoncent, s'ouvrent en deux et se déchiquettent autour des clous restés plantés dans le bois. Le corps mou, désarticulé, finissait alors de glisser, lentement, on relâchait les cordes, d'un seul coup, et il roulait dans la boue... Cette vision de mort et de souffrance, il la connaissait trop bien pour l'oublier un seul instant.

La trace du coup d'épée dans la poitrine manquait également, la lame s'était enfoncée profondément entre les chairs mortes et un long filet de sang s'était écoulé, si clair qu'on eût cru de l'eau... Mais peut-être que Cléophas n'avait pu apercevoir cette blessure sous la tunique du Galiléen.

Lazare, de toute manière, n'imaginait pas un ressuscité au teint clair, allongé devant une table, buvant du vin et mangeant du pain, marchant et s'exprimant sans difficultés. Miracle ou pas, il rejetait cette idée, le Galiléen n'était-il pas resté trois jours enfermé dans son tombeau ? Il avait vu ses mains et ses pieds arrachés, ses os brisés, sa peau déjà noire, par quel prodige, lui, martyrisé, détruit dans sa chair, serait-il sorti du *Grand Sommeil* avec un corps régénéré et une force pleinement retrouvée ?

Longtemps il se demanda s'il devait s'engager sur la

route interminable qui le mènerait au cœur de la Galilée, à Tabgha, sur les rives lointaines du lac de Génésareth. La chaleur et les brûlures du soleil ne lui faisaient pas peur : il marcherait la nuit. Il ne craignait pas non plus les bandits, sur les chemins, et si, après tout, un voleur lui écrasait la tête à coups de pierre il cesserait au moins de voir, d'entendre, et il perdrait certainement la notion de sa propre souffrance. Alors, pourquoi hésitait-il ? Il n'aimait pas l'idée simple de s'éloigner à ce point de Béthanie, de Suzanne et de ses deux sœurs, pour s'aventurer sur des territoires inconnus. Il redoutait de se montrer dans les villes, dans les villages, de s'exposer à la défiance, aux railleries des autres, ou à leur dégoût. Et surtout, s'il désirait plus que tout connaître la vérité, elle lui faisait aussi très peur, plus que jamais, après sa rencontre avec Cléophas, il réalisait que, loin de le libérer à coup sûr, elle risquait au contraire de l'emprisonner à jamais dans l'absurdité et le désespoir... Cependant, il suffisait qu'il se souvienne de ces journées interminables passées dans la chambre haute, allongé sur son lit, derrière le rideau de toile, ou qu'il revoie le regard apeuré de Suzanne le soir, pour que l'envie de revenir chez lui s'efface.

Il regrettait de ne pas être allé visiter le tombeau du Galiléen, juste après sa *résurrection*. Quelque chose lui disait maintenant qu'il y aurait trouvé un début d'explication... Mais peut-être se trompait-il.

Il lui fallut onze jours pour atteindre le lac de Génésareth.

Ainsi qu'il l'avait décidé, pour ne pas subir le feu éblouissant du soleil et pour se tenir à l'écart de toute rencontre, il prit l'habitude de ne se mettre en marche qu'au soleil couchant. Évitant les hauteurs désertiques du djebel Qarantal, il remonta d'abord jusqu'aux limites de la Judée. Il traversa cette terre aride, monotone, hors des chemins empruntés par les marchands et les caravanes. Distinguant mal les étoiles dans le ciel il avait peine à se diriger. Il ne se repérait vraiment qu'au lever du jour, en fonction du paysage qui l'entourait. Il s'efforçait de suivre les creux de limon

99

rouge, entre les collines, masses légèrement plus sombres que, dans son obscurité neutre, il imaginait couvertes de cultures en terrasses. Il avançait lentement, dans le noir, la tête vide, guettant uniquement l'apparition des premières clartés gris-mauve. Il lui fallait attendre que le soleil ouvrît devant lui des horizons fauves sans limites pour se rendre compte s'il ne s'était pas trop écarté de sa route. Alors, rassuré, il s'arrêtait sous les premiers arbres venus, afin de reposer ses jambes, à l'ombre, pendant tout le jour.

Tandis que la lumière et la chaleur montaient, il se couvrait le visage et les yeux avec son manteau et il attendait que les heures s'écoulent.

Dans ces moments-là, figés comme sa propre éternité, il regrettait de ne plus savoir prier.

Ses semelles en écorce de palmier se déchirèrent après deux nuits. Bien que les écorchures sous ses pieds ne le fissent pas souffrir, il constata que cela ralentissait sa marche. Malgré son désir d'éviter toute agglomération, il quitta son chemin solitaire, il entra au matin dans le premier village venu et y dépensa les quelques pièces réclamées à Éliphas la veille de son départ pour s'acheter des calceus romains en cuir dur, avec quatre courroies qui, serrées, maintenaient ses chevilles trop faibles.

Dès qu'il aperçut, au loin, les hauteurs du mont Garizim, et bien que cela l'obligeât à faire un détour considérable, il changea sensiblement de direction, il se tourna vers Jaffa, vers la mer. Même si cela lui coûtait deux ou trois nuits de marche supplémentaires, il ne voulait pas pénétrer au cœur de la Samarie, sur cette terre d'excommuniés qui prétendaient posséder, eux seuls, la vraie foi et la vraie religion, entretenaient un clergé rebelle et préféraient adorer Yahweh dans leur propre sanctuaire plutôt que de venir prier au Temple de Jérusalem. Convaincu que Dieu ne lui pardonnerait pas de fouler ce sol impur, il s'enfonça dans les champs de blé dur du *Saron*, puis dans ses vergers et ses landes à mouton. Certainement, se répétait-il en marchant, le Tout-Puissant me récompensera pour cela.

Enfin, alors qu'il ne comptait plus les nuits depuis

son départ d'Emmaüs, il atteignit la Galilée et les pentes inévitables du mont Carmel. Dès lors, la crainte des découvertes et des révélations à venir, un peu oubliée, rejaillit en lui, et les difficultés respiratoires auxquelles il s'efforçait de ne plus prêter attention réapparurent. Elles le gênèrent tant, de nouveau, qu'il fut contraint de faire halte tous les cent pas, en attendant que son souffle si court lui revînt.

Ses pieds aussi recommencèrent, plus que jamais, à se tordre.

Cependant, en dépit de sa lassitude et de sa peur, il poursuivit son chemin.

Il arriva au petit matin sur les bords du lac de Génésareth, alors que les premiers rayons du soleil levant étalaient des reflets cuivrés sur la surface calme de l'eau. Il aperçut les petites lumières des lampes à huile sur les barques des pêcheurs qui, pleines de poissons, commençaient à se rapprocher du rivage. A bout de force, il s'assit et, malgré la grisaille devant ses yeux, il contempla ce paysage qu'il découvrait, entouré de collines dont les sommets sombres, arrondis, se dessinaient à peine.

Avec la clarté qui montait dans le ciel, il distingua une succession de petites bourgades blanches, disséminées autour du lac, il se demanda lequel, parmi ces ports et ces villages tous semblables, était Tabgha... Une lumière rose, très pâle, glissa bientôt, s'allongea sur les collines, et une juxtaposition de cultures soigneusement réparties apparut sur les pentes douces. A force de fixer l'eau, il lui sembla qu'elle devenait verte et que de longues taches énigmatiques la marbraient de tons bruns plus foncés.

Plus de dix barques maintenant se rapprochaient du premier groupe de maisons situé à moins de deux cents pas de l'endroit où il se trouvait. Il suivit l'une d'elles du regard. Des hommes s'agitaient à l'intérieur. Certains pliaient les filets, d'autres entassaient les poissons luisants dans de grands paniers d'osier. Le chef cria, un jeune homme, torse nu, sauta dans l'eau, il attrapa une corde fixée à la proue et, immergé jusqu'à la poitrine, il tira l'embarcation large et solide, avec sa coque en papyrus, jusqu'au rivage. Lazare se détourna, il se dit, une fois de plus, que regarder les autres travailler lui causait trop de souffrance.

Quand il fit grand jour, bien qu'il respirât mal, qu'il sentît ses jambes et ses chevilles plus faibles et plus fragiles que jamais, il se leva. Ignorant quelle distance exacte le séparait de Tabgha, persuadé que s'il attendait trop le courage et la volonté de poursuivre lui manqueraient, il se remit en route.

Lui qui, de plus en plus, voulait se cacher dans l'obscurité de la nuit, il rejoignit, à visage découvert et en pleine lumière, les derniers groupes de pêcheurs occupés à décharger leurs bateaux.

3

IL lui fallut marcher encore une nuit entière pour parvenir à Tabgha, de l'autre côté du lac. Dès son arrivée, il interrogea le potier du village au sujet du Galiléen. Puis, se heurtant au silence de celui-ci, il s'adressa au tailleur de bois, au coiffeur, au fabricant de sandales... Mais tous se prétendirent trop occupés pour lui répondre.

Il prit conscience, ce matin-là, qu'il ne supportait plus le dégoût et la répugnance qu'il percevait dans le regard que les gens posaient sur lui. Il se rendit compte qu'au fond il préférait inspirer de la peur plutôt que de la répulsion. Malheureusement, on ne le craignait que lorsque l'on savait réellement qui il était et d'où il venait. Devait-il proclamer en tous lieux qu'il sortait du royaume des morts, ne risquait-il pas alors de se heurter à une autre forme de silence ? Il n'avait commis aucune faute et n'acceptait pas qu'on le méprisât ainsi. Il se demanda si un jour on cesserait de le prendre pour un malade, un bâtard, un anormal, un dégénéré. Qu'e serait-il, au bout de cinq cents, ou de mille années, de cette erreur qu'ils commettaient tous ?

Vers la troisième heure, alors que, muré dans son silence et désireux surtout de se cacher, il n'osait plus s'approcher des gens de Tabgha pour les interroger, il pensa qu'il ne lui servait à rien de rester là, muet et indécis. En colère contre lui-même, il se dit que s'il continuait ainsi à redouter les réactions et les regards des autres, il perdrait toute chance de connaître un jour la vérité. Mieux valait, dans ces conditions, qu'il rentre à Béthanie et qu'il s'allonge pour toujours derrière son rideau de toile... Effrayé par cette idée inacceptable, il se risqua à questionner un pêcheur qui finissait de vendre son poisson sur le port. L'homme, à sa grande surprise, accepta de lui répondre. Il lui parla d'une *pêche miraculeuse* survenue un matin, grâce à ce Jésus de Galilée qu'il recherchait. « Pour en savoir plus long, lui dit-il, il te suffit de t'adresser, ce soir, à Simon fils de Zacharie, il sera ravi de te raconter comment, après une nuit passée sans attraper la moindre carpe, il a ramené, au lever du jour, cent cinquante-trois gros poissons dans ses filets. »

Entendant cela, il reprit espoir : un tel miracle, s'il avait réellement eu lieu, lui fournirait une première preuve... Il dut se retenir pour ne pas aller cogner immédiatement à la porte de Simon, mais il se dit qu'il se reposait sûrement de sa nuit de travail et qu'il ne comprendrait pas que l'on vienne ainsi le déranger dans son sommeil. Il alla s'asseoir sur la colline, au-dessus du village, et il attendit là que les heures passent, que la nuit descende.

Quand, le soir venu, il vit que les pêcheurs commençaient à charger leurs filets dans leurs barques, il revint au bord du lac et il demanda qu'on le mène à Simon fils de Zacharie.

Simon, occupé à allumer les lampes à huile sur son bateau, le laissa lui dire qui il était sans marquer la moindre répugnance. Il ne cacha pas sa surprise quand il lui révéla que le Galiléen l'avait tiré du *Grand Sommeil,* mais il ne s'effraya pas pour autant. « Ainsi, c'était toi ! dit-il en dévisageant Lazare. Nous avons beaucoup entendu parler de toi ici... Je n'espérais pas te rencontrer un jour.

— Je voudrais que tu me racontes ce qui s'est passé, ce matin de *pêche miraculeuse,* sur le lac. As-tu vraiment vu le Galiléen ? demanda Lazare.

— Ce serait plutôt à toi de me raconter ta propre histoire, répondit Simon, ce qui t'est arrivé est tellement extraordinaire ! »

Il marqua un temps. Ses yeux brillaient. « Je n'arrive pas à croire que c'est bien toi qui es là, devant moi », ajouta-t-il. Lazare eut l'impression qu'il brûlait d'envie de le toucher, malgré lui, il se recula, légèrement.

— Viens, il faut que je te montre aux autres ! poursuivit Simon en le prenant par le bras.

— Non, attends je t'en supplie, je n'ai pas envie de voir d'autres gens. Dis-moi seulement comment les choses se sont passées, comment tu as ramené plus de cent cinquante poissons dans tes filets. Je suis venu de Jérusalem pour ça, uniquement pour t'entendre me raconter ça. »

Simon le lâcha. Il continuait à le fixer, avec étonnement. Lazare baissa les yeux, même s'il ne sentait aucune hostilité dans ce regard, bien au contraire, il ne supportait pas de le voir posé sur lui avec tant d'insistance. « Je t'en prie, répéta-t-il, je suis tellement fatigué, j'ai besoin de savoir, tout de suite... »

L'autre dut sentir sa détresse, il parut gêné... « As-tu faim ? lui demanda-t-il, veux-tu un peu de pain ?

— Non, merci, répondit Lazare, je n'ai jamais faim. »

Simon se tut. Il le considéra longuement, en silence. « Ce n'est pas possible que tu sois là, devant moi, pour de vrai », dit-il encore, doucement... Quelqu'un l'appela, d'un autre bateau, les filets étaient chargés et les lampes allumées, le moment était venu de hisser la voile et de partir. « Écoute, je n'ai pas le temps de te parler maintenant, reprit-il, ne peux-tu m'attendre jusqu'au matin ? Ou alors, viens avec moi, tout simplement, dans mon bateau, là nous pourrons discuter pendant que les autres lanceront les filets. »

Lazare jeta un coup d'œil sur son embarcation, trois

hommes attendaient, à l'intérieur, il ne se sentait pas le courage de passer la nuit entière au milieu d'eux... « Dis-moi en deux mots ce qui t'est arrivé, je t'en supplie, insista-t-il, je resterai ici jusqu'à ce que tu reviennes, je te le promets, et alors, à mon tour, je répondrai à toutes tes questions. »

4

LAZARE referma la porte derrière lui. Il se retrouva dans l'obscurité la plus totale. Il resta immobile un moment, debout dans le noir absolu. Il n'en revenait pas que Simon lui ait confié la clé de sa maison pour qu'il puisse y passer la nuit, sur un vrai lit. Personne, depuis sa sortie du tombeau, ne l'avait accueilli de cette manière. Certes, s'il avait agi ainsi c'était en partie pour être sûr de le retrouver le lendemain et d'entendre de sa bouche toute l'histoire de sa résurrection, mais aux yeux de Lazare seules sa bienveillance et son attention comptaient, elles lui réchauffaient le cœur.

Il s'avança à tâtons. Il trouva un lit, au milieu de la pièce. Aussitôt, il posa son bâton et son manteau sur le sol. Il défit ses chaussures et il s'allongea. Pour la première fois depuis tant de jours, il allait se reposer pour de bon, jusqu'au lever du jour, sous un toit, à l'abri du froid et de l'humidité.

Couché sur le dos, épuisé, il pensa qu'enfin quelqu'un avait accepté de parler avec lui. Il repassa dans sa tête le bref récit que lui avait fait Simon, avant de monter dans son bateau. Il l'entendait encore expliquer comment, après des heures passées sans prendre le moindre poisson, alors qu'il revenait avec ses compagnons vers le rivage, un inconnu s'était avancé vers eux, dans l'eau, et leur avait dit d'aller relancer leur grand filet rond plus loin, sur la droite. Comment, sans comprendre pourquoi il agissait ainsi, il l'avait aidé à

105

monter dans son bateau et avait suivi tous ses conseils, jusqu'à ce que, bien qu'il n'y eût pas le moindre souffle de vent, l'eau se mette soudain à frémir et qu'ils ramènent, d'un coup, cent cinquante-trois gros poissons dans leur filet. Tant pis si, pour l'instant, ce récit n'apportait aucune certitude, aucune preuve. Tant pis si Simon n'avait pas remarqué les plaies sur les mains du Galiléen, tout s'était déroulé avant que le jour ne soit vraiment levé, pourquoi, dans la demi-obscurité, aurait-il prêté attention à ce détail ? « *Je suis un ami de Jacques et de Pierre, le frère d'André, deux pêcheurs que vous avez dû connaître autrefois sur le lac* », leur avait répondu l'inconnu alors qu'ils le pressaient de dire qui il était. Simon se souvenait, en effet, d'un certain Pierre, un colosse doué d'une force surhumaine, le géant à barbe de bouc sans doute... Hélas, sitôt revenus au port, l'homme s'en était allé, refusant les quelques poissons qu'ils voulaient lui donner pour le remercier. Simon, les jours suivants, avait interrogé des gens de Magdala et de Capharnaüm. Plusieurs lui avaient parlé d'un autre miracle, accompli quelques années auparavant par un Galiléen du nom de Jésus fils de Joseph qui, sur l'autre rive, avait multiplié des pains d'orge à l'infini, ainsi que des poissons, pour nourrir une foule de gens affamés venus l'écouter. Alors seulement, il avait fait la relation avec celui que l'on avait crucifié à Jérusalem, la veille de la Pâque, et que certains disaient ressuscité.

Lazare, allongé, immobile, réfléchit longuement à tout cela, puis il se répéta qu'il interrogerait de nouveau Simon le lendemain et il finit par faire le vide en lui.

Il laissa le temps s'écouler.

Il ne se souvenait pas à quel point un vrai lit pouvait être doux et confortable.

Il regardait cette nuit totale qui s'étalait, silencieuse, au-dessus de lui. Il avait beau ouvrir grands les yeux, il ne parvenait pas à percer l'obscurité qui l'entourait dans cette maison inconnue.

Ses jambes, bientôt, devinrent lourdes comme des poutres de chêne et il sentit une sorte de torpeur monter en lui, depuis ses chevilles, s'appesantir sur ses genoux, sur ses cuisses, gagner son ventre, envelopper ses côtes, engourdir ses épaules, sa nuque et ses bras. Il crut, pendant un bref moment, qu'il allait s'endormir, mais il savait hélas que cela restait impossible, il connaissait suffisamment cet état de *faux sommeil* dans lequel il s'enfonçait parfois pour ne pas nourrir longtemps un tel espoir. Il ferma les paupières et il laissa ses pensées se dérouler dans sa tête, avec une lenteur étrange. Plusieurs fois, il aperçut le visage de Suzanne, elle portait des rubans multicolores noués dans ses cheveux tressés, ses joues étaient colorées de rouge et le dessin de ses sourcils s'allongeait, très bleu. Elle s'approchait, son visage touchait presque le sien, elle souriait, elle n'avait plus peur.

Quand il ouvrit les yeux, il eut l'impression que la voûte du ciel s'étendait, absolument noire, au-dessus de lui. Une étoile unique brillait, suspendue à l'orient comme un grain de feu. Il leva son bras pour la toucher, mais elle se mit à trembler et elle s'éteignit lentement.

Il essaya de s'imaginer, se balançant très doucement, en équilibre dans une position unique, entre les parois resserrées d'un puits sans fond, mais il n'y parvint pas.

Combien de temps demeura-t-il ainsi, immobile, dans ce *Petit Sommeil* ?

Un hurlement aigu, en plein milieu du village, lui déchira soudain la tête. Il se mit à trembler entraîné dans une chute que rien ne pouvait arrêter. Il tenta d'écarter les paupières, mais il ne trouva autour de lui que la plus profonde, la plus angoissante, des obscurités.

Un bruit terrible interrompit net sa chute, une lumière jaillit, « Le voilà ! hurla-t-on. Il s'est endormi l'imbécile ! ». Et ce ne fut plus le silence brusquement, ni la nuit douce et calme.

On se jeta sur lui, des mains le saisirent, le tirèrent comme le jour où on l'avait sorti de son tombeau. Il tomba, lourdement, sur le sol. On lui cria dans les oreilles : « Que fais-tu là ? — Nous allons t'apprendre, tu vas voir ! » Dans la lueur faible d'une unique lampe à huile, il distingua un énorme rouquin qui ressemblait au géant à barbe de bouc. « Je rêve, murmura-t-il, enfin

107

je me suis endormi et je rêve... » Mais un coup de bâton s'abattit sur son dos et il s'aperçut que d'autres inconnus menaçants l'entouraient. Ressentait-on le choc des coups avec autant de précision, dans un rêve ? Il ne s'en souvenait plus... On le poussa violemment, il roula vers la table et son front alla heurter un coffre. « Ça t'apprendra, lui lança-t-on, et ce n'est qu'un début ! » Il entendit un rire affreux et il prit peur. Il se releva, il voulut courir vers la porte mais une jambe d'homme s'allongea, raide, devant lui et il s'effondra sur un filet de pêche replié. Le rouquin l'attrapa par la nuque. « Rends-nous ce que tu as pris ! » hurla-t-il en le secouant de toutes ses forces. Il comprit alors qu'on l'avait vu entrer chez Simon et qu'on le prenait pour un voleur... Une idée folle aussitôt traversa sa tête : il fallait qu'il se laisse faire, ils allaient le lapider, l'écraser sous les pierres et le crâne enfoncé, incapable de réfléchir et de penser, il cesserait enfin de se tourmenter. Il devait saisir cette chance, il ne devait pas se défendre, il ne devait pas leur dire la vérité.

Il entendit des souffles rapides, des soupirs, des cris sortis de cent gorges. Le rouquin le souleva et le maintint suspendu un bon moment en l'air, puis sa grosse main rousse s'abattit sur sa figure et une multitude d'étoiles jaillirent devant ses yeux. « Où as-tu caché ce que tu as pris ?... » Des milliers de doigts griffaient son ventre et ses jambes, il luttait pour ne pas parler, sa peur lui faisait horreur. On le gifla encore, on l'insulta et on lui cracha dessus. Puis on amena des torches pour l'éclairer et le rouquin, regardant pour la première fois son visage dans la lumière, le relâcha brutalement.

Il vit, clairement, un cercle de visages penchés au-dessus de lui. Le silence se fit. Le rouquin secoua sa grosse tête osseuse. « Qui est-ce ? demanda-t-il avec un air dégoûté. L'un d'entre vous connaît-il cet avorton ? Un murmure bourdonnant l'entoura.

— Non, répondirent les autres, on ne sait pas qui c'est. »

Lazare se mit à ramper, quelqu'un l'attrapa par la cheville pour le retenir mais il le lâcha aussitôt. « Il est

108

glacé ! » s'exclama-t-il. Plusieurs s'écartèrent devant lui, il se releva en tremblant. Il fit quelques pas, il distingua le rectangle de la porte ouverte, là tout près, le souffle froid de la nuit glissa sur lui... Non, il ne devait pas s'enfuir, une telle chance d'en finir ne se représenterait peut-être jamais, il ne devait pas la laisser s'échapper, par lâcheté. Le rouquin se dressa dans l'encadrement de la porte, lui barrant le passage, il tenait une barre de fer entre les mains. « Laissez-moi, dit alors Lazare à bout de forces. Je suis venu de Jérusalem pour parler avec Simon de sa *pêche miraculeuse,* je ne suis pas un voleur, il sait que je suis chez lui, je n'ai rien pris, je suis malade, laissez-moi partir... »

Le colosse se poussa. Il sortit, mais un croche-pied, une nouvelle fois, le fit tomber sur les pierres de la cour. « Va-t'en, avant que je ne change d'avis, cria le rouquin au milieu des rires. Et qu'on ne te revoie jamais ! » Il se releva. Où étaient ses chaussures, son bâton et son manteau ? Il se retourna mais la horde moqueuse, pleine de haine, était rassemblée avec ses flambeaux devant la maison, elle semblait l'attendre.

Pieds nus, horrifié par sa lâcheté, il s'enfuit en boitant, jusqu'à ce que l'obscurité l'ait avalé.

5

Quand, le lendemain matin, le jour se glissant au fond de la grotte dans laquelle il s'était réfugié, Lazare ouvrit les yeux, un chaos d'images violentes défila devant lui : il cherchait à fuir dans une demi-obscurité. Des mains s'accrochaient à ses chevilles et il tombait sur des filets de pêche repliés. La grosse tête rouquine s'approchait, jusqu'à le toucher, derrière elle, il distinguait vingt figures hilares, penchées au-dessus de lui. Un poing fermé s'abattait, il déchirait le brouillard gris foncé, une multitude d'étoiles jaillissaient sous ses paupières… Il fit un geste de la main pour écarter ces visions, il rassembla toutes ses forces pour les chasser, mais le rectangle de la porte demeurait ouvert sur la nuit, impossible à atteindre au milieu du mur sombre trop éloigné… « Je me suis finalement endormi, pensa-t-il, c'était un cauchemar, il faut que je m'en délivre, tout cela n'a jamais eu lieu… » Mais ceux qui l'encerclaient obstinément et qui riaient refusaient de s'en aller, il avait entendu leurs rires pendant toute la nuit. Le rouquin au regard sauvage pointait à présent un doigt menaçant vers lui. « *Rends-nous ce tu as pris !* » hurlait-il. Il recevait un autre coup et les étoiles étaient balayées pour laisser place à un sol caillouteux étincelant de blancheur. « Je n'ai rien fait de mal, gémit-il, vous n'avez pas le droit de me juger et de me frapper… » Il fit l'effort de se redresser. Il n'avait pas rêvé, de grandes traces de coups s'étalaient, noirâtres, sur la peau de ses bras, et, s'il ne souffrait pas vraiment, des élancements sourds battaient néanmoins sous sa figure, le long de ses jambes, dans son dos raide ankylosé.

Il savait parfaitement que, de plus en plus, quand les événements se précipitaient autour de lui comme durant la nuit précédente, il avait ensuite l'impression qu'ils n'avaient pas réellement eu lieu, qu'ils n'avaient existé que dans son imagination ou dans un très profond sommeil.

Il se traîna jusqu'à l'entrée de la grotte et il aperçut Tabgha, en contrebas, au pied de la colline, les pêcheurs finissaient de décharger leurs bateaux, ils jetaient leurs poissons dans de grands paniers d'osier. Simon, déjà, devait le chercher, il se souvint de son regard amical, quelle serait sa réaction quand il apprendrait ce qui s'était passé, chez lui, pendant la nuit ?

Il pensa qu'il devait redescendre, immédiatement, mais il revit la bande ricanante et haineuse qui l'attendait devant la maison, à la lueur des torches, tous étaient armés de bâtons et de barres de fer. « *Ne remets jamais les pieds ici !* » criait le rouquin.

Où aller, maintenant ?

Il n'avait plus envie de rechercher la vérité, il était

certain désormais de ne jamais la découvrir, entre le silence des uns, le mépris et le dégoût des autres. Jamais il ne saurait, jamais il ne comprendrait, et s'il s'acharnait, ce qui s'était passé la nuit précédente arriverait de nouveau.

Mais comment trouver assez de force en lui pour regagner Jérusalem, pour refaire, dans l'autre sens, cet interminable chemin ? Il n'avait même plus de chaussures, ni de manteau pour se protéger du froid. Il caressa ses pieds à la peau déchirée, presque en lambeaux, serait-il capable de marcher encore pendant tant et tant de nuits ? Et pour quel résultat, pour retrouver quoi au bout du chemin ?... Pour revenir à Béthanie et s'étendre dans la chambre haute, seul derrière son rideau de toile, guetté, espionné par les siens ?... Pour surprendre, chaque soir, la peur, de plus en plus mal dissimulée, sur le visage de Suzanne ?...

Toute la matinée il lutta pour chasser les images atroces qui le poursuivaient. S'il relâchait son attention un seul instant, la horde réapparaissait, elle s'élançait à sa poursuite, conduite par le rouquin. « *Il est là, dans cette grotte*, criaient-ils en gravissant, armés, les pentes de la colline. *C'est là qu'il vit désormais. Il se cache, en haillons, il marche pieds nus, il reste des heures entières sans bouger, les yeux grands ouverts, il ne peut pas se défendre, il est à nous, il ne nous échappera pas.* »

Il ne s'expliquait pas cette violence, il ne comprenait pas ce brusque déchaînement de haine contre lui.

Il se souvenait de sa frayeur. Il se méprisait à cause de sa lâcheté. « Je ne me suis même pas enfui par crainte d'être lapidé et ainsi de ne jamais connaître la vérité, se répétait-il, non, sur le moment, je n'ai pas pensé à cela. Je me suis enfui uniquement par peur des coups, de ces coups que je ne sens pas, qui, en fait, ne me font pas souffrir... Alors qu'autrefois, j'aurais affronté n'importe quel danger ! »

Il n'envisageait plus aucune issue, maintenant. La seule solution était de rester éternellement dans cette grotte, seul, à l'abri du soleil et de la pluie, loin des autres, de leurs regards, de leur silence ou de leur haine.

Le soir venu, il aperçut les petites lumières des bateaux qui s'en allaient sur le lac, il pensa encore à Simon qui, lui, ne l'avait pas rejeté.

Puis il rejoignit le fond de sa grotte. Comme il allait s'allonger sur le sol dur, il passa sa main sur sa nuque engourdie et il se rendit compte que le pansement qu'il s'était fait pour dissimuler la blessure infligée dans les rues de Béthanie par celui qu'il avait pris pour un voleur avait été arraché par ses agresseurs. Sous ses doigts, il sentit les lèvres de la plaie, sèches et toujours largement écartées. Aussitôt il déchira un bout de tissu au bas de sa tunique et il le noua autour de son cou.

6

P ENDANT deux nuits et deux jours, Lazare, allongé dans la grotte, poursuivit en vain cet état de *faux sommeil* qu'il avait connu, couché sur le lit de Simon. Des heures durant, il fixa la voûte noire au-dessus de lui, dans l'espoir d'y voir apparaître le grain de feu brûlant de son unique étoile.

Le rouquin et sa horde continuèrent à le poursuivre avec leurs bâtons, leurs barres de fer et leurs flambeaux. Pas plus que de la main sanglante arrachée, il ne parvint à se débarrasser d'eux.

Avec un peu de recul, il finit par admettre que, plus sûrement que la peur ressentie face à ce déchaînement de violence, à Tabgha, c'était une autre crainte qui l'avait poussé à fuir : celle de se retrouver suspendu pour l'éternité, à quelques pas seulement de la vraie mort, simple *chose vivante* avec son crâne enfoncé, sa tête écrasée, au fond d'une fosse de lapidation.

Lentement, il prit conscience que cette solution-là n'existait pas non plus pour lui. Dans la mesure où il était condamné à ne jamais mourir, en continuant à *exister,* prisonnier d'un corps détruit, incapable de mouvements ni de pensées précises, il risquait, toujours diffusément conscient, de s'abîmer dans une autre forme d'horreur, impossible à imaginer mais pire certainement que celle qu'il connaissait déjà.

Il devait cesser d'envisager aussi cette issue-là.

Plus il retournait son problème dans sa tête et plus il lui paraissait insoluble.

Une seule évidence, petit à petit, s'imposa à lui : il ne fallait pas qu'il reste seul, dans l'obscurité de cette grotte où tant d'images cauchemardesques le poursuivaient.

Au matin du troisième jour, il se risqua à sortir, pour la première fois depuis l'agression... De nouveau, il vit le lac, en bas, avec les pêcheurs qui déchargeaient leurs poissons et qui mettaient leurs filets à sécher, étendus sur le sol. Le moutonnement des sommets arrondis se reflétait dans l'eau immobile, il contempla cet endroit paisible, si calme qu'il paraissait, lui aussi, en marge du temps... Il n'avait aucune autre solution que de poursuivre son chemin. Il devait partir pour Jérusalem, rechercher le géant à barbe de bouc et le jeune homme blond nommé Jean. Pourquoi n'avait-il pas commencé par là ? Eux, certainement, connaissaient une partie de la vérité. Mais, en admettant qu'il les découvre, dans leur cachette, parviendrait-il à leur faire dire si, oui ou non, ils avaient volé le corps du Galiléen dans son tombeau ?

De toute façon, il ne pouvait rester ainsi plus longtemps, prostré dans le noir.

Une idée qu'il avait déjà eue lui revint : le Galiléen, s'il était vraiment ressuscité, avait dû, à un moment ou à un autre, faire halte chez lui, à Nazareth, auprès de son père et de sa mère, de ses amis d'enfance. S'il était revenu à la vie, ses parents, à défaut de le garder auprès d'eux, savaient sûrement où il se trouvait.

C'était là-bas qu'il devait d'abord se rendre.

A la tombée du jour, il arracha un morceau d'écorce sur un arbre mort et il s'en fit des semelles qu'il noua sous ses pieds avec des bouts d'étoffe déchirés en bas de sa tunique trop longue, tournés, entortillés sur eux-mêmes pour faire des liens assez solides. Il trouva un bâton pour remplacer celui qu'il avait perdu et, plus pour fuir le vide et la peur que pour rechercher une vérité qu'il n'espérait plus réellement découvrir, il se remit une nouvelle fois en marche.

7

Dans Nazareth, Lazare trouva sans peine la maison du charpentier parmi la vingtaine d'habitations plaquées contre la paroi calcaire, simples demi-cubes blancs qui semblaient sortir de la roche.

Il regarda à l'intérieur, par la fenêtre de l'atelier, carré ouvert au milieu d'un pauvre mur de torchis.

Il vit un établi nu couvert de poussière, une hache au manche fendu, dans un coin, avec des lames de scie et des couteaux rouillés. Un tas de clous tordus, un marteau et une équerre cassée traînaient sur le côté, devant une porte mal fermée. Une table était posée à l'envers, au fond, avec seulement deux pieds dressés, personne, jamais, ne l'avait terminée. Toute trace de sciure avait disparu du sol de terre battue et pas une seule planche n'attendait, debout contre un mur, qu'on la découpe, ni un seul tronc qu'on le taille.

Il pensa que l'atelier éait abandonné. Il se recula pour regarder la maison de plus loin. Elle lui parut vide elle aussi. Il se demanda s'il n'était pas venu pour rien.

Il alla néanmoins pousser la porte d'entrée. Elle s'ouvrit.

Il se trouva en face d'un couloir sombre qui se poursuivait par un escalier creusé dans le roc. Il s'avança. Un rideau était fixé, face à lui, en bas des marches. Il pénétrait pour la première fois dans ce genre d'habitation, assez courant en Galilée, et ce vestibule étroit dont la voûte s'abaissait brusquement, à l'endroit où la maison s'enfonçait dans la paroi rocheuse, lui rappela irrésistiblement l'entrée de son tombeau.

Parvenu en bas de l'escalier, il s'arrêta pour écouter, pour surprendre le signe d'une présence, mais il n'entendit rien, que sa propre respiration, courte et rauque.

Il écarta doucement le rideau et il découvrit une pièce nue aménagée dans une grotte, à peine éclairée par trois rayons de soleil qui se glissaient au travers d'un trou percé dans la voûte. Une femme était là. De longs cheveux gris tombaient sur ses épaules, elle lui tournait le dos, assise sur une natte, près d'un lit de pierre taillé dans la paroi comme le lit d'une chambre funéraire.

Il s'approcha, sans bruit, en retenant son souffle. La femme qui tordait, pressait et enroulait des fibres de lin autour d'un fuseau dut l'entendre, elle se retourna vers lui. Aussitôt, il la reconnut, il se souvint d'elle, vêtue de noir, ruisselante de pluie au pied de la croix, hurlant sa douleur, avec, entre les bras, le corps nu et sanglant du Galiléen.

Elle ne le dévisagea pas, comme tous ceux à qui il s'adressait. Elle ne parut pas étonnée de le voir ainsi chez elle. Elle ne l'interrogea pas pour savoir ce qu'il voulait, comme si elle aussi, de son côté, elle le reconnaissait, et elle devinait ce qu'il venait chercher auprès d'elle.

Il parla le premier : « Es-tu la mère de celui que l'on a crucifié à Jérusalem, la veille de la Pâque ? demanda-t-il.

— Oui, je suis sa mère, répondit-elle très doucement, d'une voix lasse.

— On m'a dit qu'il était ressuscité... Je suis Lazare, c'est moi qu'il a sorti du tombeau à Béthanie. Est-il réellement revenu à la vie ? Sais-tu où il se trouve, je le cherche depuis si longtemps ! »

Elle baissa les yeux. Elle enroula encore quelques fibres de lin autour de la grosse broche en bois et Lazare remarqua les longues veines bleues saillantes, presque noires, sous la peau ridée de ses mains. « Je suis certaine qu'il est ressuscité, dit-elle en se levant. Beaucoup de gens l'ont vu, il était bien vivant. » Elle posa son fuseau sur le coffre, puis elle alla s'asseoir sur la banquette creusée dans la pierre. Elle accomplissait chacun de ses gestes avec la lenteur et les précautions d'un vieillard.

« Veux-tu dire qu'ils l'ont vu vivant, comme je suis *vivant* moi-même ? »

Elle le regarda. Son visage sans couleurs était calme. Elle se trouvait juste sous les trois rayons de lumière qui descendaient de la voûte percée. Curieusement, malgré ses cheveux gris et la multitude de petites rides qui se dessinaient autour de sa bouche un peu rentrée, quelque chose sur elle, sur ses traits, la faisait paraître encore jeune. Lazare pensa qu'elle avait dû être belle, d'une beauté qui, certainement, ne ressemblait en rien à la plénitude sensuelle de Suzanne. « Pierre, Thomas et Jean l'ont vu, dit-elle, ils l'ont reconnu tout de suite. Ils ont partagé leur pain avec lui. Il était très différent de toi.

— N'a-t-il pas, comme moi, gardé les marques de la mort sur son corps ?

— Il a conservé les plaies de ses mains et de ses pieds, ainsi que la trace du coup d'épée sous sa poitrine, je le sais car Thomas qui ne voulait pas croire en sa résurrection a enfoncé ses doigts dans chacune de ces blessures... Elle se détourna légèrement. Je ne peux t'en dire plus, poursuivit-elle. Je suis restée trente jours à Jérusalem, dans l'espoir de le voir, mais cela ne s'est pas produit. Je suis tombée malade et j'ai préféré rentrer à Nazareth, chez moi. S'il doit venir, il viendra aussi bien ici qu'ailleurs, cette maison est la sienne. J'ai confiance, il fera en son temps ce qui doit être fait.

— Pourquoi n'est-il pas semblable à moi, après trois jours passés au fond de son tombeau ? Vois comment je suis, moi ! »

De nouveau elle le regarda. Lazare ne perçut aucun signe de compassion sur son visage. « Je ne peux te répondre. Mais, rassure-toi, il ne fait rien qui ne soit pour la gloire de Dieu. S'il t'a ramené ainsi à la vie, c'est qu'il avait ses raisons. Ce qu'il a accompli pour toi, tu ne peux en saisir la signification. Crois-tu que moi, sa mère, j'ai toujours compris ce qu'il faisait ? Crois-tu que j'ai compris pourquoi il a tout fait pour qu'on le crucifie, pourquoi, lui parfois si violent, il a accepté, sans se défendre, qu'on le cloue sur la croix?

— Moi aussi j'étais là sur le Golgotha quand il est mort. Je t'ai vue soulever son corps couvert de boue, avec ses mains et ses pieds arrachés. J'entends encore tes hurlements dans ma tête... Pour moi il était le Messie et j'attendais de lui qu'il accomplisse un second miracle pour qu'enfin je revive... Un messie ne meurt pas ainsi, comme un voleur.

— Et qu'aurais-tu fait de ta nouvelle vie, s'il avait effacé toutes les traces de la mort sur ton corps?

— J'aurais repris mon métier, et j'aurais témoigné pour lui. Je ne les aurais pas laissés le crucifier... Peut-être que je l'aurais suivi, comme Jean ou comme Pierre.

— Il a suffisamment de compagnons, il ne souhaitait pas sans doute que tu te joignes à eux. De toi, certainement, il attend autre chose.

— Mais quoi? Qu'attend-il de moi?

— Je ne sais pas. Lui seul pourrait le dire... »

Ils se turent tous deux et un long moment de silence s'écoula. La mère du Galiléen, assise sur son lit de pierre, ne bougeait pas.

« Il aurait mieux fait de me laisser dans mon tombeau, reprit Lazare à mi-voix, pourquoi est-il venu? Je ne lui avais rien demandé.

— Ne crois pas que ta souffrance ne me touche pas. Elle me touche, mais je ne te plains pas à cause d'elle. Au contraire, je t'envie de la connaître. Je t'assure qu'elle est pour toi le plus grand de tous les bienfaits. Je souhaite qu'un jour tu puisses t'en rendre compte. »

Un sourire à peine esquissé se dessinait sur le visage de la femme. Lazare ne comprenait pas le sens de ses paroles. « Tu ne réponds pas à mes questions, dit-il, j'ai eu tort de venir jusqu'à toi. »

Elle gardait les yeux fixés sur lui. Il eut l'impression, au bout d'un moment, qu'elle le regardait comme on regarde un enfant, pour le juger, sans tendresse ni bienveillance. Il eut envie brusquement de s'en aller.

« Je dois le rencontrer! A ton avis viendra-t-il ici

pour te voir ? demanda-t-il... J'en ai tellement assez de chercher, je n'en peux plus.

— Je vais bientôt mourir, moi aussi, répondit-elle avec une certaine douceur, voilà soixante jours qu'il est ressuscité et il sait que je ne l'attendrai plus longtemps. S'il est toujours présent, ce que j'ignore, et s'il doit me rendre visite, il ne tardera plus. Si tu veux rester avec moi, à l'attendre, ici, dans cette maison, tu le peux, cela ne me dérangera pas que tu sois là. Mais je ne puis t'affirmer qu'il viendra... Fais ce que tu veux. Je ne peux rien de plus pour toi. Elle baissa les yeux sur ses pieds enveloppés de bouts d'écorce aux trois quarts arrachés. Si tu préfères retourner à Jérusalem où tu pourras interroger Pierre et Thomas qui, eux, l'ont vu, ainsi que Jean, le meilleur de ses compagnons, prends les sandales et le manteau qui sont dans la petite pièce derrière l'atelier. Ils ont appartenu autrefois à Joseph, mon époux. Ils te serviront pour la route qui t'attend. »

8

DÈS qu'il eut franchi la porte d'Éphraïm, Yaïr vit les sept croix qui se dressaient sur le Golgotha. Il aperçut Ésaü, pieds et mains cloués, le corps affaissé sur ses jambes molles à demi pliées.

Ainsi, on ne lui avait pas menti, le sang, de nouveau, coulait dans Jérusalem. Son cœur se mit à battre plus fort et une douleur sourde heurta sa poitrine : Ésaü était peut-être déjà mort.

Ignorant les soldats armés, il s'avança vers le mont du Crâne... Bien sûr, il était inadmissible que Pilate ait décidé de puiser dans le trésor sacré, même si, comme il l'affirmait, il entendait rassembler ainsi la somme nécessaire à la construction de deux nouveaux aqueducs qui amèneraient l'eau des sources dans la ville. Les Romains, après tout, ramassaient assez d'argent avec leurs impôts sans avoir besoin de se transformer en voleurs dès qu'ils voulaient entreprendre leurs *grands travaux*. Personne ne leur demandait rien. Mais cela valait-il la peine de s'opposer à eux et d'en mourir ? A quoi bon s'insurger puisque les choses se terminaient toujours de la même façon ? Certes, l'année précédente, devant la pression populaire, Pilate avait fini par ôter les centaines de drapeaux à l'effigie de César qu'il avait fait placer dans toute la cité, jusque sur le parvis du Temple. Pouvait-on espérer qu'il abandonne aussi sa nouvelle idée et que les aqueducs ne viennent jamais couper en deux la ville haute ?

Et même s'il cédait, cela justifierait-il pour autant ces nouveaux sacrifices ?

Personne n'assistait les condamnés. Il alla jusqu'au pied des croix. Il leva les yeux vers Ésaü qui n'avait pas encore atteint l'âge d'homme. Sa tête était inclinée sur sa poitrine. Ses cheveux tombaient de chaque côté de son visage enfantin et on ne voyait plus ses traits lisses. Le bois de la traverse, derrière ses mains, était taché de son sang. Il n'était pas mort, son torse se soulevait imperceptiblement, il respirait encore. Yaïr, bouleversé, se souvint de ces heures qu'Ésaü était venu passer avec lui, peu avant la Pâque, à la piscine de Siloé, de ces discussions interminables où, sans répit, il avait fait répéter le récit de sa guérison, où il l'avait pressé de questions pour qu'il dise si, oui ou non, à son avis, le Messie guerrier, sauveur d'Israël, était enfin venu.

Des oiseaux noirs tournaient déjà dans le ciel, ils décrivaient lentement de larges cercles au-dessus des croix, bientôt leurs becs acérés s'enfonceraient dans cette chair encore tiède.

« Que fais-tu ? cria un soldat dans ce langage difficilement compréhensible, mélange de grec et d'araméen qu'utilisaient la plupart des Romains pour s'adresser aux juifs. Ne sais-tu pas qu'il est interdit de rester là ? » Il vint jusqu'à lui, sa lance en avant. Yaïr leva les bras et les écarta, mains ouvertes, pour montrer qu'il ne tenait aucune arme. « Tu veux finir comme eux ? Le légionnaire appuya la pointe de son arme sur son ventre. Tu les connais ? demanda-t-il en désignant les suppliciés.

— Non, mentit Yaïr, je ne sais pas qui ils sont, je suis venu seulement par curiosité.

— Alors regarde-les, puisque tu es si curieux ! Regarde-les bien : ils ont pris les armes contre Rome et ce qui leur arrive t'arrivera à toi aussi si tu t'avises d'agir comme eux. »

Yaïr sentit l'extrémité de la lance qui appuyait sur ses côtes.

« Va-t'en d'ici ! ordonna le soldat, et estime-toi heureux que je ne t'arrête pas. »

Yaïr hocha la tête et sans insister il repartit vers la porte d'Éphraïm, cela ne servait à rien d'éveiller inutilement les soupçons et de courir des risques inconsidérés.

Envahi de tristesse, il redescendit vers la ville basse. Beaucoup de marchands avaient fermé leurs boutiques pour protester contre la cruauté des Romains et les rues, d'habitude si bruyantes et si animées, paraissaient vides soudain. Heureusement, l'odeur de pain cuit, d'huile et d'ail frit qui s'échappait des maisons indiquait que la vie continuait, retranchée derrière les murs, au fond des cours.

Comme il passait devant une porte ouverte d'où venaient des rires, il entendit la voix de Keturah qui l'appelait : « Yaïr, Yaïr, viens donc boire avec nous ! » La grosse femme sortit précipitamment devant lui, elle le prit par le bras pour l'entraîner à l'intérieur. Sa main était moite, sa robe était tachée et elle sentait le vin. Il se laissa faire, après ce qu'il venait de voir, il n'avait pas envie de lui opposer la moindre résistance. Il fut accueilli par des exclamations, on le fit asseoir à une table et on lui mit une coupe entre les mains. Il ne distingua rien tout d'abord, c'était comme s'il était entré brutalement dans la nuit, cela lui arrivait souvent quand il quittait une zone de lumière pour pénétrer dans un endroit moins éclairé, il redevenait aveugle alors, pour quelques instants.

Il lui fallut un moment pour que ses yeux s'habituent à la pénombre.

Les visages de Javan et d'Asshur se dessinèrent lentement devant lui. Deux femmes qu'il ne connaissait pas les accompagnaient, elles les caressaient, à moitié couchées sur eux. Il fit un geste et sa coupe trop pleine se renversa un peu sur ses doigts. Il la repoussa. « Je n'ai pas soif, dit-il.

— Allons ! reprit Keturah de sa voix forte, tu es bien sombre aujourd'hui, mon Yaïr, qu'est-ce qui t'arrive ? Elle posa son bras lourd autour de ses épaules et elle s'approcha très près de lui.

— Ce n'est pas la peine, je n'ai pas d'argent pour te payer, dit-il.

— Ça ne fait rien, mon joli, pour une fois ce sera un cadeau. »

Elle appuya sa bouche humide sur sa joue, puis elle prit sa main et elle l'amena jusqu'à sa gorge nue. Il sentit sa sueur grasse sous ses doigts et il fit un mouvement pour se dégager. Mais elle se collait à lui et il ne put se libérer d'elle. Elle l'écœurait ce soir, mais il n'avait pas la force de se lever et de la laisser là.

L'une des filles, de l'autre côté de la table, appliqua ses lèvres sur celles de Javan et elle relâcha brusquement les trois gorgées de vin dont elle venait d'emplir sa bouche. Javan, surpris, poussa un grognement et tout le vin se répandit sur son menton, sur sa tunique. Keturah éclata de rire et elle demanda aussitôt à Yaïr de lui faire la même chose. « Non, répliqua-t-il, je n'ai pas envie de m'amuser aujourd'hui.

— Mais qu'est-ce que tu as, à la fin ? s'inquiéta la grosse femme sur un ton pleurnichard, tu n'as pas à te tracasser, je t'ai dit que c'était gratuit ce soir.

— Je viens de voir Ésaü sur le Golgotha, répondit-il simplement.

— J'ai toujours prétendu que tu aurais mieux fait de rester aveugle ! intervint Asshur en riant, au moins tu n'aurais jamais vu aucun crucifié et tu aurais continué à t'imaginer que Keturah était jeune, mince et belle !

— Alors, qu'est-ce que tu attends, toi aussi, pour prendre les armes contre les Romains ? » demanda Javan.

Yaïr haussa les épaules. Il se détourna. Ils continuèrent à se moquer de lui, mais il cessa de les entendre. Il ne pouvait s'empêcher de penser à cet enfant crucifié.

Il s'aperçut, au bout d'un moment, que Keturah avait glissé sa main sous sa tunique et qu'elle caressait les poils de sa poitrine. Machinalement, il prit la coupe devant lui et il la porta à ses lèvres. Il trouva le vin aigre et il se contenta d'en boire quelques gorgées. La grosse femme lui soufflait son haleine échauffée en plein visage. Quand ses doigts pesants descendirent vers son ventre, il se décida à la repousser, plus fermement cette fois.

« Dis donc, tu exagères vraiment aujourd'hui ! rugit-elle, si tu n'as plus envie de moi, dis-le ! »

Il répondit que leurs plaisanteries et leurs braillements le fatiguaient et que, réflexion faite, il préférait s'en aller et retourner passer la nuit à la piscine de Siloé. Javan entendant cela se leva. « Tu as raison, il est temps d'aller au lit ! proclama-t-il en entraînant la fille accrochée à lui. Au moment de disparaître derrière le rideau suspendu à l'autre bout de la pièce, il se retourna vers Yaïr : Au fait, quelqu'un t'a demandé aujourd'hui, lui dit-il. Un type bizarre, pas normal, avec une figure grise. Il puait. Il voulait te voir.

— Qu'est-ce qu'il me voulait ?

— On n'en sait rien, on l'a jeté dehors, il sentait trop mauvais. Tu ne devrais pas fréquenter des gens comme ça !

— Il s'imagine peut-être que, toi aussi, tu fais des miracles ! » ajouta Javan.

9

Yaïr s'éveilla brusquement, au milieu de la nuit. Keturah, endormie sur la couverture, à côté de lui, respirait fort, la bouche à demi ouverte. Elle sentait encore la sueur et le vin. Il ramena son manteau sur sa poitrine grasse pour ne plus la voir. Il faisait chaud et la poussière d'étoiles dans le ciel, au-dessus de la terrasse sur laquelle ils s'étaient couchés, se fondait dans une brume laiteuse. Il vit encore Ésaü cloué sur sa croix... Était-ce à force de se dire que le Messie guerrier ne viendrait jamais qu'il avait fini par rejoindre les zélotes et par prendre les armes ? Il avait pourtant essayé de lui expliquer, à la piscine de Siloé, qu'il ne s'agissait pas de tuer tous les Romains. Il se souvenait de l'avoir revu, quelques jours auparavant, dans les rues de Jérusalem, il était passé auprès de lui et il avait fait mine de ne pas le reconnaître. La haine vibrait dans son regard comme la pointe d'une épée.

Comment une telle confusion avait-elle pu naître et se développer dans l'esprit d'un enfant ?

Yaïr, d'une certaine façon, se sentait responsable de ce qui venait d'arriver. Il était vrai qu'il n'était pas instruit, qu'il ne comprenait pas tout lui-même, loin de là, et que beaucoup de choses demeuraient obscures dans son esprit, mais cela ne l'excusait pas.

Il était de ces gens qui se reprochent continuellement des fautes qu'ils n'ont pas commises.

10

Lazare était revenu à Jérusalem depuis plusieurs jours déjà. Du matin jusqu'au soir, il errait dans les rues, avec l'espoir d'apercevoir Jean ou le géant à barbe de bouc. Ni l'un ni l'autre, hélas, ne se montraient, ils restaient cachés tous deux.

Il avait envie de se blottir dans un coin sombre et de ne plus en sortir. Pourtant, malgré lui, ses pas le ramenaient constamment au milieu de la foule. Sans cesse il revenait sur les deux marchés qui ne fermaient qu'à la nuit tombante et pour les jours de Sabbat. Sur celui de la ville haute d'abord, élégamment et abondamment achalandé. Là, il s'avançait entre les étals de bijoux, de soieries, de tissus fins et de chemises brodées, de souliers en cuir, de tapis colorés, de vaisselles d'or, d'objets précieux et de parfums. Il marchait lentement en dévisageant chaque homme, chaque acheteur et surtout chaque miséreux, dans cette multitude de mendiants qui, attirés par l'argent des riches, se regroupaient sur la place, tendaient la main dans les allées et dans les rues avoisinantes.

Puis il se rendait sur le marché de la cité basse où, au milieu des cris, les hommes venus des villages d'alentour vendaient, pêle-mêle, des céréales, des figues, du vin, des outils, d'épais manteaux en poil de chameau, des poissons, des ânes et quelques agneaux, où les femmes de Judée vendaient de bons lainages et celles de Galilée des vêtements de lin. Il se fondait dans cette foule où les gens, trop occupés à échanger argent contre marchandises, ne le remarquaient pas. La cohue et le bruit le protégeaient. Il finissait, le plus souvent, par oublier plus ou moins l'objet de sa recherche et il se contentait d'errer longuement, sans but, ignorant les bousculades incompréhensibles et l'agitation criarde, inutile, de tous ces gens affairés.

Le reste du temps, il marchait à travers la ville. Quand il se sentait trop las, il s'asseyait dans une ruelle obscure et il attendait, le regard vide.

Souvent il se demandait pourquoi il traînait ainsi dans Jérusalem. Plus personne ne parlait du Galiléen, c'était comme si son souvenir s'était évanoui. Alors, à quoi bon rôder à longueur de journée, comme tous ces misérables et ces vauriens qui, sans rien faire que tendre la main pour mendier, attendaient que les heures passent ? Il ne pouvait s'empêcher de penser à quel point il était actif autrefois, quel cœur il mettait jadis à accomplir sa tâche, combien sa vie, du matin jusqu'au soir, avait été pleine et riche.

Il n'était plus capable de rien, tout désormais lui semblait sombre et inutile.

Il n'avait même plus la force de se révolter contre ce Dieu inique qui lui imposait l'atrocité d'une telle existence.

Parfois, il repensait à sa longue recherche passée, à travers la Judée, la Samarie et la Galilée, et il se disait qu'elle n'avait servi à rien, qu'à le mener jusqu'à cette nuit terrible où le rouquin et les gens de Tabgha l'avaient frappé et chassé comme un voleur. Même le récit de Simon ne lui apportait plus la moindre lueur d'espoir. Les levées subites de vent étaient courantes après tout sur le lac de Génésareth et chacun savait qu'elles pouvaient brusquement ramener le poisson dans les zones qu'il paraissait avoir désertées. Simon lui-même n'avait-il pas parlé de frissons à la surface de l'eau ?... Quant à sa visite à la mère du Galiléen, à Nazareth, il n'en retenait que ce visage froid de vieille femme qui, loin de le plaindre, affirmait l'envier au contraire, et qui ne savait même pas si elle risquait de voir son fils, qui ne pouvait, ou ne voulait, rien dire des événements survenus depuis sa mise au tombeau... Au moins, lui avait-elle donné ces sandales et ce manteau qu'il portait désormais continuellement.

Quand les trompettes annonçant la fin du jour sonnaient au-dessus de la ville, il repartait, seul, au-delà des murs, vers le mont du Mauvais Conseil, derrière la Géhenne. Il traversait les fumées pestilentielles du dépotoir de Jérusalem. Il passait près des amoncellements d'ordures et de carcasses d'animaux éventrés en train de se consumer. Il n'était pas rare que des loqueteux émergent du brouillard gris pour le voir marcher, appuyé sur son bâton. Armés comme des bandits, presque nus, noirs de graisse et de suie, ils regardaient cet être bizarre qui s'éloignait vers les collines, personnage singulier, incongru, que la demi-obscurité du crépuscule rendait grotesque.

Il passait ses nuits assis sous un gros olivier. Une à une, il voyait les lumières s'éteindre dans la cité. Quand les dernières pointes un peu brillantes, à peine plus grosses que des étoiles, s'effaçaient derrière les murs d'enceinte, il ne distinguait plus à ses pieds qu'une étendue morte de masses ternes sans relief.

Son unique certitude était de ne pas vouloir revenir à Béthanie, derrière son rideau de toile.

Au matin du deuxième Sabbat après son retour, alors

qu'il rôdait dans le quartier de Sion aux alentours du canal souterrain, il surprit une conversation étrange, dans une ruelle déserte. Quatre hommes étaient assis là, à l'écart, au milieu d'un escalier étroit entre deux blocs de maisons. Comme il grimpait les marches avec peine et lenteur, il entendit l'un d'eux parler d'un certain Naham, un paralytique miraculeusement guéri avant la Pâque, à Capharnaüm. « On l'a retrouvé égorgé dans un champ », dit l'homme. « Pourquoi donc avaient-ils si peur de lui ? » répondit un autre. Lazare, intrigué, s'arrêta pour écouter. « Ils sont de plus en plus convaincus que nous voulons les détruire », ajouta le plus âgé... L'un d'eux, à ce moment, leva les yeux vers Lazare, il souffla un mot à ses compagnons et tous aussitôt se turent.

Voyant leurs regards méfiants posés sur lui, Lazare n'insista pas. Certain qu'ils le prenaient pour un espion, il reprit son ascension lente vers la cité haute.

Ce jour-là, il n'attendit pas que la sonnerie des trompettes retentît pour se réfugier sous son olivier. Les yeux fixés sur Jérusalem, il s'interrogea jusqu'au soir sur ces hommes qui paraissaient se cacher pour parler entre eux, et sur ce qu'il avait surpris de leur conversation.

Qui était donc ce Naham, miraculé de Capharnaüm, que l'on venait de retrouver égorgé dans un champ ?

Bientôt, il en vint à se dire, pour la première fois, que peut-être l'inconnu qui l'avait transpercé de coups de couteau, un matin dans les rues de Béthanie, n'était pas, comme il l'avait cru, un simple voleur.

11

NOMBREUX étaient les mendiants et estropiés qui se retrouvaient au cœur de la ville basse, près de l'ancienne cité de David, dans l'espace limité de la piscine de Siloé. Certains s'abritaient sous les portiques élevés au niveau de la rue par Hérode le Grand et d'autres s'entassaient, en contrebas, autour de la réserve d'eau boueuse à laquelle on accédait par un escalier de pierre usé.

Nuit et jour, sur ses deux étages, la piscine grouillait de miséreux.

Durant les semaines qui avaient suivi la guérison miraculeuse de Yaïr, la foule des déshérités s'était pressée, plus dense encore dans ce lieu sacré. Chacun s'efforçait alors d'approcher et de toucher cet aveugle de naissance qui avait retrouvé la vue par la simple apposition sur ses paupières d'un mélange de salive et de boue. Beaucoup étaient venus, à cette époque, pour entendre son histoire de sa propre bouche. Il avait eu beau affirmer à ces centaines de malades qu'il ne s'expliquait pas ce qui était arrivé et qu'il ne pouvait rien pour eux, les bousculades et la folie avaient duré pendant près d'un mois. Inlassablement, il leur avait répété d'aller le trouver, *lui*. « *Quand il a touché mes yeux*, disait-il à ceux venus l'écouter, *je me suis mis à hurler, je voulais qu'il me lâche, mais il a continué à appuyer sur mes paupières, à me faire mal, tout le monde riait autour de moi. Et puis lentement une chaleur a glissé sous mon front et la lumière, petit à petit, m'est apparue. C'est à lui que vous devez vous adresser, moi je ne possède aucun pouvoir. Si vous croyez en lui, si vous croyez qu'il est réellement le Fils de Dieu, alors peut-être il fera quelque chose pour vous.* »

Pourtant, malgré les discours qu'il tenait à ce moment-là, où qu'il aille, des dizaines de malheureux continuaient à s'accrocher à ses pas. Il était devenu objet de respect, d'envie et de curiosité. Un membre du Sanhédrin s'était même déplacé pour l'interroger.

Et puis, quelques jours avant la Pâque, on avait appris l'arrestation du Galiléen. L'agitation brusquement avait cessé autour de lui et la piscine de Siloé avait repris son aspect habituel, simple lieu de rassemblement, parmi beaucoup d'autres, pour les malheureux de Jérusalem.

A peine le regardait-on désormais, à peine se souvenait-on de sa guérison extraordinaire, et il préférait que les choses soient ainsi, il n'aimait pas qu'on le considère comme un être exceptionnel alors qu'il menait depuis toujours une vie misérable et qu'il n'avait jamais rien fait qui méritât la moindre attention.

Il ne savait même pas parler correctement du Galiléen, la preuve : les discours d'apaisement et d'explication qu'il avait tenus, en son nom, à Ésaü n'avaient servi qu'à le mener au Golgotha.

Ce matin-là, désireux de rester seul, loin de Keturah, de Javan et des autres, il était assis, comme bien souvent, sous les colonnes, en haut des marches qui descendaient au bassin trouble de la piscine de Siloé. Il mendiait, occupé encore par le souvenir de l'adolescent crucifié, quand il vit un individu étrange s'avancer vers lui, un homme appuyé sur un bâton, ramassé sur lui-même, d'une maigreur surprenante, avec un visage gris, sec, qui paraissait dur comme de l'os. Les infirmes viennent-ils donc de nouveau me trouver pour que je leur parle du miracle ? se demanda-t-il, un peu surpris que l'on recommence à s'adresser à lui après trois mois de silence.

L'homme s'arrêta à moins de deux pas. Jamais encore, malgré le nombre considérable de déshérités qu'il avait rencontrés depuis que la vue lui avait été donnée, il n'avait contemplé une telle figure.

Quand il perçut l'odeur qui se dégageait de cet être, odeur profonde de terre et de racines humides, il comprit qu'il ne s'agissait pas d'un malade comme les autres.

« Je suis Lazare, lui dit simplement l'homme, d'une voix blanche, je suis le ressuscité de Béthanie. »

Yaïr pensa d'abord qu'il lui mentait. Il connaissait, bien sûr, l'histoire de ce charpentier tiré de son tombeau peu de temps après que lui-même eut retrouvé la vue, mais il ne pouvait croire que ce Lazare dont chacun savait qu'il se cachait, terré dans sa maison, ou ailleurs, dans un endroit où nul ne risquait de le voir, se soit décidé à sortir de l'ombre pour venir le trouver, lui... Et puis il se souvint des paroles de Javan, la veille, l'avertissant qu'un *individu bizarre* le cherchait...

Cet homme portait la mort sur lui, il était la mort, rien à voir avec un vrai miraculé, tel que lui, Yaïr, l'aveugle de naissance qui maintenant discernait la plus petite des étoiles au fond du ciel !

Sans attendre, l'inconnu lui demanda s'il avait revu les compagnons du Galiléen, il dit qu'il les cherchait depuis plusieurs semaines et qu'il était essentiel qu'il leur parle.

Il s'exprimait lentement, sur un ton monocorde. Yaïr sentit son souffle glacé passer sur lui et il pensa qu'il allait le laisser là, qu'il n'avait aucune envie de discuter avec lui.

Mais l'homme le fixait, de ses yeux ternes et, malgré son regard gris sans vie, il lui parut brusquement si désemparé qu'il ne se sentit pas le droit de l'abandonner ainsi.

Luttant contre son envie de fuir, il répondit qu'il était seulement tombé, un jour, dans la rue des Foulons, sur Jean mais que celui-ci qui le connaissait pourtant fort bien, puisque le miracle, en bas de la piscine, s'était déroulé en sa présence, avait fait mine de ne pas le voir. « Ils se sentent en danger, dit-il, et ce n'est pas l'agitation de ces derniers jours, avec ces soldats partout dans Jérusalem, qui les poussera à sortir. Ils tremblent pour leur vie depuis la crucifixion du Galiléen, mais je crois savoir où ils se cachent et je sais que parfois, à la nuit tombée, des gens du peuple vont les rejoindre. Je ne me suis jamais, moi-même, mêlé à eux.

— Pourrais-tu me montrer la maison dans laquelle se déroulent leurs réunions ? » interrogea l'homme.

Yaïr hésita avant de répondre, le malaise qu'il éprouvait face à ce *mort-vivant* le paralysait. Il ne parvenait décidément pas à croire que ce personnage dégénéré pût être un miraculé. Il se demanda s'il n'avait pas trop parlé, emporté par une excessive compassion. Rien ne prouvait que les intentions de cet inconnu ne fussent pas mauvaises. Qui était-il réellement ? Que voulait-il ? Qu'attendait-il des amis du Galiléen ? Bien que, de ses trente années de cécité totale, il conservât un sens particulier qui lui permît de percevoir les sentiments, les arrière-pensées, les désirs,

129

5

de ses interlocuteurs en entendant simplement l'un de leurs soupirs, le froissement, léger, ou plus sec au contraire, de leur manteau ou de leur tunique, l'une de leurs intonations ou la manière dont, dans leur conversation, ils appuyaient inconsciemment, sur tel mot, plutôt que sur tel autre, il ne parvenait pas à se rendre compte si ce Lazare disait la vérité ou s'il mentait, dissimulant des idées mauvaises. Il devait être prudent, ne pas mettre les compagnons du Galiléen en danger, même s'il leur en voulait de la façon dont ils l'avaient toujours tenu à l'écart, y compris du temps où leur maître était encore en vie. Il éprouvait, en fait, une impression étrange car, malgré sa voix monocorde, ses yeux immobiles qui, un peu brouillés, paraissaient de verre et sa figure desséchée, sans âge, inexpressive, il lui semblait qu'une désolation, qu'un désespoir, absolus se dégageaient de cet être brisé, debout en face de lui.

Mais devait-il se fier à ses intuitions alors que, lorsque le Galiléen lui-même avait touché ses paupières closes, il avait d'abord ressenti ce geste comme un geste d'agression, de violence, d'hostilité, et qu'il avait hurlé pour qu'il le lâchât immédiatement ?

Bien qu'il ne fût pas vraiment convenable en Judée de regarder trop ouvertement les gens en face, ils restèrent tous deux à se fixer l'un l'autre. Lazare, manifestement, attendait une réponse à sa question, mais Yaïr craignait de commettre une erreur grave en lui révélant aussi facilement l'endroit où se cachait Jean. « Viens-tu réellement du royaume de la mort ? finit-il par lui demander, pour l'éprouver.

— Oui, répondit Lazare sans émotion particulière, j'en viens.

— Comment est-ce ? Toi qui y es allé, dis-moi comment est le royaume de la mort. Yaïr s'aperçut, tandis qu'il posait cette question, qu'il s'était mis soudain à parler presque à voix basse.

— Ce n'est rien, répliqua l'autre, indifférent, ce n'est rien.

— Mais qu'as-tu donc vu quand tu étais mort ? Où es-tu allé ?

— Je n'ai rien vu, je ne suis allé nulle part. Tout le monde voudrait savoir ce qu'est la mort, mais la mort ce n'est rien, c'est la nuit, le silence, cela n'existe pas. »

Ce visage ravagé brusquement fit peur à Yaïr. Une fois de plus il eut envie de s'enfuir.

« J'ai été mort, poursuivit Lazare en baissant les yeux, mais je n'ai rien vu, rien ni personne, et je n'ai pas souffert. Je t'assure que le royaume de la mort ce n'est rien, pas plus que la vie, pour celui qui, comme moi, a été mort, plus rien n'existe.

— Ne crois-tu donc en rien ? demanda Yaïr effrayé par un si profond désespoir. Ne crois-tu pas au moins en celui qui t'a ressuscité ?

— Non, répliqua Lazare, j'aurais préféré mille fois qu'il me laisse au fond de mon tombeau. »

Yaïr qui vénérait la mémoire du Galiléen ne put comprendre de telles paroles. Il faillit chasser cet imbécile à qui il était égal d'être mort ou vivant, mais quelque chose qu'il ne s'expliquait pas l'en empêcha.

L'inconnu (était-il réellement le Lazare de Béthanie ? Yaïr plus que jamais en doutait) finit par s'asseoir sur la marche à côté de lui. Il se poussa à cause du froid qui se dégageait de tout son corps. L'homme laissa ses yeux vides errer au loin, visiblement, il avait tout son temps, il ne partirait pas avant d'avoir reçu une réponse à sa question.

Yaïr recommença à mendier, en silence. « Cet homme, se dit-il, n'est finalement qu'un miséreux de plus, je ne vois pas pourquoi je le chasserais, la piscine de Siloé appartient à tous... Libre à moi seulement, si je n'en ai pas envie, de ne pas lui révéler l'endroit où se cachent Jean et les compagnons du Galiléen. »

Quand vint l'heure de midi, Yaïr, s'efforçant d'oublier le malaise, la méfiance, que l'inconnu éveillait en lui, et la colère surtout qu'il avait éprouvée en l'entendant parler comme il l'avait fait du Galiléen, sortit son unique morceau de pain de son sac, et le lui tendit. Lazare le prit, il le regarda, puis il le porta à ses lèvres et il mordit dedans, n'en prenant qu'une bouchée. « Normalement, je ne mange plus jamais », dit-il simplement en redonnant le pain à Yaïr.

Yaïr contempla le pain à peine entamé que venaient de lui rendre ces doigts jaunes, sa main tremblait. Il dut se forcer à vaincre sa répugnance pour mordre dedans à son tour. Quand il se décida, il crut sentir un goût de terre et de cadavre glisser au fond de sa bouche, il avala, très vite, presque sans mâcher, puis, de nouveau, il tendit le pain à Lazare mais celui-ci n'en voulut pas.

Malgré son dégoût, il s'obligea alors à le manger en entier, sans en laisser une miette.

Il ne comprit pas, sur le moment, pourquoi il agissait ainsi.

12

LAZARE, le soir même, rejoignit le lieu de rendez-vous fixé par Yaïr, à l'entrée de la rue des Potiers. Il y arriva le premier et, un peu inquiet, il dut attendre un moment. Il doutait encore que Yaïr acceptât de le mener jusqu'à la cachette de Jean. L'attitude de cet homme, miraculé comme lui, le laissait perplexe, elle ne ressemblait en rien à celle des autres gens qu'il avait croisés sur son chemin depuis sa sortie du tombeau : s'il paraissait désireux de l'aider, un peu comme Simon le pêcheur de Génésareth, Yaïr craignait aussi, manifestement, quelque chose de lui, et pas seulement à cause des marques de la mort sur son corps... Après qu'il eut partagé son pain, geste évident de bienveillance en contradiction avec ses doutes et sa méfiance très visibles, ils avaient parlé ensemble. Lazare avait fait l'effort de raconter sa recherche inutile dans toute la Judée, puis en Samarie et en Galilée. Yaïr l'avait écouté, attentivement, n'hésitant pas à poser de nombreuses questions, sur le forgeron d'Emmaüs, sur la pêche miraculeuse, et surtout sur la mère du Galiléen, Lazare, constatant qu'il le choquait en insistant sur la froideur de cette femme, avait seulement précisé qu'il ne tenait pas à déguiser ses impressions.

A cela, l'autre n'avait rien répondu.

Ils étaient restés assis, côte à côte, sur les marches de la piscine, pendant certainement plus d'une heure. Tantôt Lazare avait senti Yaïr intéressé par son récit, confiant, presque amical, tantôt il l'avait senti plus distant, sûrement incrédule et méfiant, peut-être scandalisé par la manière dont il décrivait certains comportements et dont il évoquait ses propres pensées.

Il n'avait rien tenté pour dissiper les doutes et le malaise, pas une seule fois, il ne l'avait supplié de l'aider comme il l'avait fait jusqu'alors avec tous ceux auxquels il s'était adressé.

A la fin pourtant, après un long moment de réflexion, Yaïr, le visage tendu, lui avait fixé rendez-vous pour le soir, à l'heure où la nuit tombait.

Lazare, avant de le quitter, l'avait interrogé sur ce Naham, l'ancien paralytique égorgé à Capharnaüm, mais il ne savait rien de cette histoire et il avait affirmé que, pour sa part, personne, jamais, ne l'avait agressé.

Enfin il apparut, au milieu de la rue, et Lazare alla à sa rencontre. « Suis-moi », dit-il simplement.

Ils se frayèrent un passage entre les échoppes des potiers qui, en cette veille de Sabbat, attendaient pour fermer leurs boutiques que le hazzan monté sur le toit du Temple, au-dessus du Saint des Saints, ait sonné, une première fois, deux coups dans sa trompe en corne de bélier. Il y avait encore foule dehors et, chose étonnante, ils croisèrent quatre légionnaires et un officier romains armés. Lazare, qui avait entendu parler de l'assassinat de deux centurions par les zélotes, aux abords du palais d'Hérode, pensa que les choses devaient aller vraiment mal pour que des soldats en service osent ainsi s'aventurer dans ces endroits de la cité basse où ils ne venaient jamais, conscients qu'ils risquaient, à chaque pas, d'y recevoir un coup de couteau mortel entre les épaules ou dans les reins. Ne parlait-on pas, d'ailleurs, ces derniers jours, de trente arrestations et de l'imminence de nouvelles crucifixions... S'efforçant de marcher à côté de Yaïr et de ne pas être séparé de lui dans la bousculade, au milieu de cette rue étroite, il sentit, durant presque tout le chemin, son regard posé sur lui. A la différence des regards qu'il surprenait habituellement, celui-ci n'exprimait aucun mépris mais plutôt une forme d'interrogation, d'inquiétude et de doute. Il était certain pourtant que Yaïr le menait bien à la maison de Jean.

A cause de la foule qui bloquait l'accès, ils durent s'arrêter un moment auprès d'un grand atelier. Quatre hommes travaillaient là. Deux d'entre eux faisaient aller le tour avec leurs pieds, contrôlant attentivement chacun des gestes de leurs mains, contraignant l'argile à prendre les formes, courbures, côtes et renflements qu'ils voulaient lui donner. Un autre, assis un peu en retrait, vernissait des bols, tandis que le quatrième, debout derrière le comptoir, sur le devant, vendait des jarres à grain, des braseros, des tablettes pour écrire, des jouets de terre cuite, de petites lampes à huile, des cruches à long col et à anses, des marmites à couvercles larges... Pour la première fois, il eut, en les regardant, le sentiment curieux que cela lui était égal désormais de voir les autres exercer leur métier. Effrayé par une telle absence de réaction, il pensa que, bientôt, malgré lui, il se résignerait et qu'alors il ne resterait plus aucun espoir.

Ils s'engagèrent dans une ruelle très sombre totalement déserte, bordée d'habitations anciennes. Ils firent une trentaine de pas et Yaïr désigna, un peu plus loin, une petite maison sans étage construite en gros moellons gris mal jointés. « C'est là, dit-il, il est inutile que je reste avec toi, ils n'ont certainement toujours aucune envie de me parler. Il regarda Lazare en plein visage : Je te fais confiance, poursuivit-il gravement, je ne sais pas si j'ai raison d'agir ainsi car je ne te connais pas, beaucoup de tes paroles me paraissent insensées et j'ignore seulement si tu dis la vérité. Il s'écarta. Je te souhaite de trouver ici ce que tu cherches », ajouta-t-il avant de s'éloigner.

Lazare, se demandant s'il devait attendre là que Jean

ou le géant à barbe de bouc sortent, resta seul devant la maison fermée.

13

IL s'approcha. Des rideaux épais protégeaient les fenêtres. L'endroit éteint paraissait vide.

A quoi bon patienter la nuit entière, et la journée du lendemain, et les nuits, et les jours suivants ?… Peut-être avaient-ils quitté Jérusalem après les troubles récents… Mieux valait être fixé maintenant.

Comme il allait frapper, il suspendit son geste. « Ce que je fais là est fou, pensa-t-il, si j'apprends, par eux, qu'ils ont bel et bien volé le corps du Galiléen, ou si je le comprends au travers de leurs discours ou par leurs attitudes, que me restera-t-il à croire, à espérer ? Au fond de moi, je suis presque certain qu'il n'y a jamais eu d'autre résurrection que la mienne, alors pourquoi m'obstiner dans ma recherche de la vérité ? Seul mon doute, si léger, me protège encore, si je l'efface… » Il se tourna vers la rue des Potiers, de la lumière brûlait là-bas, une forme de vie existait, un soupçon d'incertitude qu'il fallait préserver, sans doute à tout prix.

Il contempla cette lourde porte de bois cloûté. Il écouta, aucun bruit ne passait au travers. Il ferma son poing, de nouveau il leva son bras et il cogna de toutes ses forces.

« *Tout-Puissant,* murmura-t-il, lui qui ne s'adressait plus jamais à Dieu, *fais, je t'en supplie, qu'ils ne soient plus là.* »

14

CETTE nuit-là, sur la terrasse, Yaïr posséda Keturah avec une ardeur inhabituelle.

Il la pénétra une première fois, puis une seconde, coup sur coup. Sans s'arrêter, elle voulut poursuivre, fiévreusement. Elle se retourna et elle monta à son tour sur lui. Elle plaqua son abdomen mou et pesant contre son ventre plat. Elle le força à revenir en elle. Bien que, terriblement las et un peu écœuré, il ne ressentît plus réellement de désir, il ne lutta pas pour se défendre. Il vit sa grosse figure tanguer au-dessus de lui devant la multitude des étoiles, il reçut un ricochet de sueur qui éclaboussa le coin de sa bouche et il ferma les yeux. Elle soufflait fort et, à cause de son poids, elle l'empêchait de respirer. Pourquoi faisait-il cela ? Pourquoi continuait-il, alors qu'il n'en avait aucun envie ? Elle passa ses mains dans ses cheveux, elle caressa son crâne, il toucha ses hanches larges, il souleva légèrement ses reins et il eut l'impression de s'enfoncer plus profondément en elle, de s'écorcher, de se mettre à vif. Elle se balança un moment et, d'une voix de gorge rauque, elle le supplia de venir plus loin encore. Mais il avait mal maintenant. Une langue chaude, épaisse, força ses lèvres et suça goulûment son palais. Un flux de salive teinté de vin coula dans sa gorge, il l'avala très vite... Ce soir pourtant, avant de retrouver ce Lazare de Béthanie, il s'était juré de ne pas passer la nuit avec elle, et puis, en redescendant vers la piscine de Siloé, il n'avait pu s'empêcher d'entrer dans sa maison. C'était à cause de ce *ressuscité*, il en était certain, qu'il agissait ainsi, à l'encontre de ses propres désirs.

A chaque mouvement heurté de la grosse femme il recevait, en plein visage, une bouffée de transpiration âcre et piquante. Machinalement il plaqua ses paumes sur le dos moite et brûlant qui allait et venait sans fin...

Il se souvint des paroles dures de Lazare au sujet de la mère du Galiléen, de cette manière, si évidente, dont il doutait du pouvoir même de celui qui l'avait tiré du *Grand sommeil,* de celui qu'il ne pouvait s'empêcher d'appeler parfois le *magicien.* Ne l'avait-il jamais entendu parler des miséreux sur le mont Scopus ou sur le parvis du Temple ? Ne savait-il pas qu'un jour, au péril de sa vie, il avait sauvé une prostituée de la lapidation, qu'en tremblant il avait ôté les pierres des mains de ceux qui voulaient appliquer la Loi ? Était-ce là le comportement d'un simple *faiseur de magie ?...* Il regrettait maintenant de l'avoir conduit à la maison de Jean... Keturah lui pinça la poitrine, puis elle colla encore ses lèvres contre les siennes. Pourquoi se complaisait-il ainsi avec elle, dans ces rapports qui finissaient presque toujours par l'écœurer ? Il fallait cesser, mais elle pesait si lourd au-dessus de lui !

Au lieu d'essayer de se dégager, il l'accompagna dans son baiser.

Il ne comprenait plus rien soudain de ce qu'il faisait. Tout se passait comme si chacun de ses actes allait dans le sens contraire de ce qu'il souhaitait.

Il accéléra avec brutalité son mouvement de reins. Il attrapa violemment les cheveux de la femme et, les tirant vers l'arrière, il l'obligea à décoller ses lèvres des siennes, à se reculer, à interrompre son baiser. Une bouffée de chaleur étouffante l'envahit et la peau de son visage se mit à cuire, comme si elle brûlait sous le soleil du désert. Il ouvrit les yeux et le ciel blanc d'étoiles se mit à tanguer au-dessus de la figure sombre, échevelée, énorme. Il serra fort la nuque en sueur de Keturah, elle poussa un petit cri et il se tendit douloureusement, de toute sa force, afin d'en finir avec elle, pour cette nuit au moins.

15

IL s'éveilla dès l'apparition des premières lueurs mauves dans le ciel de Jérusalem. C'était jour de Sabbat, et bien qu'il ne fît pas encore jour, il résolut de se rendre au Temple pour prier. En se levant, il s'aperçut qu'il avait souillé sa tunique au début de la nuit, en se frottant, encore habillé, contre Keturah. Il s'enveloppa dans son manteau pour cacher ces marques honteuses et, sans jeter un seul regard à la grosse femme toujours endormie, il s'en alla.

Les rues étaient calmes à cette heure et il atteignit très vite la porte double qui donnait accès au parvis des Païens. Son regard, tout de suite, fut attiré par les dizaines de torches qui brûlaient au sommet du Portique Royal. En s'approchant il distingua une cinquantaine de soldats romains alignés, dominant là les rues de la cité basse. Vêtus de leurs cottes de mailles, coiffés de leurs casques de fer brillant à la lueur des flambeaux, ils tenaient, d'une main, leurs larges boucliers de bois incurvé, et de l'autre leurs lourds javelots à pointe acérée. A n'en point douter ils s'étaient placés là pour surveiller les juifs venus prier leur Dieu. Il sentit un mouvement de colère monter en lui, combien de temps faudrait-il supporter ces païens qui souillaient la terre choisie par le Tout-Puissant ? Pendant un instant, il se dit que cette oppression devenait insupportable et qu'Ésaü avait eu raison de se révolter. Puis il se souvint des paroles du Galiléen affirmant que la domination de Rome n'était qu'un moindre mal comparé au mensonge et à l'hypocrisie qui plongeaient le peuple d'Israël dans la nuit.

Il pénétra sur le parvis. Levant la tête, il vit aussitôt que deux centuries au moins de soldats, alignées au sommet des quatre longs murs d'enceinte, surveillaient aussi l'ensemble de l'esplanade. S'efforçant d'oublier leur présence, il rejoignit la Belle Porte. Il gravit les marches et il entra sur le parvis des Femmes. Les Lévites, accompagnés par la harpe et le tambourin, par les trompettes et par les cors, commençaient à chanter les psaumes du jour, tantôt à l'unisson, tantôt à voix alternées. Les prêtres, plus loin, derrière le portail de Nicador dont on venait d'ouvrir les deux lourds battants de bronze, d'or et d'argent, sacrifiaient quelques agneaux sur l'autel, éclairés par les lueurs rouges des grands braseros. Il se couvrit la tête avec son manteau et il s'avança entre les groupes de fidèles déjà nombreux, revêtus de leurs châles de prière, avec les phylactères noués sur leurs fronts. Parvenu dans la cour des Israélites, il s'inclina et, pour que le Tout-Puissant l'aide à ne plus se comporter comme un insensé dont les actes allaient trop souvent dans le sens contraire de ce qu'il souhaitait, au milieu des juifs qui, eux, pour la plupart, disaient à voix haute le traditionnel *Schema*, deux fois, il récita lentement la prière que le Galiléen avait apprise un jour à ceux qui le suivaient :

Notre père qui es au-dessus de nous
fais-toi reconnaître comme Dieu
fais venir ton règne
fais se réaliser ta volonté
sur la terre à l'image du ciel.
Donne-nous aujourd'hui le pain dont nous avons
*   besoin,*
pardonne-nous nos torts envers toi,
comme nous-mêmes nous avons pardonné à ceux qui
*   ont des torts envers nous,*
et ne nous expose pas à la tentation,
mais délivre-nous du Tentateur.

Quand il rejoignit la piscine de Siloé, il eut la surprise de tomber sur Lazare qu'il pensait pourtant ne jamais revoir. Celui-ci était assis en bas des marches, il semblait observer un infirme qui, prostré sur l'un des fûts de colonne au milieu du bassin, trempait ses jambes mortes dans l'eau boueuse.

Il le rejoignit immédiatement et il lui demanda pourquoi il était revenu.

« Je n'ai pas vu Jean, répondit Lazare sans le regarder. Ni lui, ni le géant à barbe de bouc, ni aucun autre de ceux qui suivaient le Galiléen. Longtemps j'ai frappé à leur porte, et je les ai appelés, je suis certain qu'ils étaient là, j'ai entendu du bruit, à un moment, dans la maison. J'ai crié pour qu'ils m'ouvrent, je leur ai dit qui j'étais, que je voulais leur parler, mais ils n'ont pas bougé... Toute la nuit, je suis resté devant leur porte, mais cela n'a servi à rien... Ils refuseront toujours de se montrer à moi, j'en suis certain... Et je ne saurai jamais la vérité, ni pourquoi tout cela m'est arrivé, à moi qui n'ai jamais fait le mal. »

Yaïr pensa qu'il ne pouvait feindre une telle tristesse. De nouveau l'envie de l'aider revint en lui.

« Toi, reprit Lazare en gardant les yeux fixés sur les jambes squelettiques de l'infirme qui baignaient dans l'eau sale, le Galiléen t'a sorti de ta nuit, et moi, sans aucune raison, il m'a plongé dans l'obscurité la plus profonde. »

16

LE soir même, Lazare retourna dans la rue déserte et sombre bordée d'habitations anciennes faites de moellons mal jointés. Il cogna contre la porte de Jean, plus longtemps que la veille et avec plus de force. Après des jours et des jours de désespoir et de résignation, l'envie de *savoir* réapparaissait, plus intense que jamais. Il se rendait compte que, depuis sa rencontre avec Yaïr, deux jours plus tôt, quelque chose changeait en lui, qu'une colère, qu'une révolte, beaucoup plus violentes que celles qu'il avait connues précédemment, commençaient à le dévorer. Il en voulait plus encore au Galiléen, maintenant qu'il connaissait un *vrai miraculé*, un aveugle de naissance capable de distinguer la plus petite des étoiles dans le ciel.

Il ne s'arrêta de frapper que lorsque la force lui manqua. Il colla son oreille contre la porte mais il n'entendit rien à l'intérieur.

Il s'assit par terre, le dos appuyé contre le mur. « J'attendrai toute la nuit, se dit-il, et, s'il le faut, je reviendrai demain. »

Les lumières de la rue des Potiers, plus loin sur sa droite, s'éteignirent bientôt et il se retrouva vraiment seul, dans la demi-obscurité de cette lourde nuit d'été. Il leva les yeux vers le ciel, simple étendue plate sur laquelle, pour lui, ne se détachait pas la moindre étoile, pas le moindre point brillant.

Il repensa à Yaïr, tellement convaincu qu'il devait insister, que sûrement, tôt ou tard, il tomberait sur ceux qu'il cherchait. « *Il est vrai que Jean et les autres m'ont repoussé,* avait-il souvent répété au cours de la journée, *mais avec toi, j'en suis certain, ils agiront différemment, ils accepteront de t'aider car tu as réellement besoin d'eux. Sans doute te mèneront-ils jusqu'à l'endroit où le Galiléen se cache, depuis sa résurrection... »* Il ne comprenait pas pour quelle raison cet illuminé semblait, par moments, s'intéresser si fortement à lui, dans quel but il était resté jusqu'au soir à ses côtés, le questionnant souvent, ne le lâchant, de temps à autre, que pour monter mendier au sommet de l'escalier. « Mais moi-même, se dit-il, ne suis-je pas revenu à la piscine de Siloé, dès l'aube, que dans l'espoir de l'y retrouver ? » Une fois de plus, il se demanda pourquoi, après être resté silencieux pendant un long moment, il avait encore partagé son pain avec lui. « Et pourtant, beaucoup de mes paroles le heurtent et le scandalisent, pensa-t-il, et il doit bien se douter que si j'ai accepté de manger un peu de son repas c'était uniquement pour le provoquer, pour voir s'il allait oser mordre, une seconde fois, après moi, dans son pain. »

Il chassa Yaïr de ses pensées. Il en avait assez de se poser continuellement des questions auxquelles il n'apportait aucune réponse.

Il ferma les yeux et il allongea ses jambes dans

l'espoir qu'elles deviennent lourdes comme des poutres de chêne. Il attendit. Peut-être qu'une torpeur allait l'envahir, partant de ses chevilles, remontant jusqu'à son ventre... Il tenta de s'imaginer en train de se balancer doucement, suspendu dans une position unique, entre les parois de son puits sans fond. Derrière ses paupières closes, il ne vit hélas que le paralytique trempant ses jambes sans vie dans l'eau boueuse de la piscine de Siloé.

La colère violente qu'il sentait poindre en lui l'empêchait de faire le vide dans sa tête et de s'enfoncer dans ce *faux sommeil* qui effaçait ses idées les plus noires.

Il se surprit à penser que la souffrance endurée par le Galiléen sur la croix n'avait été que justice, car non seulement il avait donné la vue à Yaïr, mais en plus il avait rempli son cœur de générosité et de bonté, alors que le sien, à cause de lui, brûlait de colère et de haine.

D'ailleurs, Yaïr lui-même, constatant son état si lamentable, doutait qu'il fût réellement un miraculé, et encore ne connaissait-il qu'une part de la vérité. Il se demanda quelle serait sa réaction s'il apprenait qu'il devait rester ainsi pour l'éternité.

Quand il rouvrit les yeux, il aperçut un chien immobile qui l'observait à quelques pas. Il l'appela. L'animal, lentement, vint vers lui. Il s'arrêta pour sentir ses pieds, puis posant carrément sa truffe froide et mouillée sur sa peau, il renifla l'odeur de ses jambes. Il agitait sa queue, il ne paraissait ni dégoûté ni effrayé. Lazare vit son poil terne pelé par endroits, il remarqua sa maigreur et une petite plaie à peine séchée sur ses côtes. Le chien enfonça son museau entre ses genoux, retenu par la tunique, il fouilla dans cet espace étroit. Lazare ne bougea pas pour ne pas lui faire peur. Quand l'animal releva la tête, il voulut percevoir de la tristesse et de l'amitié dans ce regard jaune humide qui le fixait. Il allongea doucement le bras, il avança sa main, il la posa au-dessus de son oreille. Le chien se laissa caresser pendant quelques instants, et brusquement, sans raison, il s'enfuit en courant vers l'extrémité la plus sombre de la rue.

Il n'arriva rien d'autre durant cette nuit-là. Lazare

resta assis, le dos appuyé contre le mur de la maison. Les heures s'écoulèrent, inutiles, traversées par des bouffées de révolte et de colère.

Au petit matin il repartit vers la piscine de Siloé.

Le soir venu, après une seconde journée passée, pour l'essentiel en silence, aux côtés de Yaïr, il rejoignit, comme il l'avait prévu, la maison de Jean.

Cette fois il ne cogna pas contre la porte pour ne pas signaler sa présence et il alla s'asseoir un peu plus loin, dans un renfoncement de mur, de l'autre côté de la rue. Peut-être avait-il tort d'insister ainsi, les compagnons du Galiléen avaient certainement quitté Jérusalem, mais sa colère et son ressentiment étaient trop forts maintenant pour qu'il abandonnât la seule chance qui lui restait de découvrir une part de la vérité.

De nouveau il vit les lumières de la rue des Potiers s'éteindre et il s'immobilisa dans le silence et la solitude.

Au fond, il se félicitait de sentir cette haine qui l'envahissait parfois, de plus en plus souvent, depuis sa rencontre avec Yaïr elle le poussait à réagir, elle seule le reliait à la vie.

Au bout d'un très long moment (il n'avait aucune idée de l'heure qu'il pouvait être), il se leva et il entreprit de marcher un peu afin de chasser ce fourmillement désagréable qui, à force de se tenir dans une position figée, piquait la peau de ses jambes, depuis la plante de ses pieds jusqu'à ses hanches. Il tourna dans la première rue qu'il trouva, sur sa droite, puis, après avoir parcouru une vingtaine de pas, il s'engagea dans un passage extrêmement étroit, resserré entre deux rangées irrégulières de maisons. Alors qu'il s'avançait, appuyé comme toujours sur son bâton, il aperçut une silhouette qui venait au-devant de lui, débouchant de la rue des Potiers. Dans un reflet brouillé de pleine lune il distingua une chevelure claire, aussi claire que celle de Jean... L'homme marchait vite. Il s'arrêta devant une porte basse sur laquelle il frappa trois coups rapprochés, suivis presque aussitôt d'un quatrième, plus sec. N'était-ce pas un signe de reconnaissance ? Lazare réalisant qu'il pouvait exister, de ce côté-ci, une seconde entrée à la maison de Jean, se précipita. Il se jeta sur l'inconnu, celui-ci aussitôt porta la main à sa ceinture, comme pour en sortir un couteau. « Non ! cria Lazare qui dans l'obscurité ne pouvait voir le visage de l'homme. Je cherche un nommé Jean, est-ce toi ? » Il y eut à ce moment le bruit d'un verrou que l'on tirait, la porte s'ouvrit, le géant à barbe de bouc apparut sur le seuil et, dans la lumière faible venue de l'intérieur, Lazare reconnut celui qu'il attendait depuis trois nuits.

« Que fais-tu là ? demanda Pierre, à voix basse comme s'il avait peur que quelqu'un l'entende.

— C'est à lui que je veux parler, répondit Lazare, pas à toi.

— Laisse-nous tranquilles, ta place n'est pas ici, nous avons autre chose à faire que nous occuper de toi. Va-t'en !

— Cet endroit n'est pas pour toi, dit Jean, il a raison, il vaut mieux que tu t'en ailles.

— Je dois absolument te parler, insista Lazare, je te cherche depuis des semaines, des mois, j'en ai assez de parcourir le pays en tous sens dans l'espoir de te trouver. Je te tiens enfin et je ne partirai pas d'ici !

— Tu n'as pas entendu ? demanda le colosse, nous ne voulons pas de toi ! »

Lazare se retourna vers Jean, mais celui-ci baissa les yeux.

« Oublies-tu que je vous ai accueillis, le Galiléen et toi, chez moi, à Béthanie ? s'écria-t-il en attrapant le bras du jeune homme. Oublies-tu que je vous ai ouvert ma porte quand ceux de Jérusalem vous cherchaient pour vous tuer, que j'ai partagé mon repas avec vous et, qu'au péril de ma propre vie, je vous ai cachés dans ma maison pendant une partie de la nuit ? J'ai agi ainsi sans hésiter, alors que je ne savais pas qui vous étiez, je l'ai fait parce que j'ai pensé, ce jour-là, qu'il était de mon devoir de vous aider, comme je m'efforçais simplement, depuis toujours, d'aider ceux qui avaient besoin de moi. As-tu oublié cette nuit-là ? C'est à mon tour maintenant de te demander aide et secours, tu n'as pas le droit de me repousser.

— Chasse-le donc ! rugit Pierre. Il a déjà cogné

144

contre notre porte, hier et avant-hier, quand tu n'étais pas là, il veut s'introduire parmi nous, ne l'écoute pas. Ils n'ont toujours pas relâché Hosias, qui te dit que ce n'est pas lui qui l'a dénoncé ?... J'avais raison, il faut que nous changions d'endroit, pourquoi ne m'écoutes-tu donc jamais ?

— Il dit la vérité, murmura Jean, j'ai une dette envers lui.

— Mais enfin tu ne vas pas l'écouter, tu sais très bien qu'il n'est pas des nôtres !

— Je le sais, soupira le jeune homme.

— Qui t'a dit que nous étions ici ? s'écria le colosse en saisissant Lazare par le haut de sa tunique.

— Laisse-le, dit Jean, il est vrai qu'il n'a jamais suivi Jésus, et pourtant il nous a aidés, il y a longtemps de cela, alors que d'autres que nous accueillons aujourd'hui tremblaient de peur et demeuraient introuvables.

— Peut-être que je ne l'ai jamais suivi mais, moi, j'étais sur le Golgotha ! lança Lazare, je suis resté au pied de sa croix, jusqu'au bout, et je l'ai vu mourir. Lequel d'entre vous peut en dire autant ? Aucun, car j'étais seul. Où étiez-vous alors, vous, ses amis ? Je vous ai cherchés pour que vous lui portiez secours, que pouvais-je faire seul ? Je vous ai cherchés mais je ne vous ai pas trouvés, parce que vous vous cachiez, parce que vous vous cachiez déjà, bien à l'abri derrière vos portes closes ! »

Entendant cela, le géant à barbe de bouc le lâcha... « Il ment, je n'ai pas confiance en lui, reprit-il après un silence, il n'était pas sur le Golgotha.

— Viens, dit Jean, je n'avais pas l'intention de te rencontrer avant longtemps, mais tant pis, viens maintenant puisque tu le veux.

— Tu es fou ! murmura le colosse, le regard brûlant de colère. Je ne sais pas pourquoi je te laisse faire. Un jour, à cause de toi, nous finirons tous sur la croix.

— Si les choses se terminent ainsi, tu sais très bien que ce ne sera pas à cause de moi, répliqua Jean en entraînant Lazare à l'intérieur. »

17

ILS traversèrent une pièce basse éclairée seulement par deux lampes à huile. Une dizaine d'hommes étaient rassemblés là, assis en cercle sur le sol. Tous levèrent les yeux vers Lazare, certains parurent le reconnaître. Il se demanda ce qu'ils faisaient, cachés ainsi. Jean l'emmena dans une autre pièce, beaucoup plus petite, il remarqua immédiatement que l'unique fenêtre avait été murée. La jeune homme ferma la porte derrière lui. « Assieds-toi, dit-il en désignant un vieux banc de bois placé entre deux nattes qui devaient servir de lits. Pierre a peur, il ne faut pas lui en vouloir, poursuivit-il en posant le sac de toile qu'il tenait. Nous avons tous peur, Hosias, l'un des nôtres, a été arrêté la semaine passée. Peut-être que si j'avais été là, ces derniers jours, je t'aurais ouvert.

— Où étais-tu ? demanda Lazare.

— Sur les bords du Jourdain, à la recherche de ceux qui ont connu Jean le Baptiste. J'essaie d'écrire l'histoire de Jésus et je recherche des témoignages, Matthieu, le collecteur d'impôts, fait de même.

— Pourquoi faites-vous cela ?

— Parce qu'il ne faut pas que ce que nous avons vécu risque de disparaître avec nous. Il faut que les actes et les paroles de Jésus demeurent. Regarde, j'ai déjà écrit tout ça, dit-il en désignant deux gros rouleaux de papyrus posés sur une table, près d'un encrier d'argile et d'un roseau à tige fendue. Ceux que tu as vus dans l'autre pièce recopient au fur et à mesure ce que j'écris, en quatre ou cinq exemplaires que d'autres, à leur tour, recopieront lorsque tout sera terminé. Ainsi, rien ne se perdra, rien ne s'oubliera... Bientôt, j'en viendrai à ton histoire, ajouta-t-il en le regardant.

— Crois-tu sérieusement qu'il faut la raconter ?

— Oui bien sûr, répondit Jean. Ta résurrection est le

plus extraordinaire de tous les miracles, il faut que tous la connaissent. »

Lazare hocha lentement la tête… « Pour qui ne m'a jamais vu, ce miracle peut en effet paraître extraordinaire », dit-il très doucement.

Comme s'il n'avait pas entendu, Jean alluma une seconde lampe qu'il vint placer dans une niche creusée au milieu du mur, puis, de son sac, il sortit un bout de peau raclée, couvert d'écritures qu'il déposa auprès de ses rouleaux de papyrus. « Voilà ce que je ramène de mon voyage, dit-il, j'ai trouvé plus de dix personnes à Énon et à Salim qui ont accepté de parler de Jean le Baptiste, aucun de nous n'était présent quand il a baptisé Jésus dans l'eau du Jourdain. Ce que j'écrirai demain à ce sujet sera certainement le premier de tous mes chapitres. Souvent, je suis obligé de revenir ainsi en arrière, chaque jour j'apprends des choses nouvelles, c'est pour cela que j'avance aussi lentement. Ceux qui ont rencontré Jésus ont peur de parler, ils commencent toujours par me mentir, par dire qu'ils ne savent rien, et puis, petit à petit, ils en viennent à lâcher quelques mots, à évoquer parfois l'un de ses gestes qui les a étonnés, ou à citer l'une de ses phrases qu'ils n'ont pas comprise mais dont ils se souviennent. Avec beaucoup de patience, j'arrive presque toujours à leur faire dire ce qu'ils savent, et cela est essentiel car même si j'étais souvent à ses côtés, je m'aperçois que certains éléments me manquent. Le regard que d'autres ont porté sur lui, ce qu'ils ont compris de ce qu'il disait, ou de ce qu'il faisait, m'éclaire. »

Il prit un tabouret et il vint s'asseoir en face de Lazare. « En fait, ils ont envie de parler, ajouta-t-il en souriant, certains me chassent, il m'est arrivé de recevoir des coups, mais, la plupart du temps, j'ai l'impression qu'ils sont heureux de parler de lui.

— Même ici, à Jérusalem ? demanda Lazare.

— A Jérusalem, les choses sont différentes, tout le monde se méfie de tout le monde. Je suis obligé de me cacher et d'être très prudent. Je ne sors en ville que la nuit et je ne m'adresse qu'à ceux que je connais. »

Lazare qui l'observait attentivement le trouvait vieilli

depuis la soirée passée chez lui, avec le Galiléen, à Béthanie. Si sa silhouette demeurait plutôt frêle, une longue ride se dessinait maintenant sur son front et de la barbe commençait à apparaître sur son menton et sur ses joues. Ses traits avaient durci, son visage n'était plus celui d'un enfant. Seule marque évidente de sa jeunesse, une certaine douceur restait encore au fond de son regard clair, elle lui donnait un air un peu naïf et le faisait paraître assez vulnérable.

« Dis-tu toujours la vérité dans ce que tu écris ? lui demanda-t-il.

— A quoi cela me servirait-il de mentir ?

— Diras-tu, par exemple, qu'aucun d'entre vous n'était présent sur le Golgotha ? » reprit-il après un silence.

Jean haussa les épaules, il marqua un petit temps, puis il répondit que oui, qu'il n'y avait pas de raison pour qu'il cache cela.

« Diras-tu que, moi, j'y étais ? insista Lazare.

— ... Oui. Sans doute. Certainement. »

Lazare, peu convaincu, hocha la tête. « J'aimerais lire ton histoire, dit-il, quand tu auras terminé. »

A ce moment, des murmures de voix confondues, venant de la pièce d'à côté, attirèrent son attention. Il pensa que les autres, avec Pierre, devaient prier, comme au Temple, tous ensemble. Mais qui priaient-ils, le Tout-Puissant ou leur Jésus ? Il écouta mais il ne comprit pas ces phrases qu'ils semblaient répéter, toutes au moins deux ou trois fois, comme les versets du *Schema*.

« Où est le Galiléen ? finit-il par demander à Jean.

— Il n'est plus ici.

— Où est-il ?

— Dans un endroit où ni toi ni moi ne pouvons le rejoindre.

— Je m'attendais à cette réponse, soupira Lazare, elle ne me surprend pas. Bien que j'éprouve les pires difficultés pour marcher, je suis allé jusqu'en Galilée, à sa recherche. Naturellement je ne l'ai pas trouvé ! Et pour cause, puisqu'il n'est jamais ressuscité et que vous avez volé son corps dans son tombeau, trois jours après sa mort.

— Si tu es venu pour me dire ça, il vaut mieux que tu t'en ailles ! répliqua Jean, vivement. Tu parles comme ceux qui veulent nous faire taire et nous détruire. Pierre avait raison, ta place n'est pas ici !

— Mais vous parlez toujours par énigmes ! Même lui, quand il parlait, je ne comprenais pas la moitié de ce qu'il disait. Quel est cet endroit dans lequel personne ne peut le rejoindre ? Explique-toi ! J'ai vu la pierre repoussée devant son tombeau vide. Cesse donc d'employer des mots qui n'ont aucun sens ! Si vous n'avez pas pris son corps pour le cacher et faire croire qu'il était revenu à la vie, dis-moi simplement où il se trouve aujourd'hui.

— Tu ne crois pas en lui malgré ce qu'il a fait pour toi. Si tu croyais, il suffirait que je te dise : oui, il est ressuscité, pour que tu sois convaincu que telle est la vérité... Ceux qui sont ici, cette nuit, dans cette maison, croient en lui et pourtant il ne les a pas sortis du *Grand Sommeil*, comme il t'en a sorti, toi... Ils m'attendent et je n'ai pas envie de perdre mon temps avec toi. C'est dommage car tu aurais pu nous aider, c'est avec cet espoir que je t'ai fait entrer ici. Malheureusement tu es le pire des ingrats, tu ne crois pas en lui et tu nous accuses d'être des menteurs et des voleurs, tu sais pourtant mieux que nous tous quel est son pouvoir.

— Mais qu'en a-t-il fait, de ce pouvoir ? s'exclama Lazare. Enfin, regarde-moi ! Ne vois-tu pas mon visage, mon corps, ne sens-tu pas l'odeur répugnante qui se dégage de moi ?... Sais-tu que, par sa faute, je ne mange plus, que je ne peux plus ni dormir ni travailler, que j'erre à longueur de temps, que je suis devenu un mendiant, un misérable, moi qui exerçais le plus beau des métiers ? Sais-tu que je ne suis plus capable d'aimer et qu'à cause de lui j'ai été obligé de quitter ma maison et ma femme que j'ai pourtant, autrefois, désirée avec passion ? Sais-tu qu'à la place de la foi, du courage, de l'amour et de la générosité, il a mis le désespoir, le désœuvrement, la colère et la haine dans mon cœur ?...

Toi qui le connais si bien, dis-moi pourquoi il m'a fait cela ? »

Jean, maintenant, se taisait. Il l'observait, il le fixait, comme tant d'autres.

« Sais-tu que je suis ainsi pour l'éternité, que je ne mourrai jamais, que ce cauchemar n'aura jamais de fin ? reprit Lazare... Toi qui écris son histoire, auras-tu le courage d'écrire qu'il m'a réduit *à ça,* pour toujours ?

— ... Qu'attends-tu de moi ? demanda Jean, t'imagines-tu que j'ai le pouvoir de changer ce qu'il a fait ?

— Non, je veux que tu m'expliques pourquoi il a fait cela. Je ne lui demandais rien, je ne lui ai jamais demandé de me ramener à la vie. Ceci n'est pas la vie, je préférais mille fois la mort, la mort ce n'est rien, je n'en ai pas peur. Si seulement je savais comment retourner dans la mort ! »

La lampe à huile, dans la niche, étalait une clarté faible, un peu jaune, sur le front du jeune homme et sur sa joue. Lazare, brusquement, eut le sentiment qu'il posait le même regard sur lui que la mère du Galiléen, il pensa qu'ils se ressemblaient tous et qu'il était inutile d'insister. « Je vais m'en aller, rassure-toi, dit-il. Ce qui m'arrive t'est égal, tu es aussi incapable que les autres de m'aider.

— Je te le répète, dit Jean, je n'ai ni la volonté ni le pouvoir de défaire ce qu'il a fait.

— Tu sais bien, répliqua Lazare, que ce n'est pas ce que je te demande !... Pourquoi ne veux-tu pas m'expliquer ? Que cherches-tu donc à me cacher ? Qui d'autre que toi m'expliquera ? S'il y a une raison à ce qui m'arrive, dis-la-moi et, je te le promets, je m'en irai. »

Ils se regardèrent, tous les deux, dans les yeux. Jean, le premier, baissa légèrement la tête... « Il a fait cela pour que tu témoignes, dit-il doucement.

— Mais que je témoigne de quoi ?

— Pour que tu témoignes éternellement qu'il était bien le fils de Dieu.

— Je ne comprends pas, répondit Lazare, je ne comprends rien de ce que vous dites, tous.

— Ne comprends-tu pas que ceux qui te voient, tel que tu es, sont obligés de croire en lui ? Ils te voient, tel que tu es resté depuis qu'il t'a arraché à la mort, après cinq jours. Ils voient les marques ineffaçables de la mort sur ton visage, sur ton corps, ils sentent sur toi l'odeur de la mort, et ils sont obligés de croire, car ce qu'ils voient est indiscutable. S'il t'avait fait revenir tel que tu étais auparavant, semblable à nous tous, avec tes épaules robustes, ta santé et ton énergie, aucun de ceux qui te rencontrent aujourd'hui ne croirait en ta résurrection. Ainsi, au contraire, ils sont obligés d'admettre que tu viens effectivement du royaume de la mort et que, seul, le fils de Dieu pouvait t'en sortir.

— Mais te rends-tu compte de ce que tu dis ?

— Oui, je dis simplement que tu es une preuve, Lazare, une preuve évidente, indestructible. Cela je l'ai compris dès l'instant où je t'ai touché à Béthanie, le jour de ta résurrection, où je t'ai soutenu, alors qu'enveloppé dans tes bandelettes, la tête encore recouverte, tu titubais en bas des marches, à la porte de ton tombeau. J'ai senti ton corps glacé et l'odeur humide de la mort qui se dégageait de toi malgré l'aloès et les huiles odoriférantes, et j'ai compris.

— Mais s'il était vraiment le fils de Dieu, qu'avait-il besoin d'une telle preuve ? interrogea Lazare qui, effaré, n'osait pas croire ce qu'il entendait.

— Parce qu'il a jugé qu'un signe indiscutable, différent de ses autres miracles, était nécessaire.

— Ce que tu dis est... effrayant, murmura Lazare. Il aurait fait cela pour prouver son propre pouvoir, pour que les autres croient en lui et l'adorent !

— Non, détrompe-toi, il m'est arrivé, à moi aussi, de penser qu'il recherchait la gloire pour lui-même, mais je suis certain aujourd'hui qu'il ne s'agissait pas de cela.

— Mais pourquoi moi ? Moi qui l'avais aidé ? poursuivit Lazare, à voix basse. Quel est *ce Dieu* qui, pour qu'on le reconnaisse et l'adore, n'hésite pas à détruire pour toujours celui qui n'a jamais fait le mal ?... »

Il se tut un moment, le regard fixe. Un froid glacial l'enveloppait.

« Cela n'aura servi à rien, reprit-il faiblement, tout le monde a peur de moi. Tout le monde se moque de moi, ils me prennent pour un malade, un dégénéré. On me fuit, on s'écarte sur mon passage. Personne ne croit réellement qu'il m'a sorti du *Grand Sommeil*, personne, pas même Yaïr, l'aveugle de la piscine de Siloé. Tout cela n'a servi à rien. Il m'a enfoncé dans l'horreur pour rien.

— Tu te trompes, ils sont nombreux ceux qui, à cause de toi, commencent à douter, et à cela tu ne pourras rien changer. »

Lazare fit *non* de la tête, les yeux perdus, au loin, au-delà du visage blond et du mur gris qui lui faisaient face. « Alors, il n'existe aucune issue, murmura-t-il.

— Si, répondit Jean, il existe une issue, mais personne ne peut t'aider à la trouver, tu la découvriras seul, le jour où tu croiras enfin en lui, et ce jour-là, tu te réjouiras qu'il t'ait choisi pour tenir ce rôle extraordinaire. »

PARTIE III

PARTIE II

1

YAÏR attendit, pour sortir de chez Jacob, que les marchands aient fermé leurs échoppes et que l'ombre ait envahi le ciel de Jérusalem.

Il se faufila dans la rue déjà vide. Il sentit les premières fraîcheurs qui tombaient sur la ville. La nuit maintenant descendait vite, l'été se terminait.

En levant les yeux, il aperçut les torches des soldats romains qui prenaient position sur certains toits soigneusement répartis à travers la cité. Depuis que deux d'entre eux avaient encore été poignardés, aux abords du Temple, le jour de la Pentecôte, ils surveillaient ainsi les rues, postés en armes sur les maisons, par groupes de quatre ou de cinq. Leur présence, ici comme au sommet des portiques qui surplombaient l'esplanade du Temple, loin de calmer les esprits, les excitait au contraire, elle provoquait de nombreux incidents et, de plus en plus souvent, le Golgotha se couvrait de croix.

Yaïr pressa le pas. Au lieu de se diriger vers le passage qui, longeant le Tyropéon, regorgeait de soldats en permanence, il n'hésita pas, pour rejoindre la piscine de Siloé, à emprunter un chemin détourné plus sombre et moins dangereux. Rasant les murs, il s'engagea ainsi dans les venelles les plus tortueuses, celles que les Romains, normalement, continuaient à ne pas fréquenter.

Il fallait absolument qu'il évite les patrouilles. Dès la tombée du jour les soldats, en effet, fouillaient tous les juifs qu'ils rencontraient afin de voir s'ils ne cachaient pas d'armes sur eux. Quelle serait leur réaction s'ils découvraient ce qu'il dissimulait sous son manteau ? Il était évident que les Romains, excédés par les suites que semblait entraîner cette histoire de *Messie* crucifié, regardaient désormais d'un mauvais œil tout ce qui, de près ou de loin, concernait les actes ou les discours de Jésus. Ne disait-on pas que le procurateur lui-même, à l'image des membres du Sanhédrin, venait d'ordonner que l'on arrêtât quiconque était surpris en train de parler de Jésus, de relater ses miracles, de répéter et d'expliquer ses paroles ?

La peur s'installait dans Jérusalem et Yaïr n'osait plus réciter à haute voix la prière apprise sur le mont Scopus.

Tandis que le ciel au-dessus de lui virait au bleu foncé et se couvrait d'étoiles, il se demanda quelle allait être la réaction de Lazare quand il lui montrerait ce qu'il rapportait. Détournerait-il la tête et s'enfermerait-il dans un silence hostile, ou bien se mettrait-il encore en colère ?

Plus il y pensait, en s'enfonçant dans les quartiers de la ville basse, et plus il se disait que ce qu'il faisait n'avait aucun sens puisque, depuis huit semaines, depuis qu'il avait rencontré Jean, Lazare, prostré, muré dans un silence presque constant, refusait de parler du Galiléen. A quoi bon insister ? La dernière fois qu'il avait essayé d'en tirer quelque chose il n'avait réussi qu'à le mettre en rage contre lui : « *J'en ai assez de ta bonté, de ta fausse générosité !* » avait-il lancé avant de le laisser seul sur les bords de la piscine de Siloé. Ne le voyant pas revenir, au bout de deux jours, il avait, malgré lui, commencé à s'inquiéter et, sans comprendre pourquoi, alors qu'il pensait ne pas être spécialement attaché à Lazare, il était parti à sa recherche dans les rues de Jérusalem.

Sentant les craintes qui le tourmentaient, il avait dû admettre alors, pour des raisons qu'il ne s'expliquait pas, qu'il ne pouvait plus se passer de lui, et cela malgré les silences interminables et les doutes confus qu'il lui arrivait encore de nourrir au sujet de son histoire de résurrection. « Et pourtant, Lazare ne m'apporte rien, s'était-il répété, longuement, en errant à sa recherche sur les marchés, autour du palais d'Hérode ou sur le mont du Mauvais Conseil, pis, d'une certaine façon, il me glace et me fait peur. » Il avait fini par penser qu'il agissait ainsi parce que Lazare était, comme lui, un *miraculé*, un de ceux auxquels Jésus s'était intéressé, mais cette justification ne le satisfaisait pas.

Constatant, au bout du quatrième jour, qu'il s'obstinait décidément à agir hors de toute logique, il était allé rejoindre Keturah qu'il s'était pourtant juré de ne jamais revoir et il avait passé la nuit dans ses bras moites, allongé sur son corps lourd.

Et puis, le matin suivant, inexplicablement, il avait retrouvé Lazare assis dans son coin d'ombre, en bas des marches qui menaient au bassin boueux de la piscine de Siloé.

Il ne lui avait posé aucune question. Se gardant bien de montrer sa joie il avait seulement partagé son pain avec lui, comme d'habitude, à l'heure de midi.

Depuis il ne parlait plus du Galiléen en sa présence.

Alors qu'il descendait les escaliers qui menaient vers le canal souterrain, il se dit qu'il cherchait tout simplement à provoquer Lazare, parce que son mutisme, en fait, lui pesait plus qu'il n'osait se l'avouer. « J'en ai assez de vivre à côté d'un demi-mort, pensa-t-il à haute voix. Tant pis si je déclenche sa colère, je préfère ses insultes à son silence. »

Quand il atteignit la piscine, la nuit était totalement tombée. Dans l'obscurité, il enjamba les masses sombres des corps de miséreux allongés sur le sol au pied des colonnes, sous les portiques. Beaucoup d'hommes ronflaient bruyamment autour de lui et une femme, plus loin, geignait en dormant. Dans l'escalier, malgré ses précautions, il posa le pied sur quelque chose de mou, peut-être un bras, ou une jambe, et il reçut une bordée d'injures ordurières. Sur la dernière marche, il évita de justesse un tas informe recouvert de chiffons. Lentement, avec beaucoup de prudence, il se dirigea vers le mur derrière le bassin et, comme chaque soir, il trouva Lazare assis, ramassé sur lui-même dans un étroit renfoncement de la paroi. Prenant bien soin du rouleau de parchemin qu'il ramenait, il s'enveloppa dans son manteau et il s'allongea à côté de son compagnon. « Il commence à faire froid, maintenant, dès que la nuit arrive, dit-il.

— Oui, ce soir, je l'ai senti », répondit simplement Lazare.

Le lendemain matin, Lazare vit Yaïr s'éveiller avec les premiers rayons du soleil. De nombreux miséreux, déjà debout, se bousculaient au bord du bassin afin de tremper leurs maux et leurs membres malades dans l'eau boueuse. Certains criaient et l'un d'eux, un aveugle qui refusait de s'écarter, reçut un coup de bâton qui lui ouvrit le front. Yaïr tout de suite vérifia que le précieux rouleau se trouvait toujours sous son manteau. Rassuré, il leva les yeux vers le ciel où, devant un fond bleu tendre, s'allongeaient encore quelques traînées mauve pâle et, dans sa tête, comme chaque fois qu'il sortait du sommeil, il récita la prière du mont Scopus. « Il va faire beau, dit-il lorsqu'il eut terminé, cette fois il ne pleuvra pas pour la fête des Tabernacles, dans deux jours... » Lazare se souvint en effet que, l'année précédente, des trombes d'eau s'étaient abattues sur Béthanie le 25 *tishri* pour la cueillette des olives et des raisins. Il revit Suzanne, de façon fugitive, avec sa robe rouge brodée, trempée par la pluie. Elle rassemblait les olives dans un grand panier, au pied de la colline derrière la maison. Ses cheveux tressés enrubannés ruisselaient et la poudre du *sikra* dont elle avait couvert ses lèvres et ses joues coulait, allongeant des traînées sombres sur son visage... Rien à faire : il avait beau lutter contre son image, elle le poursuivait, elle revenait constamment et s'imposait à lui avec une précision confondante. Pourquoi ne parvenait-il pas à la chasser, alors qu'aucun autre souvenir de son passé lointain, volontairement effacé, ne subsistait plus ? Il suffisait d'un rien, d'un détail insignifiant, pour qu'elle resurgisse, à tout moment du jour et de la nuit... Et pourtant, il ne voulait plus la voir, jamais, elle le faisait trop souffrir.

« Me rendrais-tu un service, toi qui sais lire ? lui

demanda Yaïr, interrompant le fil douloureux de ses pensées. Je voudrais que tu me lises quelque chose. »

Dès qu'il le vit sortir le rouleau de parchemin de dessous son manteau, Lazare comprit de quoi il s'agissait. Sa première intention fut de le repousser, avec violence, puisqu'il était acquis qu'il refusait d'entendre parler du Galiléen. Pourtant, le désir de savoir si Jean, comme il l'avait prétendu huit semaines plus tôt, avait écrit la vérité, l'en empêcha. Yaïr lui expliqua, avec d'infinies précautions, qu'il tenait ces écrits de Jacob, son nouvel ami, et que l'histoire de Jésus y était inscrite.

« Je sais, répliqua Lazare, Jean m'en a parlé quand je l'ai rencontré dans sa maison. »

A la grande surprise de Yaïr, il prit le rouleau sans protester, sans formuler le moindre reproche.

Il l'ouvrit et commença à dérouler les feuilles de papyrus cousues les unes aux autres. L'écriture, mauvaise, allait un peu dans tous les sens, il pensa que celui qui avait recopié ces chapitres l'avait fait trop vite, comme par crainte qu'on le surprenne pendant son travail. Il chercha d'abord le récit de sa propre résurrection mais il manquait visiblement certains morceaux de texte et il ne le trouva pas. Il aperçut, au passage, nombre de mots dont il ignorait le sens et il se dit que, même en écrivant, Jean n'avait pu s'exprimer clairement, de manière que tous le comprennent. Il passa très vite sur une suite de chapitres courts dont certains s'interrompaient brusquement, sans raison, parfois au milieu d'une phrase... Enfin, il tomba sur l'arrestation de Jésus et sur sa comparution devant Anne et Caïphe.

Il parvint au crucifiement.

Bien que les lignes, un peu brouillées, ne cessassent de trembler devant ses yeux, il lut avidement, pour lui-même, à voix basse, le récit de cette mise à mort.

Il remarqua plusieurs détails exacts, tels que l'écriteau placé au-dessus de la tête de Jésus au sommet du montant vertical, le tirage au sort de la tunique du supplicié par les soldats, ou le coup de lance au côté... Jean avait trouvé quelqu'un pour lui raconter l'agonie du Galiléen. Qui donc ? Marie, sa mère, ou l'autre femme en noir ?

Il poursuivit sa lecture, non sans peine, et il dut bientôt se rendre à l'évidence : non seulement Jean ne mentionnait pas sa présence, à lui Lazare, ce jour-là, sur le mont du Crâne, mais, chose plus grave encore, il osait écrire que, voyant près de sa mère *le disciple qu'il préférait,* le Galiléen, peu avant de mourir, avait dit : « *Femme voici ton fils.* »

Qui était donc ce vertueux disciple qui, pour parfaire le mensonge, était censé, par la suite, avoir « pris » Marie chez lui comme un fils garde pour toujours sa mère sous son toit ? Tous ceux qui avaient rencontré le Galiléen savaient que, parmi cette bande de mendiants qui le suivaient, et qu'il paraissait souvent considérer avec mépris, le seul qu'il regardait avec bienveillance, et peut-être même avec amitié, était Jean, justement, le plus jeune et certainement le plus attentif.

Lazare reposa le rouleau sur ses genoux. Au fond, ces mensonges grossiers, s'ils le scandalisaient, lui causaient aussi une satisfaction profonde car ils prouvaient que ces adorateurs de faux messie mentaient, qu'ils étaient des escrocs et sans doute aussi des voleurs.

« Je suis désolé pour toi mais ceci est plein de mensonges, dit-il en rendant le rouleau à Yaïr. Je le sais car moi j'étais sur le Golgotha, au moment où l'on a crucifié le Galiléen. Je suis resté jusqu'à la fin et j'ai vu comment les choses se sont réellement passées. »

2

QUAND Haggaï se leva, en ce premier jour de la fête des Tabernacles, il vit à la position du soleil dans le ciel que déjà la troisième heure approchait.

Il ne comprenait pas pourquoi lui, toujours debout,

d'habitude, avant les premières lueurs du jour, il avait tant de peine depuis quelque temps à se sortir du sommeil. Ce matin encore la force lui manquait et la chaleur de son corps pesait sur ses jambes et sur ses épaules. Il alla jusqu'à la fenêtre de sa chambre et, un peu étourdi, il jeta un coup d'œil au-dehors. Comme pendant la Pâque, la colline du Gareb, en face de sa maison, s'était couverte de cabanes et de tentes, les pèlerins, arrivés pendant la nuit, emplissaient certainement le parvis du Temple et les rues de Jérusalem. Personne, heureusement, ne lui tiendrait rigueur de ne pas avoir assisté au début des cérémonies.

Il s'en voulait de n'avoir pas été présent aux processions du matin. Même l'année précédente, malgré cette pluie battante qui avait inondé les quartiers de la cité basse, trempé par l'averse, il avait, de sa propre main, égorgé trois agneaux sur le grand autel, face au portail de Nicador largement ouvert. Depuis le début de sa maladie, hélas, depuis plus d'une semaine que cette chaleur incontrôlable engourdissait ses membres et sa tête, le faisant transpirer, ou frissonner au contraire, selon les moments, il n'entreprenait plus rien. Plus que jamais il se désolait de son incapacité à agir, il attachait en effet une importance particulière à cette fête des Tabernacles instituée pour rappeler à tous les juifs le temps où ils étaient de *simples voyageurs sur la terre.*

D'un pas lourd, il alla prendre la cruche à l'autre bout de sa chambre. Il versa un peu d'eau sur son torse nu et, lentement, il se frotta de la tête aux pieds avec de l'origan. Il s'assit devant le miroir de métal poli d'Élisabeth son épouse, il déposa quelques gouttes d'huile odorante sur sa tête, puis il passa un peigne d'or dans ses cheveux et dans sa barbe. Avant de s'habiller il contempla un moment son reflet. Il pensa que, depuis le début de l'été, son visage changeait, qu'il s'assombrissait, que son nez devenait plus long et plus fort, que ses joues se creusaient et que les rides de son front se marquaient plus profondément... Il avait beau essayer de nombreux remèdes, avec l'aide des médecins, pour se débarrasser de cette lassitude qui ankylosait son corps et son esprit, le rendant incapable de remplir ses tâches quotidiennes de prêtre et membre éminent du Sanhédrin, rien ne le guérissait. Il mangeait des pots entiers de miel, chaque jour, se faisait faire des saignées, s'appliquait des emplâtres de figues sur la poitrine, avalait diverses mixtures d'apothicaires, en vain, le mal étrange ne reculait pas, et qu'il offrît de l'encens au Tout-Puissant ou lui portât, soir après soir, de riches offrandes au Temple, ne changeait rien. Il ne souffrait pas, à part quelques maux de tête parfois, seules la chaleur et la fatigue l'envahissaient et il ne savait pas quel endroit de son corps il devait soigner. Amenant le miroir très près de son visage, il distingua les fils blancs qui, de plus en plus nombreux, couraient dans sa barbe épaisse et dans ses cheveux, surtout sur les tempes. « Je vieillis, dit-il à haute voix, c'est ça qui fait que je suis malade, je n'ai plus la force ni la résistance d'autrefois. » Il marqua un temps. Il but un peu d'eau dans la coupe posée près de la cruche, afin de rafraîchir sa bouche. Puis, revenant au miroir, il pensa qu'il aurait bientôt trente-cinq ans et qu'à cet âge-là son père était déjà mort.

Doucement, il enfila sa tunique de lin blanc. Il serra la ceinture brodée autour de sa taille et il posa le bonnet conique des prêtres sur sa tête.

Mal à l'aise, il sortit sur la galerie et il descendit dans la cour par l'escalier extérieur.

Il détestait penser ainsi à son vieillissement et à sa propre mort. L'idée qu'un jour il ne vivrait plus le glaçait.

Il trouva Yona, sa fille, occupée à broder à l'aiguille le bas d'une de ses robes. Il se baissa pour l'embrasser. Il posa ses lèvres sur son front. Elle ne bougea pas, encore fâchée par la dispute de la veille au sujet de Joktan, un simple greffier du Sanhédrin qu'elle était allée retrouver en cachette, deux jours plus tôt, sur le mont des Oliviers. Il fit semblant de ne pas remarquer que, à défaut de lui rendre son baiser, elle ne prenait même pas la peine de le saluer. Il s'éloigna en silence, soucieux de ne pas envenimer encore les choses. L'essentiel, après tout, était qu'on la tienne enfermée, le temps qu'elle oublie ce personnage falot, simple subalterne, qui tournait autour d'elle. Sa colère de jeune fille finirait par passer, la sagesse conseillait, pour l'instant du moins, de ne pas l'exciter, même pour une question aussi essentielle que celle touchant au respect dû par une fille à son père.

Dès qu'il eut atteint les abords du Tyropéon, il se retrouva au milieu de la foule des pèlerins qui envahissait les rues en chantant le psaume CXVIII : « *De la pierre angulaire rejetée par les maçons, Yahweh a fait la pierre d'angle, Hosanna ! Hosanna !* » Tous, heureusement, lui cédaient le passage dès qu'ils voyaient sa tunique blanche, ses vêtements de prêtre. Tandis qu'il descendait vers la piscine de Siloé, il nota avec soulagement que les Romains, craignant sans doute d'être débordés, comme pendant les fêtes de la Pentecôte où deux d'entre eux avaient été massacrés, s'étaient rassemblés sur les toits pour surveiller, *de haut,* les processions. Il se réjouit de ne pas rencontrer un seul légionnaire en poste dans les rues. Le procurateur avait compris quel danger couraient ses soldats en se montrant au milieu de la cohue, les jours de fête. Avec un peu de chance, la semaine jusqu'à la fin des cérémonies se déroulerait sans incident majeur, comme s'était déroulé le Yom-Kippour, quinze jours plus tôt, malgré la présence de trois centuries armées déployées le long des portiques au-dessus de l'esplanade du Temple. Le temps venait-il où Romains et juifs, lassés des crucifixions et des massacres, s'observaient de loin, se tenant à distance les uns des autres ?

Il se prit à espérer qu'enfin la raison l'emportait, n'en déplaise au rabbi Schammaï, aux docteurs de la Loi, scribes et pharisiens inconscients, dont les discours sans nuances ne faisaient qu'exciter le peuple contre l'envahisseur païen.

Plus il s'approchait de la tour de Siloé et plus la chaleur lourde tournait dans sa tête. Le chemin lui paraissait long.

Il entendit bientôt les luths et les cymbales des lévites musiciens et, à cent pas devant lui, en bas des escaliers, il aperçut la tiare du grand prêtre surmontée de son diadème. Caïphe portait la cruche d'or. Il conduisait la procession et le Sanhédrin au complet l'entourait.

Il rejoignit Élihu, Samuel et Zerah, ses amis du Grand Conseil. Ceux-ci le saluèrent avec respect, afin de lui signifier qu'ils comprenaient les raisons de son absence aux prières et aux sacrifices du matin. Personne ne parut vouloir lui reprocher son retard. Seul Barthélemy qui marchait juste devant crut bon de se retourner et d'affirmer fiellement que, *malgré l'heure avancée,* tout le Sanhédrin se réjouissait de l'arrivée du Père Haggaï dans le cortège. Haggaï se garda bien de répondre, il se dit simplement qu'un jour, sans doute trop tard hélas, Barthélemy et le clan des pharisiens regretteraient amèrement leurs paroles et leurs agissements si contraires à la sagesse et au bon sens.

Parvenu à la piscine, Caïphe descendit les neuf marches qui menaient au bassin. Les soixante-dix membres du Sanhédrin et le cortège des prêtres, scribes et docteurs de la Loi se répartirent sous les colonnes en haut de l'escalier, tandis que le peuple, afin d'observer les gestes rituels qu'allait accomplir le grand prêtre, se massait sur les toits alentour ou au sommet des remparts de l'ancienne cité de David.

Caïphe, en contrebas, soutenu par un lévite, s'agenouilla pour remplir sa cruche précieuse d'eau sacrée. Les musiques et les chants se turent et, de sa voix un peu tremblante, le vieillard, à son tour, récita, seul, le psaume CXVIII. Comme chaque année, les serviteurs du Temple avaient heureusement évacué les mendiants et estropiés qui vivaient là à longueur de temps. Haggaï, debout au sommet de l'escalier, se demanda comment tant de miséreux pouvaient se tenir en permanence, couchés les uns sur les autres dans un espace aussi étroit. Comme il laissait courir ses yeux sur le mur qui, à l'étage inférieur, en dessous des portiques, entourait le bassin, il remarqua qu'une ombre bougeait dans un renfoncement sombre. Il crut y voir un homme à demi couché... Pourquoi les serviteurs l'avaient-ils laissé là ? Dès ce soir il signalerait à Daniel, leur chef, qu'ils avaient mal fait leur travail.

164

L'individu, un estropié sans doute, se rapprocha de la lumière du jour, curieusement, il ne craignait pas qu'on le remarque. Haggaï qui continuait à l'observer finit par distinguer son visage, furtivement, dans la blancheur d'un mince rayon de soleil, une odeur diffuse de pourriture humide et d'huiles rances lui revint aussitôt en mémoire, cette figure, il était capable de la reconnaître entre toutes ! Jusqu'à son dernier souffle, elle resterait inscrite en lui... Il transpirait. « C'est la chaleur dans ma tête qui me donne des visions, se dit-il en quittant des yeux ce renfoncement de mur, je n'aurais pas dû sortir de ma maison. »

Il regarda le grand prêtre qui se taisait maintenant, en bas des marches.

Caïphe, toujours soutenu par le lévite, se pencha au-dessus du bassin. Lentement la cruche s'enfonça dans l'eau boueuse... « C'est impossible, se répéta Haggaï, Matthéos a tué Lazare il y a plusieurs mois, il m'a affirmé l'avoir transpercé de cinq coups de couteau dans les rues de Béthanie !... » Il fallait qu'il regarde encore, pour s'assurer que sa maladie seule lui donnait à voir des choses irréelles, mais une crainte irraisonnée l'empêchait de se retourner de nouveau vers le renfoncement sombre au milieu du mur... Les épaulettes d'or du grand prêtre, ornées de pierres d'onyx, se mirent à étinceler dans le soleil et Haggaï, ébloui, sentit que sa tête basculait. Il crut perdre l'équilibre et, pour ne pas tomber en bas des marches, il se retint au bras de Zerah, debout à ses côtés. « Qu'est-ce qu'il t'arrive ? lui demanda son ami.

— Ce n'est rien, répondit-il, je crois que je ne suis pas encore tout à fait guéri. »

Il se redressa et, tandis que Caïphe ressortait la cruche pleine, il s'obligea à regarder le mur.

Cette fois, il ne vit, plus bas, qu'un renfoncement sombre au fond duquel rien ne semblait bouger.

Il était pourtant certain d'avoir reconnu Lazare, à demi allongé dans ce creux de la paroi, derrière le bassin d'eau trouble... Il pensa qu'il ne devait plus se fier à ce qu'il voyait, que la chaleur qui souvent s'enflait en lui créait des visions impossibles et folles.

Alors que la procession conduite par Caïphe commençait à remonter vers le Temple pour y ramener l'eau sacrée, il en vint à se demander si Lazare, le mort vivant, avait seulement jamais existé ailleurs que dans son imagination perturbée.

3

VERS la onzième heure, les bruits de la grande fête vinrent jusqu'à Haggaï, allongé dans sa cour intérieure, en face de sa femme et de Yona toujours silencieuse. Malgré lui, il se remit aussitôt à penser à cette vision de mort aperçue le matin même dans la piscine de Siloé. Il crut sentir l'odeur de pourriture qui se dégageait de la peau grise de Lazare et pour la fuir, ignorant le battement chaud qui cognait toujours dans sa tête et l'étourdissait, il décida de ressortir.

En plus de cette angoisse bizarre qui l'étreignait, il se sentait coupable de ne pas assister aux cérémonies du soir et il ne tenait plus en place.

Il frissonnait et il dut s'envelopper dans son lourd manteau d'hiver. Au moment où ses serviteurs refermaient la porte de la maison derrière lui, il se demanda s'il ne devait pas retourner immédiatement à Siloé afin de savoir à quoi s'en tenir. Mais il se dit que les miséreux avaient naturellement regagné leurs places pour la nuit et que, dans ce fourmillement obscur de corps entassés, il risquait de ne rien voir. « Je suis ridicule, pensa-t-il, pourquoi attacher tellement d'importance à une simple *vision* de malade ? »

Il arriva dans l'enceinte du Temple, sur le parvis des Femmes, au moment où on allumait les quatre candélabres géants au sommet des marches qui menaient au grand autel. Considérant quelle foule se pressait là, sous l'œil des Romains postés en haut des portiques, il abandonna tout espoir de rejoindre Samuel et Zerah qui devaient se tenir devant l'entrée du sanctuaire, derrière le bassin des ablutions. Il se désola de ne pouvoir se frayer un passage dans cette cohue, il trouvait stupide en effet de ne pas montrer à ses amis et à ses adversaires du Sanhédrin que, bravant la maladie, il venait, avec courage, participer à la cérémonie des chandeliers.

Une dizaine de serviteurs montés sur des échelles s'activaient pour allumer les branches des hauts candélabres d'or massif. Il regretta, en les voyant si malhabiles, de ne pas être allé trouver Daniel leur chef, comme il se l'était promis, au sujet de ce misérable, oublié, avant la venue du grand prêtre, dans le renfoncement du mur, à la piscine de Siloé. Ces incapables méritaient une punition... Non, réflexion faite, il avait agi avec sagesse, personne à part lui ne semblait avoir noté la présence de Lazare. Il savait qu'il s'était très certainement trompé, dans le doute, il ne devait pas affirmer qu'une faute avait été commise, son rang lui interdisait ce genre d'imprudence... A moins que les serviteurs, effrayés par Lazare, n'aient pas osé le toucher pour le rejeter à la rue et l'obliger à partir avec les autres...

Quand les quatre chandeliers à sept branches brûlèrent enfin, il se souvint que, l'année précédente, en face de l'autel, Jésus le Nazaréen contemplant les flammes en haut des candélabres avait affirmé, à ceux trop nombreux qui l'entouraient et qui l'écoutaient, qu'il était *la lumière du monde*. Debout sur les marches, à quelques pas seulement de lui, il avait entendu chacune de ses paroles : « *Qui me suit ne marchera pas dans les ténèbres,* avait-il dit, *il aura la lumière de la vie.* » Ces propos blasphématoires restaient gravés dans sa mémoire, grâce à eux, il avait compris quel danger cet illuminé faisait courir au peuple juif. N'était-ce pas d'ailleurs ces mêmes paroles qu'on lui avait prêtées à Béthanie, quelque temps plus tard, devant le tombeau de Lazare ?

Tandis que les lévites musiciens prenaient place sur l'escalier, devant la porte Nicador largement ouverte, Haggaï contempla le spectacle qui s'offrait à lui. Les flammes des torches, sur le parvis des Femmes, éclairaient les colonnades de marbre et de bronze, l'or et l'argent scintillaient sur les portails massifs, les pierres neuves des murs paraissaient aussi blanches que de la neige et, comme sous le soleil couchant, les lueurs jaunes et rouges dansaient sur la forêt resserrée de pointes et d'aiguilles de métal précieux dressées sur le toit du sanctuaire afin d'éloigner les oiseaux. Plusieurs lépreux guéris se tenaient dans l'une des petites cours, à l'angle du parvis, et de nombreux pèlerins allaient, un à un, toucher leurs membres que le mal avait cessé de ronger, embrasser leur peau redevenue saine par la grâce du Tout-Puissant. Les trompettes lancèrent leurs longs appels monocordes et les cymbales, luths et tambourins, répartis sur les quinze marches, commencèrent à jouer. Aussitôt, ainsi que le voulaient le rite et la tradition, la foule se mit à danser en agitant à bout de bras un millier de torches allumées. Des ombres en mouvement se dessinèrent, innombrables et tremblantes, sur les parois blanches. Elles roulèrent sur les colonnes, elles se mêlèrent, se tordirent, s'enflèrent et montèrent jusqu'au sommet des balustrades sculptées. Certaines alors se recouvrirent les unes les autres et redescendirent, tandis que d'autres, en perpétuelle transformation, continuaient à se séparer, à grandir, à se déformer. « *Nos pères, en ce lieu, ont adoré le soleil, mais nous, c'est vers l'Unique que nous tournons nos faces* », chantaient les fidèles avec ferveur. Haggaï, malgré son angoisse et la chaleur qui brûlait son front, se sentit mieux soudain, face à ce beau spectacle. Il regarda ces hommes qui criaient leur foi dans le plus magnifique des lieux sacrés et il se dit que oui, vraiment, jusqu'à la fin de sa vie, il se battrait pour sauvegarder cela.

Il resta un long moment dans l'enceinte, puis, peu avant que la fête se termine, il rentra chez lui, lentement, car ses jambes raides pesaient lourd et il éprouvait beaucoup de peine à marcher. La joie ressentie sur le parvis des Femmes se dissipa vite et la crainte inexplicable revint nouer l'intérieur de son ventre. Il se demanda même, dans la rue qui menait au forum et au palais d'Hérode, s'il ne risquait tout bonnement de mourir bientôt, à cause de cette maladie qui continuait à l'affaiblir, à l'engourdir. Il s'interrogea sur la nature de sa peur, de ses visions morbides, de son envie permanente de se coucher et de dormir, n'étaient-elles pas les signes annonciateurs de sa propre fin ?

Il dormit mal cette nuit-là. Plus de dix fois la sueur froide qui trempait son front le réveilla. Dans ses bribes de rêves heurtés il se revit enfant, il pénétrait dans la chambre de ses parents, il découvrait son père, nu, allongé sur son lit de mort, il surprenait sa mère en pleurs en train de répandre la myrrhe et l'aloès sur le corps immobile gonflé par la maladie. Cette image venue de sa mémoire se confondait sans cesse avec celle, plus effrayante encore, de Lazare que l'extrémité pâle d'un rayon de soleil venait sortir de l'ombre.

Dès l'aube, il se leva, avec la certitude que ses idées de mort étaient liées à la vision entr'aperçue dans la piscine de Siloé. Il récita le *Schema,* pour que Yahweh le délivre de ses pensées sinistres. Il avala huit cuillerées de miel et, malgré son envie de rester dans sa chambre, à demi assoupi, il passa l'une de ses tuniques déjà anciennes et un vieux manteau marron. Sur sa tête, il posa un large couffieh qui descendait sur ses épaules et il le serra autour de son front avec deux bandeaux. Ainsi vêtu, débarrassé de son costume officiel de prêtre, il retrouverait l'anonymat de tous les juifs présents à Jérusalem pour la fête des Tabernacles. Il descendit chercher Matthéos dans la pièce qu'il occupait avec d'autres serviteurs, près de la porte d'entrée, et, sans lui donner d'explications, il lui dit de le suivre immédiatement.

Ensemble, ils traversèrent la moitié de la ville. Haggaï, malgré la faiblesse de ses jambes, se força à marcher vite. Regardant souvent son serviteur acheté vingt-trois années plus tôt par son père, au cours de l'un de ses voyages, sur le marché de Tyr, il se demanda, durant tout le chemin, s'il lui avait menti et, si oui, pour quelles raisons il avait pu le trahir en dépit de sa fidélité tant de fois mise à l'épreuve. Bien qu'il mesurât parfaitement à quel point les paroles et les miracles du Nazaréen continuaient à en troubler certains dans le peuple, surtout parmi les plus démunis, il se refusait à croire que leur souvenir ait pu pénétrer sous son propre toit et atteindre un esclave illettré, venu jadis d'un pays lointain, pieds et mains enchaînés. Si toutefois tel était le cas il saurait réagir, avec la plus extrême sévérité.

Comme il l'espérait, ils atteignirent la piscine de Siloé avant qu'elle n'ait été évacuée en prévision de la venue du grand prêtre pour le second jour de la fête des Tabernacles. L'aube se levait à peine et de nombreux miséreux dormaient encore couchés les uns sur les autres sous les colonnes des portiques, dans les marches de l'escalier, et au bord même du bassin. Haggaï ramena son couffieh devant sa bouche et son nez afin de dissimuler en partie son visage et il ordonna à Matthéos de faire de même. Ils enjambèrent les corps entassés, ils longèrent le rectangle d'eau et ils se dirigèrent vers le mur du fond.

Haggaï s'arrêta à quelques pas du renfoncement sombre et, tout de suite, à côté d'une forme à demi repliée, il vit l'aveugle de Siloé... Il le connaissait bien pour l'avoir rencontré et questionné quelques jours seulement après que le Nazaréen lui eut rendu la vue. L'idée que, peut-être, il retrouvait Lazare ici le fit frémir. Il se demanda si ses yeux ne le trompaient pas une fois encore, mais non, cet homme qui, assis devant le mur bas, semblait compter les quelques pièces de monnaie étalées devant lui, sur le sol, était bien Yaïr, l'aveugle de Siloé. Il se souvint avec précision de sa rencontre avec ce mendiant, ce naïf à l'esprit simple qui, malgré une certaine crainte, n'avait pu s'empêcher de répéter à un envoyé du Sanhédrin que, pour lui, Jésus le Nazaréen n'était autre que le Messie... Il pensa que, au lieu de décider hâtivement la mort de Naham, le paralytique *trop bavard* de Capharnaüm, Élihu et Zerah auraient mieux fait peut-être de s'intéresser à ce Yaïr.

Il s'approcha pour essayer de distinguer le visage du miséreux qui se tenait à ses côtés dans le creux du mur, le dos à moitié tourné.

Il se surprit à souhaiter que l'inconnu ne fût pas Lazare.

Yaïr releva la tête et il s'adressa à son compagnon, celui-ci bougea, à peine, suffisamment toutefois pour qu'Haggaï l'identifiât sans aucun doute possible.

Ainsi donc, il n'avait pas rêvé !

Il se tourna vers Matthéos qui, stupéfait, dévisageait Lazare. « Je te jure que j'ai exécuté tes ordres, dit le serviteur à voix basse, dès qu'il s'aperçut que son maître le fixait. Je lui ai donné trois coups de couteau et la lame s'est enfoncée tout entière dans son ventre et dans son cou, je te le jure ! Je l'ai tué ! Il ne peut pas être vivant. »

Haggaï ne répondit rien. Il ne parvenait pas à mesurer la gravité de ce qu'il voyait à cinq pas de lui : l'amitié évidente de deux miraculés, leur connivence, étalées en plein Jérusalem, aux yeux de tous, pour la plus grande gloire du Nazaréen.

Il renvoya Matthéos dans sa maison en lui disant qu'il l'attende pour qu'ils reparlent ensemble de la manière dont il avait *tué* Lazare dans les rues de Béthanie.

Il observa encore Yaïr et Lazare, assis, silencieux, côte à côte, puis, sans plus attendre, il se rendit chez son ami Zerah afin de lui faire part de ce qu'il venait de découvrir.

4

Au matin du quatrième jour de la fête des Tabernacles, alors que le soleil se levait à peine et que les serviteurs du Temple n'avaient pas encore évacué la piscine de Siloé, quatre gardes armés vinrent chercher Lazare et Yaïr.

Ils s'emparèrent d'eux et les emmenèrent, solidement maintenus, à travers les rues de la cité basse.

Yaïr eut beau protester et leur demander avec

insistance pourquoi ils agissaient ainsi alors que Lazare et lui ne faisaient jamais rien de mal, il ne reçut aucune réponse. Il se souvint d'Hosias, l'ami de Pierre disparu depuis le début de l'été, et il pensa avec inquiétude qu'on l'arrêtait pour lui faire avouer où et comment il rencontrait Jacob, Étienne et ceux, de plus en plus nombreux, qui se réunissaient pour parler de Jésus, pour se souvenir de lui et lire ensemble les écrits de Matthieu et de Jean.

Il constata que Lazare, comme indifférent à ce qui arrivait, se laissait emmener sans dire un mot, sans opposer la moindre résistance. « Heureusement qu'il ne sait rien de l'endroit où je vais quand je le quitte chaque soir, pensa-t-il, car lui, certainement, il parlerait. »

On leur fit gravir les rues en pente de la cité basse sur l'autre rive du Tyropéon. On les entraîna dans le quartier des teinturiers et on les mena jusqu'à la maison du grand prêtre qui, près des remparts, à deux pas du palais d'Hérode, servait aussi de prison dans l'attente d'une comparution devant le Sanhédrin. Ils traversèrent la vaste cour dallée regorgeant d'arbres et de plantes rares et, sous l'œil de cinq gardes armés, postés là pour assurer la sécurité de Caïphe, on les poussa vers un escalier sombre qui s'enfonçait sous la terre.

On les fit descendre dans des sous-sols profonds. Ils avancèrent dans des couloirs bas suintant d'humidité, éclairés tous les vingt pas par des torches fixées au mur dans des anneaux de fer. La vue de Yaïr se brouilla dans la demi-obscurité trop brutale et il se laissa guider, tiré par les mains rudes qui emprisonnaient ses bras.

Les gardes s'arrêtèrent et ils cessèrent de marcher. Yaïr perçut des gémissements qui venaient de plus loin, devant. Comme ses yeux commençaient à s'habituer à la lueur dansante des torches, il distingua, par une porte ouverte, un fût de colonne qui se dressait, entouré de cordes, au milieu d'un large cachot. Malgré le nuage gris qui se dissipait avec lenteur autour de lui, il vit, posés sur le rebord d'une cavité taillée dans le roc, le sel et le vinaigre que l'on utilisait pour cautériser les plaies après une séance de flagellation.

Il se demanda s'il aurait assez de courage pour garder le silence sous le fouet.

De nouveau on les poussa en avant et on leur fit contourner une ancienne citerne. Yaïr qui savait si bien localiser n'importe quel bruit se rendit compte que les gémissements venaient de là, du fond de ce puits asséché où, certainement, un condamné attendait le châtiment final... Il n'eut pas le temps de s'imaginer quelles souffrances devait endurer le malheureux car, presque aussitôt, on les jeta, Lazare et lui, dans deux cachots différents et, derrière eux, on referma au verrou de lourdes portes de fer et de bois massif.

Yaïr, soudain, se retrouva dans l'obscurité la plus totale.

Il lui sembla être revenu dans sa nuit et il poussa un hurlement pour qu'on le délivre et qu'on lui rende la lumière.

Mais personne ne répondit à son appel et il resta seul avec sa peur.

Il se tint debout, immobile, pendant un long moment.

Il se décida finalement à faire trois pas, les bras tendus en avant comme autrefois, pour ne pas heurter un obstacle. Sa prison était petite et, sous ses doigts, il sentit aussitôt l'angle de deux murs mouillés et glacés. Il se laissa glisser sur le sol et il replia ses jambes sous lui.

Il se demanda quelle faute, quelle imprudence, il avait commises pour qu'on l'arrête ainsi et qu'on l'enferme. Il ne rejoignait pourtant ses nouveaux amis qu'avec d'infinies précautions, jamais plus il ne récitait la prière du mont Scopus à voix haute et il se gardait bien désormais de parler de Jésus ailleurs que dans la maison de Jacob... Il eut froid et il se recroquevilla, ramenant ses genoux contre sa poitrine, comme pour se protéger. Il repensa à l'indifférence de Lazare quand les gardes s'é*aient emparés d'eux, se moquait-il réellement de ce qui arrivait, des risques qu'il courait ? Tout lui était-il donc à ce point égal : prison, souffrance et mort peut-être ? Il était vrai qu'il n'hésiterait pas, lui, à dire ce qu'il pensait de Jésus. Il fallait espérer qu'au

173

moins il n'irait pas jusqu'à révéler l'existence des écrits de Jean.

Une goutte d'eau venait s'écraser, sans fin, tout près, sur le sol, et très vite ce bruit infime de ricochet lui devint insupportable. Il se dit avec horreur qu'à cause d'elle il ne s'endormirait jamais, qu'il resterait éveillé dans cet endroit sans lumière, hors du monde, qu'il y resterait éveillé jusqu'à ce qu'il devienne fou.

Il s'obligea à fermer les yeux pour ne plus voir l'obscurité qui l'entourait.

Dans l'espoir de se donner du courage, il pensa à Jésus, à son agonie que Lazare lui avait finalement racontée après avoir lu les écrits de Jean. Il n'existait aucune commune mesure entre les souffrances endurées sur la croix et cette simple privation de liberté et de lumière, pourquoi ne possédait-il pas le courage de Jésus ?... Non, il déraisonnait, comment osait-il se poser de telles questions ? Jésus n'était-il pas le Messie ? Il ne pouvait se comparer à un Messie, lui, pauvre aveugle guéri craintif et misérable.

Les heures passèrent, interminables. Il ne put s'empêcher, de temps à autre, de rouvrir les yeux et, à chaque fois, il se retrouva plongé dans cette nuit au fond de laquelle il avait vécu si longtemps.

Il se mit à penser qu'il redevenait aveugle.

Après un temps qui lui parut avoir duré plus d'une journée, oubliant le bruit lancinant de la goutte qui s'écrasait près de lui, il s'enfonça dans un état de demi-sommeil.

Le bruit soudain d'une grille de fer que l'on soulevait dans les couloirs souterrains le tira de sa torpeur. Il entendit des pas claquer sur le sol mouillé. Il ouvrit les yeux, il se dressa et il lui sembla que la lueur rouge d'un flambeau qui s'approchait se glissait sous sa porte pourtant infranchissable, éclairait, à ras, la terre battue de son cachot, venait jusqu'à lui, atteignait ses pieds, touchait ses jambes, sa tunique, ses bras.

Puis le cliquetis des clés s'éloigna et la lumière s'effaça.

5

Y AÏR perdit la notion du temps et, quand la porte de son cachot s'ouvrit enfin, il eut l'impression qu'il venait de passer une semaine entière enfermé dans l'obscurité.

Il ignorait que la fête des Tabernacles se poursuivait à l'extérieur, dans les rues de Jérusalem et sur le parvis du Temple, et qu'un jour et demi seulement s'était écoulé depuis son arrestation.

Il sentit une présence proche et il se décida à desserrer les paupières. Devant la lumière brumeuse d'une torche, il distingua la silhouette d'un homme assis sur un tabouret, en face de lui. Il comprit qu'il n'était pas redevenu aveugle et, en silence, de tout son cœur, il en remercia le Tout-Puissant.

Lentement l'image du visiteur devint plus nette et il constata que, sous un vaste manteau noir largement ouvert, l'inconnu portait une tunique blanche semblable à celle des prêtres. Autour de son cou, pendant sur sa poitrine, il vit bientôt l'écharpe des membres du Sanhédrin et, posés sur sa tête, le turban et le couffieh dont les dignitaires du Grand Conseil se coiffaient habituellement, dans la vie courante, hors des cérémonies.

« Es-tu venu pour me relâcher ? demanda-t-il dès qu'il eut reconnu son interlocuteur. Tu n'avais pas besoin de me faire arrêter si tu voulais m'interroger encore », ajouta-t-il en prenant garde de ne pas se montrer agressif.

Le prêtre continua à le fixer et il eut le sentiment que ce regard dur, pénétrant, n'annonçait rien de bon.

« Je t'ai tout dit déjà quand tu es venu me voir à la piscine de Siloé, peu après le miracle », reprit Yaïr sur un ton un peu plaintif.

Quand Haggaï ouvrit la bouche, il lui annonça

simplement qu'il avait d'autres questions à lui poser, des questions différentes, infiniment plus sérieuses et plus graves que celles auxquelles il lui avait demandé de répondre au cours de leur première rencontre.

6

DÉÇU par l'interrogatoire minutieux qu'il venait d'imposer à Yaïr, Haggaï, assis sur un banc de pierre dans le jardin de Caïphe, prit le temps de réfléchir à la façon dont il allait maintenant questionner Lazare.

Comment s'y prendrait-il pour lui faire avouer que son ami et lui ne cherchaient, ensemble, qu'à attirer les habitants de Jérusalem afin de les convaincre que le Nazaréen était effectivement le Messie ?

Il fixa la porte de la salle d'audience dans laquelle, sur son ordre, les gardes avaient traîné le ressuscité. Il n'aimait pas l'idée de cette rencontre, la seule perspective de se retrouver une seconde fois en face de ce cadavre vivant le ramenait à ces idées de mort qui l'angoissaient depuis quelques jours. Que n'avait-il réussi à tirer plus de renseignements de l'aveugle ! Il ne comprenait pas pourquoi ce misérable s'était montré soudain si prudent. « J'ai eu tort de le laisser enfermé trop longtemps, pensa-t-il, il fallait l'interroger immédiatement après son arrestation, il a trop peur maintenant pour dire la vérité... » Il essaya d'imaginer Lazare qui l'attendait, les pieds enchaînés, il revit sa figure à la peau desséchée, dure comme de la pierre. Il sentit l'odeur de pourriture rance qu'il ne parvenait plus à éloigner de lui, depuis ce matin où l'extrémité d'un rayon de soleil avait sorti le visage sinistre d'un renfoncement de mur, derrière le bassin de Siloé.

Si au moins l'aveugle avait reconnu la vérité, au lieu de prétendre que Lazare et lui ne parlaient jamais du Nazaréen ni entre eux, ni à quiconque d'autre, il aurait évité cette rencontre dont l'idée le glaçait. Bien sûr, il ferait flageller Yaïr, mais quelle valeur ses adversaires du Sanhédrin accorderaient-ils à des aveux obtenus par le fouet ?

Cette preuve qu'il voulait apporter, cette démonstration imparable du danger que les miraculés du Nazaréen faisaient courir à l'ordre public et à la foi du peuple juif, ne risquaient-elles pas de se retourner contre lui ?

Il regarda les grandes jardinières débordant de plantes, de feuilles et de fleurs trop largement ouvertes, brunissantes et un peu fanées, et un frisson parcourut son dos. Il continuait à avoir chaud à la poitrine et froid aux épaules : sa maladie n'était pas encore terminée, sans doute aurait-il mieux fait de rester chez lui, allongé dans sa chambre ainsi que le lui conseillaient les médecins, s'il continuait, il ne guérirait jamais. « Quand je pense, se dit-il, que je n'ai même pas réussi, cette fois, à faire répéter à cet aveugle stupide qu'il tenait effectivement le Nazaréen pour le Messie ! »

Il se tourna de nouveau vers la porte ouverte. Cette rencontre qui s'imposait désormais n'était après tout que la conséquence des arrestations qu'il avait lui-même décidées. Si pénible que parût l'épreuve qui l'attendait, il n'avait pas le droit de chercher à l'éviter.

Il se leva et, rassemblant tout son courage, il se dirigea vers la salle d'audience.

La première chose qu'il entendit en pénétrant dans la grande pièce aux murs peints ornés de colonnes cannelées fut cette respiration sifflante qui, depuis sa visite à Béthanie, restait présente dans sa mémoire. Tout de suite il aperçut Lazare, chevilles enchaînées, ramassé sur lui-même au fond de la salle, debout devant le siège vide du grand prêtre, et il perçut le relent de terre humide et d'huiles rances qui flottait autour de lui. Il s'arrêta à quinze pas de distance, un garde armé, heureusement, se tenait là, ainsi qu'il l'avait ordonné, au pied de l'escalier, au moins ne se retrouvait-il pas seul avec ce cadavre dans son cachot obscur !

Il regarda le tabouret sur lequel il devait s'asseoir

pour l'interrogatoire, qui donc avait eu l'idée absurde de le placer aussi près du prisonnier ?

Lazare gardait la tête baissée. Il l'observa, à distance. Sa tunique commençait à se découdre et à se déchirer, elle laissait voir sa poitrine plate ridée. Sa barbe et ses cheveux restaient toujours aussi ternes que de la cendre, ses épaules, ses bras et ses chevilles si maigres paraissaient prêts à se casser comme du bois sec.

Haggaï, pour ne pas laisser deviner sa crainte, gagna sa place sur le tabouret.

Lazare alors leva les yeux sur lui et, sur cette figure rétrécie aux os saillants, creusée comme la tête d'un mort, il retrouva le sillon profond au milieu du front et l'expression tragique de douleur, de surprise et de peur qui l'avaient tant impressionné à Béthanie.

Bien que son regard de ressuscité lui parût moins trouble que lors de leur première rencontre, il se demanda si Lazare y voyait assez pour le reconnaître, et la première question qu'il lui posa fut pour savoir s'il se souvenait de lui.

Lazare, après un silence, répondit que oui. De sa voix faible qui paraissait sortir de la poitrine, il ajouta qu'il le reconnaissait parfaitement.

Haggaï détourna la tête, il ne supportait pas que Lazare le fixe ainsi.

Ne sachant comment s'y prendre pour commencer l'interrogatoire, il hésita. Plutôt que d'user de faux-fuyants, il choisit d'aller immédiatement à l'essentiel. « Comment as-tu rencontré Yaïr ? demanda-t-il.

— Je cherchais un autre miraculé, comme moi, répondit Lazare, très lentement. C'est pour ça que je suis allé le trouver à Siloé.

— Pour quoi faire ? Dans quel but ?

— J'espérais qu'il saurait où se cachait le Galiléen que l'on disait ressuscité.

— Et alors, t'a-t-il renseigné ?

— Non, il l'ignorait... »

Haggaï pensa avec satisfaction que Lazare éprouvait moins de difficultés à s'exprimer que lors de leur première rencontre à Béthanie. Il ne coupait plus ses mots en deux ou en trois et, s'il continuait à parler avec lenteur, ses mâchoires et ses lèvres paraissaient moins engourdies. A défaut d'autre chose, il le comprendrait au moins sans problèmes.

« Pourquoi voulais-tu revoir le Galiléen ? » poursuivit-il.

Lazare marqua un temps assez long, il laissa ses yeux éteints courir sur le mur, derrière Haggaï. « J'avais besoin qu'il m'explique, dit-il presque à voix basse.

— Qu'il t'explique quoi ?

— ... Qu'il m'explique pour quelle raison il m'avait sorti de mon tombeau alors que la mort valait mille fois mieux que cette demi-vie sans lumière. »

Le prêtre se recula sur son tabouret, dans l'espoir que le souffle glacé qui passait sur lui dès que lazare ouvrait la bouche ne l'atteigne plus. « Veux-tu dire que tu préférais la mort à... *ceci* ? interrogea-t-il.

— Oui », répondit simplement Lazare.

Haggaï, à son tour, demeura muet un long moment. Ces paroles imprévisibles le déconcertaient. Comment pouvait-on regretter la tombe, le froid et la nuit de la mort ? « Reproches-tu au Nazaréen de t'avoir sorti du *Grand Sommeil ?* reprit-il en scrutant la figure décharnée figée sur une expression unique.

— Je ne lui avais rien demandé. Il m'a tiré de l'ombre seulement pour que les autres croient en lui, l'adorent.

— Mais toi, tu ne crois pas en lui ?

— C'était un menteur uniquement préoccupé par sa propre gloire, répondit Lazare très doucement. Et tous ses amis aussi étaient des menteurs, et des voleurs.

— Il t'a rendu la vie et tu ne crois pas en lui ! »

Lazare fit *non,* lentement, de la tête, puis il se détourna comme si, ne voulant plus parler, il décidait de se replier sur lui-même, de s'enfermer dans un silence profond. Haggaï, décontenancé, ne perçut plus, dans la grande salle d'audience, que l'insupportable respiration, sifflante et rauque.

Il se trompait en s'imaginant que ce misérable était incapable de mentir et qu'il n'ouvrait la bouche que pour dire la vérité. « Tu mens ! s'écria-t-il, tu es convaincu, toi aussi, qu'il était le Messie et tu le proclames autour de toi. » Lazare, immobile, ne broncha pas. « Sais-tu que je pourrais te faire fouetter pour t'arracher la vérité ? poursuivit Haggaï exaspéré par tant d'indifférence. Sais-tu que je peux te faire tuer, si je le veux, dès demain ? »

Il réalisa soudain qu'il avait tort de se mettre en colère. Il se leva et il fit quelques pas, pour se calmer. Il alla jusqu'à la porte ouverte et il regarda l'eau qui coulait dans la fontaine, au milieu du jardin de Caïphe. Il sentit le sol tanguer sous ses pieds, une bouffée de chaleur lui monta au front, il n'arriverait à rien en s'énervant, en perdant le contrôle de lui-même. Mais aussi, pourquoi fallait-il que ces deux interrogatoires lui échappent coup sur coup et tournent à ce point différemment de ce qu'il avait prévu ? Il s'efforça d'avaler une grande bouffée d'air. « A quoi ressemblerai-je, pensa-t-il, si je les traîne tous les deux devant le Grand Sanhédrin avec les discours qu'ils tiennent ? »

Il attendit que son étourdissement eût cessé, puis il revint vers Lazare, figé devant le siège du grand prêtre avec sa tête baissée et ses pieds enchaînés.

Malgré cette odeur qui s'insinuait dans son propre corps, il s'approcha du ressuscité. « Est-ce parce que... tu souffres dans ta chair, que tu refuses de croire qu'il était le Messie ? reprit-il.

— Il n'était pas le Messie, répondit Lazare, dans un soupir.

— Et ton ami Yaïr, poursuivit Haggaï, pense-t-il, lui, que le Nazaréen était le Messie ?

— Jamais nous ne parlons de cela ensemble...

— Mais alors, de quoi parlez-vous ? Que faites-vous tous les deux, à longueur de temps, à Siloé ? »

Lazare releva la tête, il regarda vaguement autour de lui, Haggaï eut l'impression que cette conversation l'ennuyait. Il se retint pour ne pas le menacer de nouveau. « Je veux savoir ce que vous faites ensemble ! se contenta-t-il de dire sur un ton vif. Je sais que vous ne vous quittez pas.

— ... Nous ne faisons rien, finit par répondre Lazare, que voudrais-tu que nous fassions ?... Je ne parle pas. Je reste assis, sans force, dans un creux de mur, durant toutes les heures du jour et de la nuit... Et lui, très souvent, il reste assis auprès de moi. »

Haggaï, une fois de plus, eut le sentiment que cet homme ne mentait pas. Ce qu'il disait rejoignait d'ailleurs singulièrement les affirmations de Yaïr.

« Mais enfin, voudrais-tu me faire croire que personne ne vient vous voir pour que vous racontiez votre histoire ?

— Rares sont ceux à Jérusalem qui savent encore qui nous sommes. Rares sont ceux qui se souviennent du Galiléen et de ses miracles. Ce qu'il m'a fait, vois-tu, n'a servi à rien... Ceux, si peu nombreux, qui n'ont pas oublié Lazare le fils de Chaïm sorti du tombeau ont de toute façon beaucoup trop peur pour s'adresser à nous publiquement, à la vue de tous, dans la piscine de Siloé... »

Lazare se tut, puis, regardant Haggaï en plein visage, il ajouta que même si on venait le trouver pour qu'il parle du Galiléen, il refuserait d'en dire un seul mot.

Haggaï se recula. Il revint vers son tabouret, sa poitrine était brûlante et son dos glacé.

Il s'assit. Il regarda ses mains, faisait-il réellement si chaud, alors que l'automne et ses journées fraîches arrivaient ? « Ne crains-tu pas que je te laisse enfermé pendant des années ? demanda-t-il d'une voix blanche.

— Fais ce que tu veux, répliqua Lazare, ton cachot ressemble à un puits sans fond et cela m'est égal d'y rester enfermé. »

Le prêtre secoua la tête. « Tu es un imbécile, murmura-t-il, tu ne sais même pas ce que tu dis. J'ai eu tort de croire que te rencontrer une seconde fois servirait à quelque chose. »

Hésitant à s'en aller sur un résultat aussi consternant, il se releva et il revint encore près de Lazare. Il le regarda attentivement, de la tête aux pieds, et, l'espace d'un bref moment, devant son corps brisé malodorant, devant sa figure ravagée, sèche et douloureuse, il lui sembla comprendre pourquoi il refusait de croire que le Nazaréen fût réellement le Messie.

Remarquant le bout de tissu crasseux qu'il portait noué autour de son cou, il repensa au coup de poignard de Matthéos, en pleine gorge, si son serviteur lui avait obéi, comme il le prétendait, il devait en rester des traces... « Enlève ça ! » ordonna-t-il aussitôt.

Quand Lazare, indifférent, eut ôté le pansement, Haggaï découvrit la plaie béante, largement ouverte, profonde, sèche, avec des bords gris écartés comme des lèvres. « Qu'est-ce que c'est ? demanda-t-il avec une grimace de dégoût.

— Un voleur m'a attaqué, un matin, dans les rues de Béthanie, répondit Lazare, il a voulu me trancher la gorge. »

Ainsi, Matthéos n'avait pas menti !

« Comment se fait-il que tu ne sois pas mort avec une telle blessure ? »

Lazare inclina la tête et la question demeura sans réponse.

C'était impossible, pensa Haggaï en s'éloignant, impossible qu'il soit toujours en vie...

« Enlève ta tunique », lui commanda-t-il.

Il se mit nu et deux autres déchirures apparurent, la première entre ses côtes, et la seconde en plein ventre.

Comment se pouvait-il qu'il vive encore ?

Les couches superposées de chairs grises se découvraient au milieu de la blessure sous sa poitrine...

Ce que le prêtre comprit alors, brutalement, l'effraya beaucoup plus que l'idée même de l'ombre et de la mort.

7

LAZARE quitta son cachot le soir même.

Un garde vint le chercher alors que, couché sur le sol, il flottait dans son *faux sommeil*. « Prends tes affaires et va-t'en », dit l'homme.

Lazare se leva, un peu étourdi par ce retour brutal à

la réalité. Il ramassa son manteau et, sans réclamer la moindre explication, il sortit.

De nouveau, il contourna le puits asséché d'où ne montait plus aucune plainte, il suivit les couloirs sombres éclairés par des torches et, presque à regret, il gravit les marches qui menaient au jour, à la lumière déclinante d'un soir d'automne. Dans le jardin du grand prêtre surchargé de plantes luxuriantes, débordant d'une profusion de fleurs et de feuilles touffues, il chercha des yeux son compagnon, mais il ne le vit pas. Il pensa, non sans inquiétude, que Yaïr, fanatisé par ses propres croyances, avait dû proclamer qu'il tenait le Galiléen pour le Messie et qu'à cause de cela il risquait de rester enfermé pour très longtemps. Il se refusa à envisager une autre issue pire encore. Il paraissait peu probable heureusement que l'on se mît à tuer les imbéciles qui confondaient un vague magicien mort depuis des mois avec un vrai dieu... Encore que l'on pût s'interroger sur les raisons qui avaient poussé un membre du Sanhédrin à les emprisonner tous les deux. A croire que d'avoir crucifié le Galiléen ne suffisait pas, qu'il fallait aussi s'acharner sur ceux auxquels il s'était *intéressé,* un jour ou l'autre.

Il sentit les yeux des gardes en faction posés sur lui et il se dépêcha de sortir de ce jardin trop riche.

La fête des Tabernacles approchait de sa fin et les rues de Jérusalem grouillaient encore de monde. Il eut de la peine, au milieu de la cohue des pèlerins et des marchands ambulants, à rejoindre la piscine de Siloé pourtant toute proche. Parvenu en haut de l'escalier qui menait au bassin, il se surprit à espérer que Yaïr l'attendait à sa place habituelle, le dos appuyé contre le mur, près du renfoncement...

Tel n'était malheureusement pas le cas.

Enjambant les corps affalés des mendiants et des estropiés qui commençaient à s'endormir, serrés les uns contre les autres, il rejoignit son creux, dans la paroi, et, seul, il s'y blottit.

Il ne parvenait décidément pas à comprendre quel danger représentaient pour certains deux miséreux tels que Yaïr et lui. Finalement, les adversaires du Galiléen faisaient tout pour donner de l'importance à celui qu'ils combattaient, pour que ses paroles et ses actes demeurent vivants dans les mémoires. Sans eux, à part quelques illuminés, qui parlerait encore de ce faiseur de miracles ? Plus ils cherchaient à effacer son souvenir, plus ils le renforçaient au contraire. Haggaï espérait-il sincèrement détruire une *idée* en s'y prenant de cette manière, avec autant de maladresse ? Il paraissait trop intelligent, trop calculateur, pour commettre une pareille erreur. Alors, quel but poursuivait-il ? Peut-être voulait-il simplement éliminer les preuves du pouvoir de Jésus. Dès lors, il devenait parfaitement possible qu'il ait guidé lui-même la main de l'assassin dans les rues de Béthanie. Lazare pensa que, confirmant les paroles de Jean, Haggaï était le premier peut-être à se demander, à cause de lui le ressuscité de Béthanie, si le Galiléen n'était pas bel et bien le Messie.

Il refusait de jouer ce rôle de *révélateur !* Jamais il n'accepterait de servir ainsi la gloire de Jésus !

Mais s'il commençait à douter, pourquoi alors Haggaï l'avait-il relâché, au lieu de le garder au secret pour toujours, dans le fond d'un cachot, afin que personne ne le voie ni ne risque de se poser des questions par sa faute ?

Il décida de ne pas continuer à se torturer ainsi l'esprit avec des questions sans réponses.

Durant la nuit, il essaya inutilement de retrouver en lui l'obscurité et la solitude de son cachot. Il en vint à se dire qu'il avait eu tort de ne pas mentir au prêtre pour que celui-ci le garde enfermé comme il en avait manifesté l'intention avec brutalité.

Le lendemain matin il se recula au fond de son creux de mur et, pour la dernière cérémonie de l'eau sacrée, les serviteurs du temple n'osèrent pas, cette fois encore, le chasser comme les autres miséreux.

Plus tard, peu avant l'heure de midi, derrière le grand prêtre occupé à remplir sa cruche d'or, il aperçut Haggaï dans son habit de prêtre, debout en haut de l'escalier, parmi les membres du Sanhédrin tous rassemblés. Il le fixa, jusqu'à ce qu'il se décide à poser les yeux sur lui. Plus nettement que la veille, pendant son interrogatoire dans la grande salle d'audience, il lut dans son regard, avant qu'il ne se détourne, une forme assez bizarre de crainte, mêlée d'incrédulité, comme s'il ne voulait pas admettre que Lazare, le ressuscité de Béthanie qu'il connaissait bien maintenant, se tenait là, à mi-chemin entre l'existence et la mort, et qu'il l'observait avec obstination.

C'est pour cela, pensa-t-il, qu'il m'a relâché, parce que je lui fais peur, parce qu'il a vu mes blessures et qu'il a compris qu'il ne pouvait rien contre moi.

Quand le cortège repartit au son des luths et des cymbales, il eut envie de se jeter sur Haggaï pour lui demander ce qu'il comptait faire de Yaïr, mais il se retint car les gardes, nombreux en haut des marches, l'auraient repoussé.

Il attendit pendant toute la journée, guettant sans arrêt les nouveaux miséreux qui arrivaient à Siloé, au cas où il aurait reconnu Yaïr parmi eux.

« A quoi bon le garder prisonnier ? se demandait-il. C'est moi, le ressuscité, qu'il fallait tenir enfermé, loin des regards, et non lui, un simple mendiant que rien apparemment ne différencie des autres hommes, un ancien aveugle que personne ne risque, *a priori*, de prendre pour un miraculé. Que cherchent-ils en agissant ainsi ?… » Après tout, s'ils avaient voulu le tuer dans les rues de Béthanie et s'ils avaient fait égorger l'ancien paralytique de Capharnaüm, il semblait naturel que, d'une manière ou d'une autre, ils s'efforcent d'aller jusqu'au bout de leur logique en éliminant tous les miraculés, un à un. Mais dans quel but ? Pour effacer toute trace du pouvoir du Galiléen certes, mais au nom de quelle peur ?

Lui qui avait toujours trouvé Yaïr ridicule de prendre des airs aussi mystérieux lorsque, à la tombée du jour, il allait, en se cachant, vers d'obscurs rendez-vous, il comprenait subitement qu'il avait eu raison de se montrer prudent.

Le soir, en entendant les derniers chants de la fête des Tabernacles, il faillit se remettre à penser à Suzanne qui l'avait accompagné, l'année précédente, sur le parvis des Femmes, pour assister à l'ultime danse des torches, mais, à cause de son inquiétude, il parvint à chasser son image.

Pendant la nuit il se reprocha amèrement sa faiblesse, quel besoin avait-il de sentir ainsi Yaïr près de lui ? Ils ne se parlaient même pas ! N'était-il pas capable de rester seul ? Il faudrait pourtant bien tôt ou tard qu'il accepte la solitude, Yaïr ne serait pas comme lui, éternel. Au moins, dans son cachot, ne se plaignait-il pas de n'avoir personne à ses côtés !... La prison, il est vrai, avec son silence et son obscurité absolue, ne pouvait se comparer à la vie au-dehors, même à Siloé.

Le lendemain, la pluie se mit à tomber dès la première heure. La plupart des miséreux quittèrent les bords du bassin et les portiques trop étroits de Siloé pour aller s'abriter sous les voûtes des portes fortifiées de Jérusalem.

La piscine se vida de ses mendiants et infirmes : aveugles, becs-de-lièvre, unijambistes et manchots. Seuls deux culs-de-jatte et deux paralytiques couchés sur des lits de planches demeurèrent près du bassin, à quelques pas du renfondement du mur.

Lazare, moins angoissé que la veille, l'esprit vide, délivré provisoirement de toute inquiétude, contempla longuement les petits cercles frémissants que l'averse éparpillait sur le rectangle d'eau boueuse entre les quatre fûts de colonnes en pierre.

Jérusalem, au lendemain de la fête, paraissait soudain étrangement calme. Le claquement de la pluie qui s'écrasait sur les dalles et les pavés de Siloé remplaçait le mélange pesant des musiques, des chants et des prières. La cité basse, privée brusquement de ses milliers de pèlerins, semblait déserte et silencieuse.

La lourdeur du ciel uniformément gris empêcha Lazare d'imaginer à quel rythme les heures s'écoulaient. Il pouvait être midi, ou beaucoup plus tard (il n'en savait rien), lorsque Yaïr, trempé, apparut, titubant en haut des marches de l'escalier. Son visage crispé était blanc. Il paraissait souffrir.

Lazare, dès qu'il l'aperçut, se précipita vers lui. Avec maladresse il passa son bras sans force autour de ses épaules, comme pour le soutenir. Tout de suite il vit la large tache de sang qui, diluée par la pluie, s'étalait sur le dos de sa tunique. « Que t'ont-ils fait ? demanda-t-il.

— Ils m'ont donné vingt coups de fouet », répondit faiblement Yaïr.

Lazare s'efforça de l'emmener à leur place habituelle, derrière le bassin. Collés l'un à l'autre sous l'averse, ils rejoignirent lentement le creux du mur.

Là, vaguement à l'abri, Yaïr à bout de forces se laissa tomber sur le sol. Doucement, Lazare souleva sa tunique. Depuis ses épaules jusqu'à ses hanches, la peau de son dos était déchirée, à vif, arrachée et emportée, couverte de longues boursouflures violacées, lacérée de coupures profondes, droites, qui se rejoignaient parfois ou se croisaient, elle saignait. Seul un fouet romain aux lanières garnies de billes de plomb avait pu causer de tels ravages. « Pourquoi leur as-tu dit que le Galiléen était le Messie ? demanda Lazare, à mi-voix comme s'il craignait que les deux paralytiques l'entendent. Regarde ce qu'ils t'ont fait !

— Je n'ai rien dit, répliqua Yaïr, rien du tout, je n'ai pas osé leur dire ce que je croyais. J'ai eu peur, à cause de l'obscurité... Je voulais qu'ils me libèrent, je ne voulais pas rester dans l'obscurité, alors je leur ai dit que je ne savais pas s'il était vraiment le Messie, que je n'en étais pas certain, que je doutais, que de toute façon il était mort et que je ne m'intéressais plus tellement à lui.

— Mais alors, pourquoi t'ont-ils flagellé ? »

Yaïr ne répondit pas.

« Je suis un lâche, je ne méritais pas qu'il me guérisse », se contenta-t-il de murmurer.

8

DANS les jours qui suivirent, les miséreux de Siloé, habitués à ce couple bizarre que formaient Yaïr, le mendiant, que la plupart d'entre eux avaient connu aveugle, et l'homme à la figure de cadavre, notèrent un changement sensible dans le comportement de ces deux personnages singuliers, toujours assis à la même place, derrière le bassin, auprès du creux dans le mur.

A l'inverse de ce qui se passait avant leur arrestation par les gardes du Temple, ils remarquèrent que celui qu'ils appelaient *le mort,* avec son visage gris et son corps d'une maigreur extrême, se mettait parfois à parler, alors que désormais l'ancien aveugle, au contraire, se taisait et s'enfermait à son tour dans de longs moments de silence. Ils virent même, à plusieurs reprises, le *mort,* qui auparavant ne bougeait jamais, aller mendier en haut des marches sous les colonnes, et venir ensuite partager un morceau de pain avec son compagnon, curieusement sombre et accablé.

Deux fois par jour, l'homme à figure de cadavre soignait le dos de Yaïr qui, disait-on, avait été fouetté dans les cachots construits sous la demeure du grand prêtre. Les miséreux observaient alors les mains sèches, à distance, les doigts osseux, raides et malhabiles, qui posaient des bandages, faits de vieux bouts de tuniques déchirés, sur les plaies toujours à vif de l'aveugle.

Tous pensaient que ces deux-là devaient se plaire ensemble puisqu'ils ne se quittaient plus.

Beaucoup auraient aimé questionner le *mort* afin de savoir qui il était, d'où il venait, quelles épreuves il avait subies, quels événements avaient fait qu'il ait ainsi le visage et le corps d'un cadavre, mais son aspect plutôt effrayant et l'odeur de terre humide qui se dégageait de tous ses membres les tenaient à distance et aucun n'osait l'approcher.

Ils notèrent que Yaïr ne partait plus, le soir, enveloppé dans son manteau, la figure à demi cachée, mais qu'il restait à Siloé désormais, dans le renfoncement du mur, auprès du *mort.* Souvent, ceux qui se réveillaient, au milieu de la nuit, les entendaient parler ensemble, à voix basse comme s'ils échangeaient des secrets. L'aveugle, lui aussi, paraissait avoir perdu le sommeil, qu'avait-il fait de mal pour qu'on l'arrête et le fouette ainsi ? Il est vrai qu'il était un peu bizarre depuis que ce faux messie qui voulait détruire le Temple l'avait guéri.

Il arrivait même que, pendant les nuits les plus claires, certains le surprennent, figé dans une curieuse attitude, genoux à terre et yeux fermés. Un unijambiste allongé assez près de lui remarqua, une fois, dans un de ces moments-là, que ses lèvres bougeaient, il se souvint l'avoir entendu, un jour, glorifier Yahweh d'une manière inconnue, avec des mots étonnants, et il pensa qu'il devait murmurer des prières, pour lui-même, en silence.

L'autre, le *mort,* semblait, lui, ne jamais s'adresser au Tout-Puissant. Il était évident qu'à la différence de son compagnon, il ne croyait en rien.

Malgré cette divergence et leurs interminables moments de prostration et de silence, la plupart des miséreux de Siloé se disaient que ces deux individus maigres et pitoyables, ces deux ombres étrangères à tout ce qui se passait autour d'eux, s'entendaient parfaitement.

Puis *kislew* arriva.

Il se mit à pleuvoir souvent. Les journées devinrent fraîches, les nuits froides, et les mendiants, les estropiés, allèrent se réfugier sous les colonnades du Temple ou dans les grottes des alentours.

Tous, occupés à s'abriter et à survivre, oublièrent alors les deux étranges compagnons de Siloé.

9

LAZARE et Yaïr passèrent les deux premiers mois de l'hiver réfugiés dans l'une des galeries les plus étroites du canal souterrain, bouchée et asséchée par les Romains de longues années auparavant, alors que Pompée assiégeait Jérusalem. Ils savaient que là, dans ce tunnel oublié, humide et froid, personne ne viendrait les déranger.

Lazare aurait aimé s'enfoncer plus loin dans ce boyau resserré, jusqu'à se retrouver dans la nuit totale mais, pour son compagnon qui affirmait désormais ne plus supporter l'obscurité, il avait accepté de s'installer près d'un puits qui, s'ouvrant juste derrière Siloé, laissait un peu de la lumière du jour descendre jusqu'à eux.

Assis l'un près de l'autre, tantôt silencieux, tantôt occupés à parler tous deux, ils passèrent ainsi le plus clair de leur temps dissimulés ensemble sous la terre, à l'abri des vents glacés et des pluies. Parfois, un trait de soleil se glissait dans la galerie, éblouissant, tremblant de poussière, à quinze pas d'eux. Yaïr, alors, allait éclairer et réchauffer son visage dans la chaleur de sa lumière.

Lazare, lui, le dos appuyé contre la paroi basse voûtée, ne bougeait pas. Ne souffrant plus du froid, il se trouvait plutôt bien enfoncé ainsi loin des regards, à dix coudées en dessous du sol. Souvent il parvenait à retrouver son état de *faux sommeil* et à se souvenir de son propre puits. Le temps qui s'écoulait n'avait aucune signification pour lui. Seule la clarté faible qui descendait de la voûte lui rappelait l'alternance du jour et de la nuit. Il lui semblait qu'il se tenait là depuis des années, depuis toujours.

Chaque matin, dès les premières lueurs venues de l'ouverture étroite, Yaïr, luttant contre sa peur de l'obscurité, s'engageait à tâtons dans la galerie qui, montant en pente douce, de plus en plus basse, finissait par remonter à la surface, sous les remparts, à l'intérieur de la cité, près de la fontaine de la Vierge. De là il partait mendier sur le parvis du Temple ou devant la porte de la Poterie, à l'autre extrémité de la ville. Il rejoignait Lazare vers l'heure de midi avec de l'eau et un peu de pain.

Convaincu d'être suivi, espionné, persuadé qu'en allant les retrouver il ferait courir un grave danger à Jacob et à ceux qui se réunissaient pour parler ensemble du Nazaréen, certain aussi d'être désormais indigne d'eux, il évitait soigneusement le quartier dans lequel ils se cachaient et où il les rencontrait avant son arrestation. Un matin, toutefois, Étienne, l'un d'eux, s'adressa à lui alors qu'il mendiait sous le grand arche de la porte de la Poterie. « Pourquoi ne viens-tu plus parmi nous ? lui demanda le jeune homme.

— Laisse-moi, répondit Yaïr qui, ne l'ayant pas vu arriver, n'avait pu l'éviter, il ne faut pas que l'on te voie avec moi. »

Étienne, pourtant, se moquant des risques qu'il courait, s'assit à ses côtés pour s'entretenir avec lui.

Yaïr apprit ainsi que des gardes avaient découvert un rouleau des écrits de Jean recopiés avec tant de ferveur et que, par sécurité, ils avaient dû brûler ceux qu'ils possédaient. « Heureusement tout reste gravé dans nos mémoires, dit Étienne, avec assez de précision pour que nous transmettions oralement le message de Jésus. »

Le jeune homme expliqua que, maintenant, ils étaient plusieurs à aller sur les routes pour répandre *la bonne nouvelle*. « Tu peux à tout moment te joindre à nous, ajouta-t-il avant de le quitter, tu seras le bienvenu.

— Mais n'avez-vous pas peur de parler ainsi à voix haute ? demanda Yaïr.

— Non, lui répondit Étienne, de quoi voudrais-tu que nous ayons peur ? »

L'après-midi de ce jour-là, Lazare trouva son compagnon plus sombre et plus grave encore qu'à l'habitude. Il savait que, très marqué par son séjour dans les cachots du grand prêtre, il se repliait ainsi souvent dans de longs moments de silence et, fidèle à l'attitude qu'il s'était fixée, il ne l'interrogea pas.

Depuis que, lentement, jour après jour, petits bouts par petits bouts, il avait raconté toute son histoire à Yaïr, dans les moindres détails, beaucoup de choses avaient changé entre eux. Il appréciait que jamais Yaïr n'ait cherché à le convaincre du sens, de l'utilité du témoignage qu'il pouvait apporter, lui le ressuscité, et que, même s'il ne s'expliquait pas pourquoi il refusait la *mission* confiée par le Galiléen, pas une seule fois il ne lui ait reproché son attitude.

A force de parler de Suzanne, de sa peur, de ses souffrances, à force de l'écouter, lui aussi, évoquer son désarroi, ses doutes, ce brouillard dans sa tête qui l'empêchait de *comprendre,* et le mépris dans lequel il se tenait depuis sa trahison devant Haggaï, il en était venu à le considérer comme un autre lui-même. D'avoir pu confier toute l'étendue de sa colère et de sa douleur à quelqu'un qui ne l'accuse pas et ne le juge pas lui apportait enfin un peu de paix. Le regard que Yaïr posait sur lui désormais le réconfortait, il le réchauffait et lui redonnait un soupçon de vie.

La nuit, Yaïr, afin de se préserver du froid, s'enroulait dans un vieux manteau acheté pour quelques pièces sur le marché de la cité basse. Bien que les déchirures de son dos se soient refermées et qu'elles ne le fissent plus souffrir, il éprouvait de grandes difficultés maintenant à trouver le sommeil. Couché sur le côté, replié sur lui-même près de Lazare, il restait pendant des heures avec ses yeux grands ouverts sur cette nuit profonde qu'il redoutait. Il pensait à sa peur, à ce mensonge inacceptable proféré chez le grand prêtre. Souvent il redisait à Lazare qu'il ne se pardonnerait jamais sa lâcheté et, depuis sa rencontre avec Étienne, il répétait son espoir qu'une seconde chance, un jour, lui fût donnée de proclamer bien haut que le Nazaréen était le Messie, fils du Tout-Puissant, venu sur la terre pour remplacer la Loi ancienne par une Loi nouvelle. Lazare l'écoutait, il ne disait rien, cela ne le gênait plus qu'il parle du Galiléen. Parfois, il se demandait si son compagnon, sans le reconnaître ouvertement, n'aspirait pas à la souffrance, et à la mort.

Quand Yaïr, enfin, s'endormait, Lazare assis tout contre lui, le dos appuyé sur la paroi, écoutait sa respiration lente. Renonçant à lutter contre le souvenir de Suzanne, chaque nuit, il posait doucement sa main sur le manteau qui enveloppait son compagnon et il la laissait se soulever au rythme régulier de son souffle, ainsi qu'il le faisait autrefois, dans un monde différent, avec sa jeune épouse, lorsqu'elle dormait à ses côtés et que, sous ses doigts, il sentait la chaleur vivante de son corps.

10

DEUX semaines s'étaient écoulées depuis que Yaïr avait rencontré Étienne. Le *qadim* soufflait ce matin-là sur Jérusalem. Il rendait l'air et le ciel limpides et clairs comme l'eau la plus pure. Yaïr, gelé malgré son manteau et les vieux chiffons noués autour de ses jambes et de ses pieds, mendiait sous la voûte large de la porte de la Poterie. Des incidents ayant éclaté entre les juifs de Galilée et les Samaritains, et certains dans le peuple ayant décidé, sous la conduite d'Éléazar fils de Diénus et d'Alexandre, d'aller attaquer ceux de Geman coupables d'avoir tué un habitant de Jérusalem, les Romains, de nouveau, surveillaient toutes les entrées et les sorties de la ville. On murmurait que, la veille, les magistrats et plus de cinquante membres du Sanhédrin étaient allés, revêtus d'un *saq* et la tête couverte de cendres comme un jour de deuil, trouver ceux qui se préparaient à faire la guerre aux Samaritains, pour les conjurer d'abandonner leur projet qui ne pouvait qu'irriter les Romains et causer la perte de Jérusalem. Même si beaucoup pensaient que la mort d'un Galiléen ne valait pas que l'on risque la ruine de la patrie et du Temple, l'atmosphère, chargée de haine et de colère, demeurait lourde et tendue.

L'heure de midi approchait. Yaïr, les membres raidis par le froid, la peau du visage endolorie, comme piquée, coupée, par le vent glacé venu de l'est, se désolait de n'avoir ramassé, dans ce quartier déserté, qu'une piécette juive en bronze même pas suffisante pour acheter un morceau de pain. Il se préparait à rejoindre le marché de la cité haute quand il aperçut, à l'extrémité de la rue, un attroupement qui paraissait se

193

diriger vers la sortie de la ville. En tête, il vit les cuirasses luisantes des gardes d'Hérode et les pointes dorées de leurs casques. Il entendit les cris de la foule, et le claquement du fouet, et il comprit que l'on menait quelqu'un au supplice.

Les soldats romains rejoignirent immédiatement le chef des gardes et ils obligèrent le cortège à s'arrêter. Deux prêtres coiffés de leurs bonnets blancs et un membre du Sanhédrin reconnaissable à sa longue écharpe vinrent discuter avec eux.

Finalement, le centurion, après d'évidentes hésitations, donna l'ordre qu'on libère le passage.

Yaïr se leva pour regarder passer le condamné qui arrivait vers lui en titubant.

Le malheureux, bientôt, ne fut plus qu'à vingt pas et il le reconnut.

Il vit Étienne que l'on traînait vers la fosse. Ses jambes étaient molles, ses pieds nus blessés heurtaient les dalles sur le sol. Sa tunique déchirée laissait voir son torse nu couvert de griffures.

L'un des gardes l'attrapa par les cheveux pour le forcer à avancer plus vite. On se bousculait autour de lui. De partout des curieux accouraient et les gardes, armés de leurs lances, ne contenaient qu'avec peine cette populace excitée à l'idée du spectacle auquel elle allait prendre part. Étienne reçut une pierre coupante en plein front, il chancela, un autre projectile faillit l'atteindre, un filet de sang s'écoula sur sa joue. « A mort ! » cria une voix de femme, tandis que les soldats romains, bouclier devant la poitrine et pilum à la main, se déployaient en ligne le long des remparts, prêts à intervenir au moindre signe de révolte.

Yaïr, atterré, regarda Étienne passer près de lui. Le jeune homme paraissait étrangement calme, aucune peur ne se lisait sur son visage.

Le cortège franchit la porte et Yaïr se mit à suivre la foule vociférante qui se dirigeait vers le mont du Mauvais Conseil.

Ils passèrent près de la Géhenne nettoyée de ses fumées pestilentielles par le vent, et le fouet s'abattit sur les épaules d'Étienne, incapable d'avancer plus vite.

Laissant le dépotoir de Jérusalem derrière eux, ils parvinrent au lieu du supplice. On poussa le condamné qui roula sur la pente poussiéreuse, jusqu'au fond de la fosse, parmi les pierres noircies par le sang séché.

Les spectateurs se rassemblèrent en haut, se répartissant en cercle autour du cratère. La plupart, impatients, ramassèrent de gros cailloux à l'arête tranchante. Le chef des gardes ordonna que l'on fît silence et un membre du Sanhédrin lut la sentence à haute voix : « Étienne fils de Jérémie ayant tenu des propos blasphématoires contre Moïse et contre Dieu, ayant discouru publiquement contre le Saint Lieu et contre la Loi, est condamné à subir la mort des incroyants et des agitateurs, que son accusateur lui lance la première pierre. » On fit venir un vieillard au bord de la fosse et on posa un caillou pointu dans sa main. Yaïr, bouleversé, vit qu'au lieu de hurler, de chercher à s'échapper, ainsi que le faisaient la plupart des condamnés, Étienne se taisait au contraire et, qu'après s'être relevé, il se tenait immobile, en plein soleil, face à ceux qui voulaient sa mort. Il vit que, fixant le vieil homme sans haine, il ne protégeait même pas son visage avec ses bras, ni sa nuque ni son corps meurtri.

Le vieillard, perdu, se retourna pour demander ce qu'il devait faire. Un prêtre lui expliqua qu'il était tenu par la Loi de lancer sa pierre sur celui que, le premier, il avait accusé. Yaïr l'entendit alors répondre d'une voix tremblante qu'il n'avait accusé personne. « Si ! répliqua un membre du Sanhédrin, tu as dit aux gardes venus arrêter le condamné en pleine rue qu'il avait affirmé que Yahweh n'habitait pas le Temple, et tu l'as répété hier devant le Grand Conseil, dans la salle aux pierres polies ! » Le vieillard, apeuré, regarda tous ces visages qui, tendus vers lui, déformés par l'impatience et le désir du sang, le pressaient d'obéir. « Mais je ne pensais pas devoir jeter moi-même une pierre sur lui... murmura le pauvre homme, on m'a demandé de répéter ce qu'il avait dit dans la rue, je l'ai fait, c'est tout... » Des cris s'élevèrent dans la foule. « Dépêche-toi, vieux fou, si tu ne veux pas le rejoindre ! » hurla-t-on. Constatant qu'Étienne, prêt à recevoir tous les coups, ne bougeait pas, Yaïr sentit son cœur se serrer, comment pouvait-on montrer autant de courage ? Il se souvint de sa propre lâcheté, alors que, après son arrestation, il ne risquait sans doute rien de plus que l'emprisonnement et l'obscurité. Étienne, impassible, presque souriant, gardait la tête droite et les yeux grands ouverts. Il semblait se moquer des souffrances atroces que, d'un instant à l'autre, il allait endurer.

Yaïr pensa que bien qu'il n'ait jamais profité d'aucun miracle il était le premier à mourir pour le Nazaréen.

Un scribe vint à côté du vieil homme toujours hésitant au bord de la fosse et, à son tour, il lui ordonna d'obéir à la Loi et de jeter sa pierre. La foule, attendant impatiemment le signal du supplice, paraissait de plus en plus houleuse et, derrière, les soldats romains, javelots en avant, reçurent l'ordre de se rapprocher de cinq pas.

Le vieil homme, enfin, leva son bras et il lança la pierre, mais celle-ci, au lieu d'atteindre le condamné, glissa sur la pente sablonneuse et alla rouler, sans force, jusqu'aux pieds d'Étienne.

Une rumeur s'éleva.

« Laissez-nous commencer sans lui ! hurla-t-on de toutes parts.

— Oui, finissons-en, nous avons assez attendu, cela ne ressemble à rien, les Romains vont finir par nous renvoyer chez nous !

— Cet homme est un juste, dit alors Yaïr, il ne doit pas mourir. »

Mais le tumulte couvrit sa voix. Il se mit à détester ces visages affreux qui réclamaient le sang autour de lui. « Vous êtes tous fous ! cria-t-il, pourquoi ne voyez-vous pas clair ? C'est vous les vrais aveugles ! » Personne, hélas, ne paraissait l'entendre. Il pensa soudain se jeter dans la fosse, aller rejoindre Étienne et se tenir droit comme lui, en face de ces figures hideuses. Il s'approcha, tout au bord de la pente, mais la peur, une fois de plus, le paralysa.

Le scribe ramassa une autre pierre, plus grosse que la précédente. De nouveau, il la plaça dans la main du vieillard, mais cette fois il prit son bras, le souleva et, de toutes ses forces, provoqua et accompagna son mouvement.

Le projectile atteignit le sourcil d'Étienne qui parut éclater sous le choc. Un cri s'éleva poussé par cent gorges et une pluie de pierres s'abattit sur le malheureux qui, refusant toujours de se protéger le visage, tomba sur le côté, la nuque en sang.

Yaïr se détourna et, les yeux pleins de larmes, il s'enfuit vers les portes de la ville.

11

QUAND Yaïr rejoignit le canal d'Ézéchias, contrairement à ses habitudes, il alla s'asseoir dans la pénombre, loin du puits. Lazare remarqua que, pour une fois, il ne rapportait ni eau ni pain et il eut le sentiment que son ami n'en pouvait plus de cette vie souterraine qu'il menait, qu'elle l'enfermait dans ses problèmes, dans ses remords injustifiés. Afin de ne pas le gêner, il évita de se rapprocher de lui, de l'observer ou de le questionner.

Ils passèrent l'après-midi ainsi, sans échanger un seul mot, à dix pas l'un de l'autre.

Vers le soir enfin, alors que la lueur faible venue de l'extérieur commençait à s'éteindre, Lazare vint s'asseoir auprès de son compagnon enveloppé depuis des heures dans son manteau avec la nuque appuyée contre la paroi et un regard aussi fixe que celui d'un mort. Il lui demanda simplement s'il ne désirait pas qu'il essaie d'aller chercher un peu de nourriture dans les rues, avant que la nuit ne soit tout à fait tombée. Yaïr, sans bouger, répondit que non, que c'était inutile, qu'il n'avait pas faim.

Ils demeurèrent silencieux, côte à côte, pendant encore un long moment.

« Il faut que tu cesses de te tourmenter ainsi, finit par dire Lazare avec beaucoup de douceur, jamais le

Galiléen n'a attendu de toi que tu passes ta vie enfermé dans les cachots du grand prêtre, il ne t'a rien demandé de tel, il ne t'a pas donné la vue pour que tu acceptes de t'enfermer dans l'obscurité à cause de lui. Jamais il n'a espéré que tu porterais un témoignage semblable au mien. Tu as la chance de voir et le bonheur d'exister, ton souffle est chaud et la vie bat dans tout ton corps, ne te torture pas. Ne reste pas toujours dans l'ombre auprès de moi, retourne au soleil, à la lumière, je te comprendrai, ne reviens ici que pour la nuit, si tu le désires. Je suis à demi mort et jamais tu ne retrouveras la joie en restant continuellement à mes côtés. Retourne dans la maison de Keturah, ou cherche une autre femme qui te rendra un peu d'espoir et de bonheur, mais ne reste pas ainsi dans ce tunnel, dans ce froid, dans cette odeur de cadavre que je répands. La solitude ne m'effraie pas, il faudra bien que je m'habitue à elle... La meilleure façon d'honorer celui qui t'a permis de voir la couleur du ciel et de distinguer la multitude des étoiles, la nuit, c'est de vivre au grand jour et non sous la terre avec moi... Ne te détruis pas pour une faute que tu n'as pas commise. Si soucieux de sa propre gloire qu'ait été le Galiléen, il ne t'a jamais demandé de devenir un mort-vivant en son nom, au contraire, chaque fois que tu contemples la lumière tu lui rends grâce, tu le glorifies, en remerciement de ce qu'il a fait pour toi.

— Il ne s'agit pas de cela, répondit Yaïr d'une voix sourde.

— Alors de quoi s'agit-il ?

— De rien... Tu ne peux pas comprendre. »

Yaïr, de nouveau, s'enferma dans son silence et Lazare se tut. Pour la première fois, depuis qu'ils étaient descendus ensemble dans le canal d'Ézéchias, il pensa qu'il devait remonter à la piscine de Siloé, ou ailleurs dans Jérusalem, afin de sortir son compagnon de cette obscurité qui le détruisait.

Il lui fallut attendre longtemps, cette nuit-là, avant que le souffle de Yaïr se ralentît, qu'il devînt profond et régulier. Il essaya, dans le noir absolu, de deviner la forme du corps replié près de lui. « C'est moi qui t'entraîne vers la mort », murmura-t-il. Il avança sa main vers le manteau qui enveloppait son compagnon, pour la poser à l'endroit de sa poitrine, mais il eut l'impression de n'agir ainsi que pour voler un peu de sa chaleur, de sa vie, et il se rendit compte que, brusquement, il n'osait plus le toucher.

12

LE lendemain, Yaïr se leva dès que la lueur vague du petit jour apparut au fond du puits asséché. Il s'en alla sans dire un seul mot. « Ce soir, nous retournerons à Siloé », pensa Lazare en le regardant s'éloigner dans ce canal oublié, dans cette obscurité qu'il craignait tant.

13

HAGGAÏ eut un geste d'énervement quand l'un de ses serviteurs vint lui annoncer qu'un mendiant, debout devant la porte de sa demeure depuis des heures, le réclamait. Il en avait assez de ces miséreux qui cherchaient continuellement à l'approcher afin de lui arracher quelques pièces. « Chasse-le ! ordonna-t-il, et sans ménagements.

— Il prétend que tu le connais, ajouta le serviteur, il ne cesse de crier qu'il s'appelle Yaïr, qu'il est *l'aveugle de Siloé* et qu'il a des choses importantes à te dire. »

Haggaï, surpris, se redressa sur son divan, que pouvait donc bien vouloir ce misérable, les coups de fouet ne lui avaient-ils pas suffi ?... « Je le connais, en effet », dit-il. Il pensa que la prison et la mise en garde un peu rude qu'il avait subies l'avaient finalement fait réfléchir et qu'il venait peut-être pour dénoncer certains de ses amis. Il regarda la coupe de lait durci, le demi-pain et le pot de miel intact, posés devant lui sur la table, pourquoi ne se décidait-il pas à manger un peu ce matin ? Jamais il ne guérirait s'il continuait à ne pas se nourrir. Il tourna la tête vers la cour intérieure trempée par la pluie qui tombait lourdement depuis le milieu de la nuit. Les gouttes paraissaient s'étirer en de longs filets brillants, serrés, avant de s'écraser, de s'aplatir sur le sol... La curiosité le poussait à recevoir Yaïr, mais, par ailleurs, il se sentait à bout de forces et il n'avait plus envie d'entendre parler encore de ces histoires de Messie. Il avait trop froid pour écouter les discours d'un ancien aveugle menteur et dépourvu de jugement. Il leva les yeux vers son serviteur qui attendait ses ordres, debout près du brasero... Mais avait-il le droit de négliger la moindre chance, dans ce combat harassant qu'il menait depuis des mois et qui le dévorait, le détruisait peut-être ?... Non, la situation était trop tendue entre Romains et juifs pour ne pas poursuivre la lutte contre ces agitateurs qu'il fallait, plus que jamais, réduire au silence, par tous les moyens.

« Très bien, ouvre-lui, dit-il dans un soupir, et fais-le venir. »

Il se leva et, lentement, par la galerie, il rejoignit la grande salle qui, de l'autre côté de la cour, lui servait de salon de réception. Là, il s'enveloppa dans son manteau et il s'assit, raide, sur le divan-lit, juste en face de l'entrée.

Quand on amena Yaïr, il fut étonné de lui voir un air aussi décidé, de lire une telle assurance dans son regard. Le misérable se planta devant lui, la tête haute. La pluie trempait ses vêtements troués, elle collait ses cheveux sur son front, elle s'étirait, à grosses gouttes, sur la peau sans couleurs de son visage amaigri. Il lui trouva une ressemblance avec Lazare, cette idée le fit frissonner. Il craignit, brusquement, qu'il ne vînt pour dénoncer son compagnon, le ressuscité qu'il ne voulait plus jamais retrouver sur son chemin.

« Je t'ai menti ! déclara Yaïr avec aplomb, avant même qu'il ait pu l'interroger, je crois que Jésus le Nazaréen était le Messie fils du Très-Haut. J'affirme qu'il est venu sur la terre pour détruire le Temple et le rebâtir, pour abolir la Loi et la remplacer par une autre Loi. Il a guéri mes yeux parce qu'il était le fils de Dieu, je te l'affirme et, afin que tous le sachent, je veux le proclamer sur le parvis du temple, en plein Jérusalem. »

Haggaï, étonné (et rassuré aussi que sa visite n'ait aucun rapport avec Lazare), prit le temps de répondre.

« Te rends-tu compte de la gravité de tes paroles ? demanda-t-il à Yaïr après un long moment de réflexion. Tu as reçu le fouet en avertissement et tu viens aujourd'hui me provoquer, dans ma propre maison ! Es-tu devenu fou ?

— Non, je crois qu'il était le fils de Dieu, j'en ai l'absolue certitude. Si je me suis tu dans les cachots du grand prêtre, c'est uniquement parce que j'avais peur. Maintenant ma peur est passée, je ne te crains plus, ni toi, ni personne. »

Haggaï secoua doucement la tête, il pensa que si un misérable tel que cet ancien aveugle dégoulinant de pluie avec seulement la peau sur les os et des chiffons déchirés noués autour de ses jambes osait braver ainsi la mort pour le Nazaréen, c'était que plus rien désormais ne pouvait empêcher le mal de se répandre. Il imagina une foule de mendiants surgissant dans *la salle aux pierres polies* et lançant au visage de tous les membres du Sanhédrin réunis que Jésus était le Messie et qu'ils acceptaient de mourir pour lui.

« Sais-tu, reprit-il, ce qui est arrivé hier à Étienne fils de Jérémie pour avoir tenu le même discours que toi ?

— Oui, je le sais, j'ai assisté à son supplice. Lui non plus n'avait pas peur. »

La pluie se mit à claquer plus fort dans les oreilles d'Haggaï et il craignit que sa tête ne recommençât à tourner. Comme il le faisait toujours pour chasser ces étourdissements qui, malgré les remèdes des médecins, ne cessaient de le poursuivre depuis la fête des Tabernacles, il ferma les yeux et il bloqua son souffle dans sa poitrine. Pourquoi continuait-il à lutter, à se battre, alors que la mort, peut-être, était là, toute proche ? Ne comprenait-il pas qu'il était trop tard ? Il rouvrit ses paupières. Le mendiant dans son manteau boueux le fixait. « Que cherches-tu ? lui demanda-t-il en élevant la voix, pourquoi viens-tu me dire cela, à moi, au lieu de t'adresser au peuple d'Israël, sur les marchés, dans les rues de Jérusalem ?

— Simplement pour te prouver que je n'ai pas peur.

— Mais qu'espères-tu donc, une fin semblable à celle d'Étienne ? Abandonne cette idée, il n'y aura pas d'autre exécution avant longtemps, tes amis ont beau irriter singulièrement les Romains, le procurateur ne veut plus de semblable mise à mort dans toute la Judée, il est bien trop soucieux de l'ordre apparent pour supporter que nous rendions publiquement notre justice. Lui il peut faire dresser cent croix s'il le veut, chaque jour, sous les murs de Jérusalem, mais nous...

— Cela m'est égal, répondit Yaïr, je ne cherche pas la mort à tout prix, je préfère continuer à vivre, sois-en certain, seulement, je n'ai plus peur, voilà tout. »

Haggaï eut l'impression soudain que sa voix était un peu trop sûre et, en les observant attentivement, il lui sembla que ses mains tremblaient. « Stupide, murmura-t-il, tu es stupide. »

Et si je le laissais s'en aller ? pensa-t-il, si je lui disais, maintenant, que ce qu'il affirme m'indiffère, qu'il peut aller tenir ses discours au milieu de la foule, sur le parvis du Temple ?... Non, le but n'est pas de trouver une solution qui m'arrange dans l'immédiat, les Romains finiraient par l'arrêter et cela se retournerait contre Israël... Yaïr restait là, droit en face de lui... Qu'est-ce qui avait bien pu le changer ainsi, lui donner ce courage, ou cette inconscience ? Une fois de plus, l'image de Lazare passa devant ses yeux, le mal venait peut-être de lui, où s'étaient-ils cachés, ensemble, pendant toutes ces semaines, depuis leur arrestation ? Il regarda l'aveugle, il remarqua qu'il respirait avec sa bouche légèrement entrouverte et il crut entendre l'insupportable souffle rauque.

Il sentit nettement l'odeur de terre pourrie et d'huiles rances.

« Et ton ami, le ressuscité, lança-t-il, pourquoi ne t'accompagne-t-il pas aujourd'hui ? Pourquoi ne vient-il pas, lui aussi, proclamer devant moi que votre Nazaréen était le Messie ?

— Il ne croit pas, se contenta de répondre Yaïr en baissant les yeux pour la première fois depuis le début de l'entretien.

— Alors il fait bien, soupira Haggaï, que n'es-tu aussi sensé que lui ! »

Yaïr releva la tête. Un sourire se dessina sur ses lèvres. Haggaï eut l'impression qu'il était heureux et, pour un instant, il se laissa aller à envier son bonheur, et sa certitude.

14

LA lumière, si faible en bas du puits, s'effaça petit à petit. Quand Lazare, assis comme toujours dans le canal abandonné, s'aperçut que la nuit tombait, il se réjouit presque de ne pas voir Yaïr à ses côtés, il se dit que de rester dehors jusqu'au lendemain lui redonnerait un peu de cette vie qu'il semblait perdre, jour après jour.

Il attendit que l'obscurité l'enveloppe, puis, ainsi qu'il le faisait chaque soir (la plupart du temps sans résultat), il essaya de s'imaginer en train de flotter dans un autre espace, étroit et sans fin. Immobile, les jambes allongées, il s'efforça d'oublier la pesanteur et l'existence de son propre corps. Les yeux grands ouverts, il eut bientôt l'impression que le ciel s'étendait, absolument noir, au-dessus de lui. Il scruta cette immensité nue ouverte. A force de fixer son attention sur cet univers vide qui ne rappelait en rien la profondeur infinie de son puits aux parois resserrées, il finit, sans le vouloir, par distinguer l'étoile unique aperçue à Tabgha, chez Simon fils de Zacharie. Le même grain de feu commença à briller dans sa nuit, suspendu à l'orient. Il n'eut ni le temps ni la force de le rejeter. Sans qu'il pût réagir ou se défendre, la grosse figure rousse osseuse aux traits désormais imprécis emplit sa mémoire. Un doigt menaçant se pointa vers lui et des rires résonnèrent dans sa tête. Plusieurs flambeaux se mirent à brûler autour de lui et d'autres visages pleins de haine apparurent. Ils furent aussitôt plus de dix à lever leurs bâtons pour le frapper. Un poing fermé jaillit à la hauteur de son front, il le reçut, une multitude d'étoiles explosa devant ses yeux. Bien qu'il ne ressentît aucune douleur, il se redressa, il ramena ses jambes sous lui, pourquoi les images de cette nuit horrible revenaient-elles soudain, alors qu'il était parvenu à les effacer, comme celles de tant d'autres événements passés trop doux ou trop cruels ? Il se tourna et il posa sa joue contre le mur froid, il ne comprenait pas qu'ainsi, parfois, brusquement, le simple contrôle de ses souvenirs lui échappât. L'idée que le débordement de ces visions violentes était lié, d'une quelconque manière, à l'absence de Yaïr traversa son esprit. Il ferma les yeux et il tenta de se persuader qu'il sentait son corps raide, inerte, se balancer doucement, en équilibre dans l'étroitesse de son tombeau en forme de puits.

La seule chose qu'il continua à percevoir clairement fut le contact de la pierre contre ses reins, son dos, son épaule, son visage.

Il se tourna encore et, à force d'efforts, au bout d'un long moment, il lui sembla enfin qu'un engourdissement venu de ses chevilles remontait vers ses genoux, vers son ventre. Il respira plus lentement et un très léger mouvement oscillatoire entraîna sa nuque, avec douceur. Un soupçon de brume enveloppa ses pensées, ralentit et amortit sa conscience.

Bientôt pourtant, une sensation surprenante de chaleur, d'abord lointaine, puis plus nette, plus présente et plus proche, s'appesantit sur son visage. Il crut éprouver des difficultés à respirer, comme si l'air s'alourdissait dans sa poitrine. Le gouffre noir sur lequel il commençait à peine à flotter s'éloigna. Un voile blanc couvrit ses yeux et il ne distingua plus que de simples zones d'ombre et de lumière mal définies. Des linges épais se collèrent sur son nez, s'introduisirent entre ses lèvres, rentrèrent dans sa bouche. Il s'aperçut qu'il ne pouvait plus détacher ses bras de son corps et que ses jambes étaient liées l'une à l'autre. Plus que jamais il sentit à quel point ses membres étaient glacés. Un goût de terre remonta, du fond de son palais, sur sa langue raide aussi dure qu'un morceau de bois. La chaleur qui s'écrasait sur sa figure devint brûlante et une soif intolérable comprima sa gorge sèche. Il eut rapidement l'impression qu'une force le soulevait, qu'on l'entraînait, qu'il ne parvenait pas à marcher et que ses pieds heurtaient le sol, comme le jour où on l'avait sorti de son tombeau... N'y tenant plus, il se leva et, le dos courbé à cause de la voûte basse, il fit quelques pas vers l'aboutissement à peine visible du puits asséché.

Il resta debout, dans le souffle léger du froid qui descendait jusque dans le canal. Il était inutile qu'il cherche à se fondre dans son faux sommeil, en le poursuivant, il ne réussirait, cette nuit, qu'à réveiller les images les plus cruelles, les réminiscences les plus douloureuses.

Beaucoup plus tard, après un temps d'une durée indéfinie, l'esprit nettoyé enfin de toute vision agressive, revenu dans sa position assise, le dos appuyé contre le mur, il entendit un souffle à peine perceptible auprès de lui. D'abord il pensa à Suzanne endormie à cette heure, sur leur lit, dans la chambre haute. Il se retint pour ne pas s'approcher d'elle et frôler sa gorge, tiède sous le linge fin de sa chemise, mais il se souvint qu'il était seul dans le canal d'Ézéchias et qu'il ne pouvait jouer impunément avec une telle idée. Il prêta l'oreille et de nouveau il perçut une respiration régulière à ses côtés, la respiration du sommeil. Il se dit que son compagnon était revenu. Il avança la main, doigts tendus, vers la couverture posée sur la poitrine de Yaïr, mais il ne rencontra que le vide, il ne toucha que les pierres du sol, humides, nues.

15

LAZARE, toujours seul au fond de sa galerie
sombre, vit quatre fois la lueur du matin descendre en
bas du puits asséché, et quatre fois celle du soir
s'éteindre. Réalisant alors que l'absence de son compagnon durait depuis cinq jours, il laissa l'inquiétude
l'envahir.

Il essaya de se persuader que Yaïr, suivant ses
conseils et retrouvant un peu de vie dans les rues de
Jérusalem ou, pourquoi pas, chez son amie Keturah,
reviendrait bientôt vers lui avec un peu de joie et
d'espoir au fond du cœur. Comme il serait simple dès
lors de retourner à Siloé ou dans un autre endroit, à
l'intérieur ou au-delà des murs de la cité ! Rien ne les
empêcherait même de changer de ville, de remonter
vers les petites plaines de Galilée, vers ses villages
paisibles, ses collines piquetées de bouquets d'arbres.
Une fois il avait parlé à Yaïr de lui apprendre le métier
de tailleur de bois mais il n'avait pas répondu. Accepte-
rait-il d'ailleurs de quitter la ville sainte, de fuir ce
danger permanent qui, depuis son arrestation, paraissait l'attirer ? Le soleil brillait au-dehors, Lazare le
voyait à la blancheur inhabituelle de la tache lumi-
neuse, à trente pas de lui, il était normal et bon que
Yaïr profitât de cette clarté de fin d'hiver et de sa
tiédeur, si pâle fût-elle. Par moments pourtant, il en
venait à se dire qu'il ne le reverrait jamais et que cela
valait mieux pour eux deux, pour son ami bien sûr qui
devait se tenir à l'écart de ce tombeau obscur habité par
un demi-mort, et pour lui aussi, contraint de se
familiariser, à tout prix, avec cette solitude qu'inévita-
blement il connaîtrait tôt ou tard, pour des temps sans
limites.

Un pressentiment, une sorte d'angoisse noire indéfinissable le poussait pourtant à imaginer que, pendant

qu'il restait là, prudemment dissimulé sous la terre, un malheur était en train d'arriver. Il revivait continuellement le départ silencieux de Yaïr, cinq matins plus tôt, il le revoyait, s'éloignant, courbé en deux, dans le boyau étroit, disparaissant dans l'obscurité du canal bas.

Toute la question était de savoir s'il pouvait empêcher son compagnon de commettre l'irréparable ou s'il avait les moyens de le secourir éventuellement.

Pendant sa sixième nuit de solitude, alors que, par bonheur, il se faisait l'impression d'osciller dans l'espace sans fond de son puits, une sensation désagréable de frottement contre sa jambe, contre sa cheville, le sortit de son faux sommeil si difficilement retrouvé. Il eut l'impression que quelque chose tirait sur son pied, qu'une force invisible cherchait à l'entraîner, à l'emmener plus loin. Il s'efforça d'oublier totalement la douceur et le brouillard de son demi-rêve. Quand il y parvint, il lui sembla que des pinces de forge solidement refermées voulaient écraser, déchirer, arracher, les chiffons noués autour de ses pieds, ainsi que la chair sans fermeté qu'ils protégeaient inutilement du froid, de l'humidité souterraine. Il se jeta en avant et il lança son poing fermé pour se débarrasser de cette chose qui s'accrochait rageusement à lui. Il heurta une masse tiède de poils rêches qui, dans un cri, bondit sur sa poitrine, griffa et mordit profondément son visage. Il poussa un hurlement, il se leva, il arracha cet objet vivant qui attaquait sa gorge, son cou, ses lèvres. Avant qu'il ne la jette au loin, la chose au ventre mou palpitant lui envoya son souffle, dans la bouche, bien qu'il ne pût en percevoir l'odeur, cette haleine chaude l'écœura atrocement. Il entendit le bruit d'un corps de bête qui heurtait la paroi et il s'enfuit aussitôt, trente pas plus loin, sous l'aboutissement du puits ouvert sur la nuit.

Il lui fallut un long moment pour calmer sa peur, une peur qui évoquait singulièrement celle ressentie à Tabgha, alors qu'il essayait de disparaître dans les collines au-dessus de Génésareth pour échapper au rouquin et à sa horde déchaînée, une peur de la souffrance, de la mort, une peur incontrôlée, pour *sa vie*, dénuée de toute raison, de toute utilité.

Quand il eut retrouvé un peu de son calme, il pensa d'abord que cette bête, un rat affamé sans doute, d'une taille et d'une force peu communes, aurait pu tout aussi bien attaquer Yaïr dans son sommeil et déchirer son visage. Sur lui, une telle agression, la frayeur passée, restait sans conséquences, mais qu'en aurait-il été pour son compagnon ?

Il ne regagna sa place, contre la voûte basse, que beaucoup plus tard et, le reste de la nuit, il le passa à se répéter que Yaïr et lui ne devaient pas s'attarder un jour de plus dans cet endroit de mort et de danger.

16

LORSQU'IL sortit du canal, après tant de jours passés sous la terre, la lumière aveugla Lazare et il ne put garder les yeux ouverts. Étourdi comme pendant les jours qui avaient suivi son *réveil*, il alla s'appuyer contre le mur de la cité distant seulement de quelques pas. Là, il sentit sur son front la chaleur du soleil. Le souffle tiède du vent frôla son visage et il comprit que, déjà, les premières douceurs du printemps s'annonçaient. Il pensa que cela faisait une année entière désormais que le Galiléen l'avait arraché de son sommeil, une année de peines injustes et de souffrances inutiles. La colère, presque oubliée au fond de la galerie, remonta soudain en lui mais il fit un effort pour l'effacer car elle ne servait plus à rien, qu'à le rendre plus malheureux encore.

Il tenta simplement de s'habituer à cette clarté blanche si douloureuse entre ses paupières à demi écartées.

Appuyé sur son bâton, il s'obligea à marcher jusqu'à la porte de l'Eau et là il essaya de jeter un regard hors de la cité, vers la vallée du Cédron qui, sans doute, commençait à se couvrir de fleurs.

Il ne perçut qu'une juxtaposition de tons neutres sans relief. Il ne reconnut ni l'étendue bleu cru du ciel, ni celle, rouge, de la terre et des collines environnantes. Comme en ce jour si lointain où il était monté sur le toit de sa maison, à Béthanie, il ne distingua que des surfaces ternes, des formes grises aussi nues qu'un désert. Constatant que les couleurs autour de lui restaient sans vie, il eut l'impression d'être aveugle et, pour la première fois, il imagina ce que devait être réellement la peur de son compagnon, privé de lumière au fond d'un cachot obscur.

Dans les rues de Jérusalem il ne trouva que portes closes et boutiques fermées, il pensa que ce jour-là était jour de Sabbat.

Il alla d'abord à Siloé car il ne lui semblait pas impossible après tout que Yaïr ait rejoint cet endroit connu.

En bas de l'escalier il aperçut quelques miséreux qui eux aussi, maintenant, commençaient à quitter les lieux au fond desquels ils venaient de passer l'hiver. Ainsi vit-il deux paralytiques allongés sur des planches, un aveugle et un homme aux jambes coupées, posé comme un paquet sur les dalles, près du bassin, il ne distingua toutefois aucune forme humaine dans le renfoncement de la paroi. Yaïr, bien évidemment, n'était pas revenu à Siloé.

Désemparé, il se demanda où le chercher. Où mendiait-il habituellement ?... Sur le marché de la ville basse, mais pendant le Sabbat celui-ci était fermé... Devant les portes du Temple alors... ou sur le pavis. Oui, c'était bien là le seul endroit où ramasser quelques pièces en un tel jour.

Péniblement, sans prêter attention aux soldats romains postés à chaque coin de rue, il traversa les quartiers les plus pauvres, les plus sales de Jérusalem, le long du Tyropéon et, parmi le flot silencieux des fidèles, il rejoignit l'escalier qui aboutissait au Portique Royal. Plusieurs miséreux vêtus de loques tendaient leur main ouverte devant cette entrée du Temple, traditionnellement la plus fréquentée de toutes, mais Yaïr ne se trouvait pas parmi eux.

Lazare revint sur ses pas. Il gagna l'esplanade blanche, devant les bains rituels. Là aussi il chercha son compagnon sous les voûtes des portes Double et Triple, mais il ne tomba que sur une dizaine de loqueteux et de sans-travail qui suppliaient les passants de remplir envers eux leur devoir de charité.

Il entreprit aussitôt de contourner le Temple et il atteignit la porte Dorée investie par d'autres mendiants, inconnus eux aussi. Il marcha encore, tout au long de l'enceinte. Où était donc passé Yaïr ? Sans doute avait-il tort de s'inquiéter, il pouvait, après tout, être sorti de Jérusalem, avoir gagné l'un des villages environnants, pourquoi pas Béthanie dont il lui avait parlé si souvent dans le fond du canal ? Comme il se dirigeait vers la porte des Brebis, près de la forteresse Antonia, il leva les yeux et, derrière son voile de brume lent à se dissiper, devant l'étendue laiteuse, encore éblouissante du ciel, il vit des centaines de soldats romains installés en ligne, avec javelots et boucliers, au sommet des portiques qui ceinturaient le parvis. Il se souvint des récits alarmistes faits souvent par Yaïr, vers l'heure de midi, à son retour dans leur galerie souterraine. La situation, ne cessait-il d'affirmer, se dégradait entre Israël et l'occupant. Fréquemment, il parlait de violences, de légionnaires assassinés, poignardés en pleine ville, d'embuscades meurtrières, d'arrestations et de crucifixions. Tous ces événements graves le préoccupaient profondément. Il répétait qu'il ne fallait pas combattre les Romains, que là n'était pas le devoir du peuple d'Israël, que le mal qui le rongeait ne venait pas de ces incroyants qui paraissaient l'opprimer, mais qu'il le portait en lui-même. Lazare, parfois, l'avait soupçonné de s'arranger de la présence de l'ennemi et, pourquoi pas, de vouloir, comme beaucoup de traîtres saducéens, composer, agir de connivence avec lui. Jamais, pour sa part, il ne s'était, simple charpentier de Béthanie, dressé contre les Romains, il leur avait, certes sous la contrainte, régulièrement payé l'impôt, mais il considérait depuis toujours leur présence sur sa terre comme une insulte à son peuple et à la foi d'Israël. De plus, il ne comprenait pas que Yaïr oubliât aussi facilement qu'ils avaient crucifié son Messie.

Regardant autour de lui, il nota à quel point les fidèles qui arrivaient au Temple, la tête couverte de leurs châles de prière, les phylactères noués sur le front, paraissaient sombres en ce jour traditionnel de liesse et de joie consacré à la gloire de leur Dieu. Il les suivit jusqu'à l'entrée du parvis et il constata qu'un silence inhabituel régnait en ce lieu dans lequel, d'habitude, résonnaient chants et musiques. On ne se pressait pas autour des changeurs de monnaie et chacun, homme, femme et enfant, baissait la tête figé dans sa prière. Malgré sa vue brouillée, il vérifia que les fumées s'élevaient bien au-dessus du sanctuaire, les sacrifices se déroulaient normalement, rien ne semblait justifier une telle morosité. De nouveau, il leva les yeux vers les soldats armés et casqués et il eut le sentiment que quelque chose d'anormal se passait, que des événements tragiques étaient en train de se dérouler. Il regarda les juifs qui l'entouraient. Leurs visages contractés n'exprimaient aucune joie. Il vit même, trois pas plus loin, un vieil homme qui pleurait.

Par acquit de conscience, il traversa le parvis afin de ressortir par la dernière des portes, celle qui s'ouvrait sur la cité haute. Partout, autour du cœur même du Temple, il ne vit que recueillement muet, inquiétude et tristesse profonde.

Alarmé par tant de gravité il s'engagea sur le viaduc qui menait au palais des Asmonéens et, petit à petit, tandis qu'il marchait vers les quartiers riches de la ville, il sentit monter en lui la certitude qu'en cet instant précis plusieurs crucifiés agonisaient sur le Golgotha.

Ses pas, sans qu'il le souhaitât vraiment, l'amenèrent vers les rues tristes de la porte d'Éphraïm. Il s'engagea dans les voies étroites qui aboutissaient au mont du Crâne. Parvenu au dernier escalier avant la sortie de la ville, il se souvint que là, le 13 *nisan* de l'année précédente, veille de la Pâque, il avait aperçu le Galiléen, en contrebas, ses bras tirés en arrière, attachés par des cordes à la poutre qui devait servir de traverse à sa croix, titubant, avec sa tunique rouge déchirée et un casque d'épines enfoncé sur sa tête. Il crut entendre encore les coups de fouet qui s'abattaient en claquant sur ses reins et ouvraient sur sa peau de longues traînées rouge vif. Il revit le geste du boiteux qui, frappant le condamné de sa béquille, l'avait couvert d'insultes pour ne pas l'avoir guéri. Sa stupeur d'alors lui revint en mémoire, ainsi que la question que, jusqu'au terme du supplice, il n'avait cessé de se poser : comment un messie sauveur d'Israël pouvait-il accepter, sans réagir, une fin aussi misérable ?

Plus il s'approchait du Golgotha et plus la condamnation d'un *agitateur* trop bavard comme Yaïr, si peu hostile pourtant à la présence des Romains en Judée, lui paraissait possible. L'occupant, excédé par les attentats des zélotes, semblait en effet ne plus supporter le moindre début de trouble, la moindre effervescence et, aux dires mêmes de Yaïr, réprimait désormais avec violence tout ce qui dérangeait cet ordre public qu'il entendait maintenir à tout prix.

Il s'arrêta devant la porte d'Éphraïm. Il s'immobilisa, par crainte de ce qu'il risquait de découvrir, sous les murs de la cité, dans ce lieu maudit.

Il aperçut une dizaine de légionnaires postés au-dehors, sur la route de Jaffa, en bas du chemin qui menait aux portiques sur lesquels on montait les croix. Il en déduisit que, ainsi qu'il le redoutait, plusieurs suppliciés agonisaient en ce jour de Sabbat, pieds et mains cloués. Il imagina le corps nu de Yaïr, mou, affaissé comme celui du Galiléen, retenu par les cordes nouées autour de ses bras, par les pointes enfoncées dans ses paumes brisées, déchirées. Déjà il paraissait ne plus respirer et sa poitrine maigre ne se soulevait plus au rythme tellement familier de sa respiration. Pourtant, brusquement il prenait appui sur ses pieds, il tendait ses jambes, son buste, et, dans un formidable effort, il parvenait à se redresser. Il ouvrait ses yeux, il les posait sur Lazare, debout au pied de sa croix. « Pourquoi me laisses-tu ainsi ? semblait-il lui dire, pourquoi ne me délivres-tu pas toi qui ne risques plus de mourir, toi qui ne crains plus rien ? » Mais non... un

oile opaque couvrait son regard, si près de la fin il était
edevenu aveugle... Lazare vit ses paumes sanglantes
rrachées et son corps sans vie qui, comme celui du
Galiléen, roulait dans la boue. Il chassa ces visions
orribles. Il pensa retourner dans son canal et ne plus
n sortir. Dans le doute il pourrait au moins continuer à
roire que Yaïr vivait, plutôt heureux, dans un endroit
u'il ne connaissait pas, loin de Jérusalem.

Oubliant sa peur, il s'avança néanmoins sous la voûte
n pierre de la porte d'Éphraïm.

Tout de suite il aperçut les quatre croix dressées sous
s cadres des portiques et les quatre corps nus attachés
t cloués sur les montants et les traverses de bois
assif. Les restes légers de brume, encore présents
evant ses yeux, l'empêchèrent de distinguer les traits
es suppliciés et il lui fut impossible de savoir si Yaïr se
rouvait parmi eux. Il fit trois pas sur le chemin qui
enait au Golgotha mais un soldat se précipita et lui
arra le passage avec sa lance. « Où vas-tu ? cria
homme.

— Je veux voir les condamnés », répondit Lazare.
Le légionnaire le dévisagea. Il se demanda d'où
enait ce personnage terreux vêtu de loques puantes
aculées de boue, d'excréments peut-être, avec une
eau crevassée et des yeux étranges, figés, sans vie.
tupéfait il regarda les deux vilaines traces de morsures
ur sa figure, l'une ouverte, noirâtre au-dessus de sa
vre livide et l'autre semblable à la déchirure d'une
iande morte corrompue, sur le côté de sa mâchoire, à
 limite de son cou. Il écouta sa respiration rauque, il
ontempla ses jambes grêles entourées de chiffons
'une saleté repoussante et il se demanda où cet
omme à moitié mort, à moitié vivant, trouvait la force
e se lever, de se tenir debout, de marcher.

« Personne n'a le droit de passer, retourne d'où tu
iens ! » ordonna-t-il.

Lazare vit que les autres s'approchaient aussi, leurs
nces en avant, et il comprit qu'insister ne servirait à
en.

« Dis-moi au moins qui ils sont, demanda-t-il d'une
oix suppliante.

— Des assassins, ce sont des assassins.

— Y a-t-il parmi eux un certain Yaïr ? Yaïr fils de Joël ?

— Je ne sais pas, répliqua le soldat... Ne reste pas ici ou je serai obligé de te chasser », ajouta-t-il après un silence. Comme il se retournait, Lazare s'accrocha à lui. « Je ne te demande rien d'autre que de me dire si Yaïr fils de Joël, un mendiant, se trouve parmi eux ! » cria-t-il. Au lieu de lui répondre, le Romain, écœuré par ce contact froid, par cette odeur fétide qui semblait soudain se répandre sur lui, l'envoya avec une force incroyable rouler dans la poussière, quinze pas plus loin.

17

DE retour aux abords du Temple, Lazare arrêta chaque prêtre qu'il rencontra. A tous, il demanda où habitait Haggaï. Mais bien entendu il se heurta à leur silence, à leur dégoût, à leur mépris.

Ce ne fut qu'à la tombée du jour, alors que, depuis un long moment déjà, le hazzan avait soufflé dans la trompette pour annoncer la clôture du Sabbat, qu'un lévite enfin accepta de lui fournir le simple renseignement qu'il réclamait : Haggaï vivait dans une ancienne demeure en haut de la rue qui menait au palais d'Hérode, dans le quartier de Sion, juste en face du Gareb.

Convaincu que s'il s'aventurait à cogner contre sa porte, Haggaï refuserait, par principe, de le laisser entrer, de lui parler, de lui dire seulement ce qu'était devenu Yaïr, s'il avait été ou non crucifié, il s'assit en face de sa maison, sous un porche et, comme au temps où il attendait Jean au fond d'une rue étroite de la cité basse, il resta ainsi la nuit entière, sans bouger.

Souvent l'image, oubliée depuis de longues semaines, de ces paumes arrachées, de ce corps nu sanglant roulant dans la boue, revint l'assaillir. Comment penser à autre chose qu'à l'agonie de ces suppliciés qui se poursuivait peut-être sur le Golgotha ? Maintes fois il faillit se lever, se précipiter contre cette lourde porte fermée, hurler pour qu'on lui ouvre, pour qu'on lui dise... Il était encore temps... Il finit par ne plus lutter contre cette vision du Galiléen qui s'imposait à lui, attaché, pieds et mains cloués, misérable, pleurant et hurlant de douleur. Combien d'heures avait-il mis pour mourir ? Six ou sept, pas plus !... Yaïr, affaibli par cet hiver sans lumière, aurait-il assez de force pour résister jusqu'au matin ? Cela paraissait peu probable.

Au milieu de la nuit il se souvint que le Galiléen, vers la neuvième heure, avait poussé un long cri de souffrance, que, dans un sursaut, il avait paru vouloir arracher ses mains du bois auquel elles étaient clouées, et qu'ensuite son corps était retombé... N'était-ce pas à ce moment-là qu'il s'était adressé de façon inaudible à l'une des femmes en noir au pied de sa croix, à Marie, sa mère ?

Il finit par se rendre compte que, inconsciemment, il tenait, sans preuve, la crucifixion de son compagnon pour certaine et, devant ces heures figées qui l'enfonçaient dans son impuissance, il pensa que son éternité ressemblerait à cette nuit interminable.

Quand la lueur violacée du petit jour apparut au-dessus des maisons les plus hautes de Jérusalem, il se dit que ses craintes ne reposaient que sur de vagues pressentiments et que Yaïr n'était tout de même pas assez fou pour avoir osé défier les Romains. Certain que, maintenant, les quatre suppliciés avaient cessé de vivre, il s'efforça de retrouver un peu de confiance et d'espoir.

Il ne quitta plus la porte des yeux.

Il vit, tour à tour, plusieurs personnes sortir de la maison, des serviteurs sans doute, puis, un peu plus tard, une femme vêtue d'une robe pourpre longue et ample qu'il supposa être l'épouse d'Haggaï. Il continua à guetter la position du soleil qui ne cessait de monter au-dessus des toits, en se répétant que ce temps qui s'écoulait plongeait peut-être Yaïr de plus en plus profondément dans la nuit aveugle d'un cachot.

Vers la quatrième heure, le vent se leva, le ciel se couvrit d'épais nuages gris et il ne distingua plus l'emplacement du soleil.

Alors qu'il devait être midi passé, le lourd battant de la porte s'écarta une nouvelle fois. Vêtu du vaste manteau noir, du turban, du couffieh et de la longue écharpe des membres du Sanhédrin, Haggaï apparut enfin. Sans regarder autour de lui, il descendit vers le bas de sa rue, vers le palais des Asmonéens, vers le Temple. Il marchait vite, pressé peut-être de se rendre à une réunion du Grand Conseil. Lazare se précipita à sa suite. Il dut presque courir pour le rattraper.

Il saisit le bras du prêtre et celui-ci se retourna brusquement. Dans son regard, il surprit un éclair de surprise et de crainte.

« Que veux-tu ? s'exclama Haggaï en se dégageant, en s'écartant aussitôt.

— Sais-tu où se trouve Yaïr ? lui demanda Lazare, je ne l'ai pas revu depuis sept jours. »

Haggaï se détourna légèrement. Il baissa les yeux mais, au lieu de fixer un point précis sur le sol, il les laissa nerveusement errer sur les dalles, dans n'importe quel sens. Lazare, devant ce trouble passager, pensa qu'il savait effectivement quelque chose et qu'il ne s'était pas trompé en s'adressant à lui. « Était-il parmi ceux que l'on a crucifiés hier sur le Golgotha ? » poursuivit-il.

Le prêtre hésita, il ne releva pas la tête. Il se mit à se balancer imperceptiblement d'un pied sur l'autre, comme si de devoir dire la vérité le gênait.

« Réponds-moi, insista Lazare, j'ai besoin de savoir.

— Il faut que tu cesses de t'intéresser à lui, répondit Haggaï en gardant les yeux baissés, pour ton bien, oublie-le.

— Je veux seulement savoir s'il était sur le Golgotha.

— Non, répliqua le prêtre, il n'y était pas… Maintenant, laisse-moi m'en aller, j'ai beaucoup à faire. »

Comme il lui tournait le dos, prêt à s'éloigner, Lazare le rejoignit et, une fois encore, alors qu'il le touchait presque, il vit la crainte sur son visage. Ainsi qu'il l'avait perçu, au cours de l'interrogatoire chez le grand prêtre, il sentit qu'en fait cet homme puissant avait peur de lui.

« Alors s'il n'est pas mort sur la croix, où est-il ? L'as-tu fait enfermer ?

— Ton Yaïr était un illuminé, répondit Haggaï, le regard obstinément fixé sur le sol, l'emprisonner et le fouetter une seconde fois n'aurait servi à rien.

— Alors qu'en as-tu fait ? » s'écria Lazare en l'attrapant de nouveau par le bras.

Le prêtre fit un geste pour se dégager mais, malgré le froid glacé qui descendait dans tout son corps, il préféra ne pas insister plutôt que de devoir poser la main sur ce mort-vivant.

Lazare, comprenant qu'il possédait un réel pouvoir sur Haggaï, se colla à lui et ne le lâcha pas. « Où est Yaïr ? répéta-t-il. Je ne te laisserai pas t'en aller tant que tu ne m'auras pas dit où il se trouve. »

Enfin le prêtre osa le regarder. « Va-t'en, dit-il, je suis malade et ces histoires de Messie ne m'intéressent plus.

— Où est Yaïr ? »

Haggaï hocha doucement la tête, en silence. Puis un sourire (presque une grimace) se dessina sur ses lèvres... « Tu prétends, n'est-ce pas, que la mort n'existe pas, que ce n'est qu'un lieu désert, un gouffre noir... C'est bien ce que tu m'as dit lorsque je t'ai rendu visite chez toi, à Béthanie, il y a un an de cela ? Tu affirmes même, si j'ai bonne mémoire, que la mort vaut mille fois mieux que la vie. C'est très précisément ce que tu as dit chez Caïphe, ce sont tes paroles exactes, je m'en souviens parfaitement... Je veux bien croire que tu parles en toute connaissance de cause... »

Haggaï marqua un temps. Lazare étonné par ce discours ne lâchait pas ce bras qu'il serrait de plus en plus fort.

« Réjouis-toi, reprit le prêtre, ton ami connaît désormais cette forme de bonheur que tu sembles tant regretter. Il est possible d'ailleurs que là où il se trouve, dans ce fameux gouffre noir, il soit effectivement plus heureux que sur cette terre où il menait une vie misérable... Peut-être t'a-t-il trop écouté, peut-être que le désir de la mort lui est venu à force de t'entendre et non, comme on pourrait le croire, en raison de ces croyances si confuses. C'était un faible, il n'était pas très difficile de l'influencer, de le convaincre. Il ne demandait que ça : être convaincu... Tu as réussi. »

Il y eut un moment de silence. Lazare, incapable de réagir, fixait Haggaï intensément. Leurs deux visages étaient très près l'un de l'autre. « Quand est-ce arrivé ? finit-il par demander.

— La veille du Sabbat. Ne pouvant être exécuté publiquement, il a eu la tête tranchée au sabre, dans sa cellule... Il nous a provoqués et il ne s'est trouvé que deux voix pour le défendre, au Sanhédrin. Les vieilles querelles au sujet de votre Messie n'existent même plus parmi nous. Pharisiens ou saducéens, nous sommes tous d'accord désormais. Le danger nous rassemble... Provisoirement. »

Une grande lassitude apparut soudain sur le visage du prêtre. Lazare, assommé par ses paroles, le lâcha. « J'approuve cette condamnation, ajouta Haggaï, même si j'ai la conviction qu'elle ne servira à rien. »

Il se recula et Lazare le laissa s'éloigner.

Il fit une dizaine de pas, puis il se retourna. « Quitte Jérusalem, dit-il à Lazare, crois-moi, si tu t'obstines à rester ici, tu ne trouveras que de nouvelles souffrances, bien pires que celles que tu connais déjà. »

18

INCRÉDULE, persuadé de traverser un cauchemar de demi-sommeil, Lazare redescendit seul vers les quartiers de la cité basse. Sans prêter la moindre attention à l'animation qui régnait dans les petites rues, aux cris des marchands et aux bousculades, il franchit la porte de l'Eau, il sortit de la ville et, appuyé sur son bâton, incapable de concevoir clairement la moindre pensée, il marcha jusqu'à la vallée du Cédron.

Absent, comme endormi, il se laissa guider par ses pas et, sans l'avoir voulu, il se retrouva dans l'ancien cimetière de Jérusalem parmi les *tombeaux des Juges* où, disaient les Écritures, retentiraient les trompettes du jugement dernier. Il s'arrêta au milieu de ces sépulcres monumentaux ornés de frontons et de colonnes, disposés en cercle comme les parois d'un cratère. Il regarda l'urne d'Absalon et il pensa à tous ces morts qui l'entouraient, ces monarques, ces prêtres, cette *fille de pharaon* enterrée là depuis le temps reculé des rois de Juda... Trouverait-il la paix un jour, comme eux ? Les trompettes du jugement dernier sonneraient-elles pour lui aussi ? Existerait-il une limite à son éternité ? Se confondrait-il ensuite avec la multitude des ressuscités ou bien resterait-il le dernier, le seul homme encore *vivant*, perdu dans un monde de feu, sous une pluie de cendres brûlantes ?

Il fit quelques pas et il s'assit sur une pierre plate, en face des murs de la cité.

Il dut rester longtemps ainsi, l'esprit vide, les yeux fixés sur le tombeau du grand prêtre Joab, car lorsque sa conscience lui revint, il vit qu'une lune transparente comme un fantôme inondait le ciel. Il jeta un long regard sur l'horizon et il ne distingua qu'une montagne de crânes blancs. Autour de lui, il ne trouva, surgissant de la terre, que des carcasses de cèdres noirs tordus, que des ombres blafardes de colonnes, de pyramides, d'urnes et de frontons.

Même si ces visions sinistres semblaient appartenir au monde des cauchemars, elles n'étaient en fait que des images de mort, bien réelles.

Il ne rêvait pas.

Il vit la lame luisante d'un sabre s'abattre soudain et, dans une éclaboussure brutale de sang, la tête de Yaïr rouler sur le sol de terre battue... Il se demanda ce qu'ils avaient fait des restes mutilés de son compagnon. Les avaient-ils jetés aux chiens ou les laisseraient-ils pourrir sous la maison de Caïphe, au fond du puits asséché ?

Il aperçut les torches de résine jaune qui brûlaient tout au long des remparts, plus que jamais les Romains surveillaient la ville, prêts à fondre sur elle au moindre signe de révolte, d'agitation. C'était la nuit et les hommes dormaient derrière ces tours crénelées, ces murs clos, combien parmi eux se souvenaient encore du Galiléen supplicié un an plus tôt sur le Golgotha ? Combien savaient qu'un ancien aveugle, un simple mendiant, était mort hier tout près d'eux, à cause de ce faux Messie crucifié ?... Ils dormaient, indifférents, enfoncés dans leur sommeil lourd, ils se moquaient de ces histoires d'illuminé, seules comptaient leur propre vie, leur sécurité et celle de Jérusalem... Tant pis pour ceux qui étaient assez fous pour s'être laissés impressionner un jour par des tours de magie !... Comme il avait dormi lui aussi, jadis, chaque nuit, pendant des années ! Comme il avait ressenti le besoin de reposer son corps fatigué par le travail ! Le malheur ou la folie des autres, alors, l'avaient-ils tellement préoccupé ?

Il eut envie d'entendre le souffle de Yaïr à ses côtés, de poser sa main sur sa poitrine et de la sentir se soulever régulièrement, calmement.

Il leva la tête. Le ciel était si clair qu'il éteignait l'éclat des étoiles et qu'aucune, cette nuit, ne brillait. Une lumière mate, d'une blancheur terne, s'aplatissait sur les remparts de Jérusalem, interminables murs incolores droits et hauts, hérissés de tours plates, surmontés de créneaux irréguliers. La ville sainte pouvait disparaître et le Temple être rasé par les Romains, cela maintenant lui était égal. Il se souvint de la peur sur le visage d'Haggaï, puis une succession d'images chaotiques passa devant ses yeux, il vit la grosse figure osseuse grimaçante du rouquin, les paumes arrachées et le corps nu roulant dans la boue, la tache légèrement floue du visage de Suzanne penchée sur lui, étonnamment claire au-dessus de son cou d'un blanc presque éclatant, la silhouette courbée de Yaïr qui s'éloignait vers l'obscurité dans la galerie basse du tunnel d'Ézéchias.

220

N'avait-il pas senti, ce dernier matin, que son ami choisissait de mourir ? Il ne pouvait nier en avoir eu le pressentiment... et n'avoir rien tenté pour le retenir !

Non seulement il n'avait pas cherché à le dissuader, mais l'idée qu'il l'avait, par ses discours, poussé vers cette extrémité n'était pas si absurde. Combien de fois en effet lui avait-il répété que la mort n'était rien, qu'au contraire elle valait mieux qu'une demi-vie misérable. Haggaï ne se trompait pas en le disant responsable. Il avait, par son inconscience, banalisé la mort aux yeux de Yaïr, involontairement, à force d'en parler avec tant de nostalgie, il avait fini par la lui rendre familière, par la transformer en une chose, un état, presque désirable.

Faudrait-il qu'en plus de sa solitude et de ses souffrances il assume pour toujours une telle responsabilité ? Parviendrait-il jamais à effacer ce sentiment violent de culpabilité qui, depuis quelques heures, grandissait et s'installait en lui ?

Il se remit à marcher dans la nuit.

Il s'arrêta sur les pentes du mont Scopus, au-dessus du Temple et de la forteresse éclairée par plus de cent torches. Dévoré par le désir impossible à satisfaire de pleurer, il attendit là, debout, que le jour se lève.

La première chose qu'il vit, quand une auréole de clarté se dessina vers Jaffa, fut l'étendue plate du désert par-delà la porte de David, aride, nue, semée de pierres blanches.

PARTIE IV

1

De tous les événements qui se produisirent après la mort de Yaïr, Lazare, perpétuellement solitaire, ne sut pendant des années que ce qu'il entendit parfois les miséreux en dire à Siloé.

Ainsi apprit-il incidemment la mort de Tibère et son remplacement par Caïus Caligula, un jeune empereur de vingt-quatre ans. Ainsi assista-t-il avec indifférence aux troubles suscités par le refus des juifs de célébrer le culte du nouveau maître de Rome et aux châtiments qu'ils déclenchèrent.

Depuis longtemps, l'émotion soulevée par les miracles et les discours du Galiléen paraissait oubliée. Si, pendant l'été qui avait suivi la mort de son compagnon, plusieurs inconnus ignorant le danger qu'ils couraient étaient venus le trouver, tour à tour, à Siloé, pour qu'il leur raconte le miracle de sa résurrection, plus personne désormais ne l'ennuyait avec cette histoire dont il refusait obstinément de parler.

Blotti dans son creux de mur, les jours et les saisons qui s'écoulaient avec tellement de lenteur n'étaient devenus pour lui, avec le temps, que de simples alternances d'ombre et de lumière, de pluie et de soleil. Plus mort désormais que vivant, enfin débarrassé, après tant de luttes, de toutes formes de souvenirs, de réflexions, de pensées, libéré même des remords qui l'avaient assailli pendant des années, au sujet de la fin tragique de Yaïr, il avait cessé de se révolter. Il ne se posait plus de questions, il ne souffrait plus.

On murmura bientôt, à Siloé, qu'un bègue, Claude, avait remplacé Caïus Caligula assassiné, à demi fou, dans son propre palais, puis qu'un nouveau roi, Agrippa, régnant en Judée avec l'accord de Rome, persécutait ceux qui osaient encore parler au nom de Jésus le Nazaréen. Ainsi prétendit-on que Pierre, le disciple du Galiléen, avait été arrêté et que le grand prêtre, profitant d'une courte vacance du procurat et contrevenant aux ordres des Romains qui interdisaient aux juifs de procéder par eux-mêmes à une exécution publique, avait fait lapider un certain Jacques sous les murs de la cité.

Indifférent à tout, y compris à son propre destin, Lazare ne prêta aucune attention à ces rumeurs.

Hors du temps il se bornait à poursuivre sans répit l'image de son puits étroit sans fond.

2

D'AUTRES étés et d'autres hivers se succédèrent, jusqu'à ce que, un jour de fête des Tabernacles, un événement imprévu le replaçât cruellement en face de la réalité et fît resurgir en lui toutes ses anciennes souffrances.

Les serviteurs du Temple n'ayant pas osé, pendant tant d'années, évacuer ce *cadavre-vivant* avec les autres miséreux de Siloé avant la cérémonie de l'eau sacrée, avaient fini par ne plus tenir compte de sa présence si discrète, presque invisible, derrière le bassin, en contrebas, dans le creux de la paroi, par ne plus y prêter attention, par l'oublier. En ce matin de fête donc, tandis que le grand prêtre agenouillé en bas des marches, revêtu des insignes de sa charge — coiffe enveloppée de tissu bleu, tunique, surplis, chasuble brodée de fils d'or et de cramoisi et pectoral orné de pierres précieuses —, remplissait sa cruche sous le regard du peuple rassemblé, des membres du Sanhédrin et des représentants des vingt-quatre classes du clergé, Lazare blotti dans l'ombre laissait ses yeux courir sur la foule qui se pressait autour de la piscine.

Comme son regard passait, sans y prêter attention, sur un groupe de pèlerins, quelque chose en lui, un signe indéfinissable, l'avertit qu'il venait de voir un visage connu parmi ces hommes et ces femmes regroupés sur le toit plat d'une maison toute proche. Immédiatement, effaçant son indifférence, l'excitation oubliée de la curiosité l'obligea à se concentrer. Une à une, il observa ces figures, toutes attentives aux gestes mesurés du grand prêtre, et, très vite, en sixième position, au bord de la terrasse, malgré sa barbe blanche et les rides qui marquaient son front, il reconnut son apprenti, Éliphas. Il portait le copeau du charpentier sur son oreille et à côté de lui... une femme se tenait... Le temps d'un éclair, pour se protéger, il voulut se détourner, se cacher le visage précipitamment avec ses mains, mais il n'en eut pas le courage.

D'abord il refusa d'admettre que cette femme épaisse, vieillie, avec sa chevelure grise touffue, ses yeux petits rentrés, ses lèvres rétrécies, pouvait être Suzanne sa jeune épouse. De toutes ses forces, il voulut s'opposer à cette vision inacceptable. Il la fixa désespérément. Elle paraissait grave, absorbée par la cérémonie qui se déroulait plus bas, devant elle, autour du bassin d'eau sacrée. La poudre rouge du *sikra* ne colorait plus ses joues trop pleines, le maquillage bleunoir du *pouch* ne précisait plus le tracé de ses sourcils grisonnants, ne soulignait plus la vivacité de son regard éteint. Son menton était lourd, le collier de pierres qu'elle portait semblait rentrer un peu plus son cou ridé trop large dans ses épaules et, loin d'affiner sa taille trop forte, la ceinture serrée de sa robe, au contraire, l'épaississait encore... Mille images trop longtemps contenues débordèrent aussitôt dans la mémoire de Lazare, ces mêmes images dont il avait mis tant d'années à se débarrasser : l'image de la jeune fille de treize ans à la bouche pleine rouge comme l'anémone, aux joues roses comme la chair de la grenade, de cette femme encore enfant que, revêtu de ses habits de fête, il venait chercher dans la maison de son père, au-delà même des saisons et du temps, puis qu'il ramenait, jusqu'à sa demeure, à l'autre extrémité de Béthanie... L'image du visage clair penché sur lui, au-dessus d'un cou presque éclatant qui se mouvait avec souplesse, s'inclinait, se gonflait, se rejetait en arrière, s'allongeait, s'étirait... L'image de la chevelure noire frisée descendant sur des épaules nues parfaitement douces... L'image de la main d'enfant, des doigts un peu courts qui le caressaient, de la peau transparente qui, veinée de bleu, battait, de plus en plus vite, de plus en plus fort, de la rangée de dents blanches à l'éclat juvénile, de la poitrine brûlante dorée comme le miel, de l'arrondi parfait des hanches, des jambes fines écartées, des soupirs longs, du souffle qui se précipitait, de la tendresse, du désir, de la chaleur tiède enveloppante dans laquelle il s'introduisait avec lenteur...

3

DANS les jours qui suivirent la fête des Tabernacles, Lazare, après tant d'années passées dans son creux de mur, quitta Siloé. Il ne se sentait pas le courage de rester plus longtemps dans cet endroit où l'image de Suzanne tristement vieillie et abîmée, où le souvenir de Yaïr mort, pensait-il, en partie par sa faute, ne cessaient de le harceler.

Il remonta vers le nord de Jérusalem, avec le seul désir de fuir la piscine et son bassin d'eau sacrée.

Il sortit par la porte Doloreuse, près de la forteresse Antonia, et bien que son idée première eût été de gagner le désert et d'y disparaître, il s'arrêta près de la route qui menait à Césarée, dans l'un des chantiers entrepris par le roi Agrippa quelques années plus tôt, celui de la nouvelle enceinte de Jérusalem dont la construction avait été interrompue brutalement par ordre des Romains. Il s'installa dans un trou creusé au pied du mur, encombré de matériaux abandonnés, de planches brisées, de poutres fendues, de lourds blocs de pierre taillés, jamais utilisés.

Incapable de retrouver son puits sans fond, il resta là, une partie de l'hiver, à demi caché, en dehors de la ville, à cent pas de la muraille du Temple.

Le pire était de voir Suzanne comme une vieille femme, de penser qu'il ne pouvait plus profiter de sa beauté, de sa jeunesse, que le temps pendant lequel il aurait dû connaître le bonheur à Béthanie, à ses côtés, avec les enfants qu'elle lui aurait donnés, était maintenant révolu et que jamais il ne reviendrait, qu'il était trop tard, qu'il n'existait plus, pour lui, aucune chance de vivre heureux avec l'épouse qu'il s'était choisie.

Tous ses jours, toutes ses nuits, se ressemblaient, il ne percevait plus la succession des semaines, l'enchaînement des saisons, et malgré sa solitude et la langueur dans laquelle il s'enfonçait, il n'avait pas soupçonné que tant d'années s'étaient écoulées depuis sa sortie du tombeau. Curieusement, il n'avait jamais pensé à Suzanne avec un autre visage, un autre corps que ceux qu'elle possédait lorsqu'il l'avait quittée, à peine avait-il imaginé qu'elle pouvait avoir changé, que quelques rides, peut-être, s'étaient dessinées au coin de ses paupières. Tant qu'il ne l'avait pas revue, de ses propres yeux, épaissie, vieillie, il avait finalement connu une certaine forme, très vague, d'espoir, l'espoir plus ou moins conscient d'un autre miracle, et cela en dehors même de son refus de considérer le Galiléen comme le Messie. Après tout, il était bien sorti du *Grand Sommeil* et, lorsque l'on y réfléchissait, ce prodige défiait le bon sens. Qu'il retrouvât sa force n'aurait été qu'une simple guérison, nullement comparable à l'événement inexplicable de sa résurrection.

Cet espoir diffus n'avait désormais plus aucune utilité.

Un jour de pluie, il vit plus de dix croix se dresser sur le Golgotha, en face du lieu où il se tenait et il imagina un moment que, crucifié à son tour, les mains et les pieds cloués, les bras attachés, il finissait par retrouver l'illusion si douce de la mort. Il se demanda s'il ne devait pas aller provoquer les Romains, créer du désordre dans les rues de Jérusalem ou, pourquoi pas, poignarder un soldat, afin qu'on l'arrête et le condamne. Cette idée le poursuivit pendant deux jours, puis il l'abandonna, par simple lassitude, parce qu'il risquait de se tromper et que rien ne prouvait qu'il pût ainsi, artificiellement, retrouver le vide de son *Grand Sommeil.*

A force de rester recroquevillé dans son trou, entre deux blocs de pierre, replié sur la terre à moitié gelée, avec le soleil froid de l'hiver qui brûlait ses yeux, il en vint à se dire que le mieux serait certainement de s'enfoncer dans la nuit. Ainsi, au moins, ne verrait-il plus ces collines qui au printemps se couvriraient de fleurs, ces arbres, ces murailles, ces fumées qui s'élevaient du Temple, ainsi n'apercevrait-il plus les pèlerins et les marchands qui allaient et venaient sur la route de Césarée, ainsi n'entendrait-il plus la trompette du hazzan le soir, ni ces prières et ces chants qui montaient, chaque jour, du parvis des Prêtres.

Petit à petit, la certitude que pour oublier tous ces signes, ces manifestations insupportables de vie, il devait retourner dans le canal d'Ézéchias, s'imposa à lui.

Le souvenir de la bête qui l'avait attaqué continuant à lui inspirer le plus profond dégoût, il se dit que les mains, le visage et le cou entourés de chiffons noués, il ne craindrait aucune morsure, aucune griffure d'animal. Aussi se décida-t-il, un matin, à aller mendier sous le Portique Royal à l'entrée du Temple, afin de réunir l'argent nécessaire à l'achat d'une vieille tunique, d'un bout de couverture qu'il pourrait déchirer.

Quand, après une semaine, il eut ramassé assez de pièces, il se dirigea vers le marché de la cité basse. Traversant Jérusalem, il trouva beaucoup de boutiques fermées sur son chemin, vides, dévalisées sans doute, pillées, parfois même brûlées, ainsi qu'un grand nombre de maisons entièrement closes, comme abandonnées, souvent marquées, sur leur porte, du signe que les

Romains apposaient sur les demeures de ceux qu'ils arrêtaient, qu'ils emprisonnaient pour fait de rébellion, qu'ils déportaient ou crucifiaient. Partout il vit des soldats en armes, dans chaque escalier, à chaque coin de rue, des centaines de soldats, comme si deux nouvelles légions s'étaient installées dans Jérusalem.

Le marché lui-même, d'habitude si animé, était à moitié vide, acheteurs et marchands paraissaient l'avoir déserté. Lazare eut le sentiment que les juifs apeurés se cachaient dans leurs maisons.

Incidemment, il entendit trois hommes parler, presque à voix basse, de nouveaux incidents entre habitants de la Judée et Samaritains, mais il ne chercha pas à écouter leur conversation, cela n'était pas son affaire.

4

IL tourna longtemps dans les galeries accessibles du canal. Courbé en deux, presque obligé, parfois, de ramper dans un reste d'eaux stagnantes et de boue noire, se heurtant souvent, dans l'obscurité, à des parois de pierre maçonnée, avançant à tâtons, les jambes, les pieds et les mains protégés par des bouts de tunique noués, il explora le réseau complet de boyaux abandonnés, de conduits désaffectés. Il s'arrêta finalement dans le fond d'un cul-de-sac, loin de tout orifice, à l'abri du plus mince filet de lumière. Bien qu'il jugeât ridicule sa peur des morsures de bête, il enveloppa sa gorge, son cou, le bas de son visage, ses lèvres, ses joues, avec les lambeaux de vieux vêtements achetés le matin même, puis il s'assit, le dos appuyé contre le mur, il plia ses genoux et il ramena ses jambes sous son menton.

Très vite il s'aperçut que malgré sa solitude absolue, malgré le silence et la nuit qui l'enveloppaient pas plus qu'à Siloé, ou qu'au pied de la muraille d'Agrippa, il ne parvenait, dans *ce tombeau*, à se défaire de ses souvenirs. Plus encore qu'à l'extérieur, sa mémoire au contraire paraissait fonctionner avec une rapidité, une précision redoutables.

Il dut recommencer à lutter contre elle.

L'idée qu'il entrait véritablement dans son éternité et que celle-ci lui réservait des souffrances pires que celles endurées par les âmes damnées du *schéol* le rendait fou.

Il prit l'habitude de se mettre brusquement à crier, de plus en plus fort, dans le fond de cette galerie où personne ne pouvait l'entendre. « Pourquoi moi ? hurlait-il, pourquoi m'avoir choisi, pourquoi m'avoir sorti du tombeau, moi seul parmi tant de morts ? Je ne voulais rien, je ne demandais rien ! Pourquoi m'avoir tiré du puits dans lequel je flottais ? Je ne voulais pas revivre ! Je voulais rester dans le royaume des ombres ! Quel mal ai-je fait pour qu'un tel sort me soit réservé ? Qu'on me dise au moins quelle faute j'ai commise pour être, de tous les hommes, celui dont le châtiment est le plus cruel ! Qu'on me le dise, par pitié !... »

Sans répit, tous les événements de son existence passée, du plus important au plus insignifiant, débordaient dans sa mémoire, un à un, et s'imposaient irrésistiblement à lui. Si au moins de revivre ainsi, l'un après l'autre, ses moments de quiétude et de bonheur lui avait permis de découvrir un élément qui justifiât, expliquât ce qui lui arrivait ! Mais non, loin de l'aider à comprendre, cette succession ininterrompue d'actes et de comportements normaux qui défilaient devant ses yeux l'enfonçait plus encore dans son brouillard.

Jamais il n'avait désobéi à la Loi.

L'unique faute n'était venue que beaucoup plus tard, avec la mort de Yaïr.

Dans le défilement incessant des jours de sa vie, il ne trouvait aucun agissement condamnable. Ainsi, dès son plus jeune âge, alors qu'il n'était qu'un enfant, il avait étudié la *Torah* dans la synagogue, avec application, utilisant ses propres mots, il avait, matin et soir, rendu grâce au Tout-Puissant et, en toutes circonstances, il avait porté à ses parents le respect qui leur était dû. Quand son esprit avait mûri il s'était engagé lui aussi sur le chemin des hommes, à treize ans il s'était mis à réciter trois fois par jour la prière du *Schema,* jeûnant aux dates prescrites, notamment pendant la grande fête de l'Expiation, il était entré au temple, sur le *parvis des Hommes,* il avait été proclamé *fils de la Loi* au jour du *Bar-Mitzwa,* et, pour la première fois, il avait lu en public un passage des Écritures, on avait alors prélevé un peu de son sang et on l'avait accueilli dans la grande communauté d'Israël. Puis il avait commencé à travailler dans l'atelier de son père, à apprendre le beau métier de charpentier. Bientôt il avait su tailler le bois avec adresse et, de ses mains, il avait fabriqué son premier coffre, sa première table. Un début de barbe était apparu sur ses joues et il s'était mis à soigner sa toilette, à parfumer sa chevelure, il s'était décidé à chercher une épouse.

A dix-neuf ans, avant même d'être marié, il avait fermé les yeux de son père sur son lit de mort, puis, quelques mois plus tard, ceux de sa mère. Il avait lavé leurs corps avec affection, les avait frottés avec les huiles et les aromates, les avait conduits avec douleur jusqu'à leur sépulture.

Chaque jour de sa vie, il avait honoré le Très-Haut. Jamais il n'avait envié le bien d'autrui, ni regardé ou convoité une autre femme que la sienne. Travaillant sans relâche, depuis le lever du soleil jusqu'à son coucher, il avait pu, grâce à l'argent gagné, faire vivre dignement son épouse et ses deux sœurs en les mettant à l'abri de tout souci matériel, de tout besoin. Toujours il avait aidé les pauvres et secouru ceux qui réclamaient son aide... comme ce Galiléen charpentier venu un soir d'automne cogner à sa porte pour se protéger de ceux qui voulaient le tuer.

Cette soirée maudite, il se la rappelait parfaitement, avec plus de précision encore que toute autre. Il revoyait Jean, assis à sa table, silencieux, le géant à barbe de bouc qui, inquiet, en face de lui, sursautait au moindre bruit, et le Galiléen qui n'arrêtait pas de parler, avec son accent un peu ridicule, ses cheveux poussiéreux et sa tunique sale faite de deux pans de toiles cousus, qui prétendait être la *lumière du monde* et affirmait que celui qui le suivrait *ne marcherait jamais dans les ténèbres.*

Avec eux il avait partagé son pain, son vin, son poisson séché.

Pour eux, sans hésiter, il avait couru un réel danger.

Et pour le remercier de son hospitalité, de sa protection, le Galiléen l'avait condamné, pour l'éternité, à l'horreur de cette demi-vie sans issue !

Finalement, loin d'être une punition, un châtiment, son malheur venait de sa générosité, de son courage.

Comment ne pas devenir fou en songeant que, si ce soir-là, au lieu d'observer scrupuleusement la Loi de Yahweh, il avait laissé ce faux messie dehors, à la merci de ses ennemis, il serait encore en train de flotter suspendu dans son puits sans fond ?

Comment admettre un tel non-sens, une telle injustice, un tel scandale ?

La seule explication possible l'effrayait : s'il pourrissait ainsi, pour toujours, à demi vif sous la terre, n'était-ce pas, tout simplement, parce que Yahweh n'existait pas, qu'il n'avait jamais existé, parce que tout ce en quoi le peuple d'Israël croyait, ce en quoi il avait cru lui-même avec tant de force et de conviction, n'était que tromperie, que mensonge ?

5

LAZARE, assis dans sa cour, devant l'entrée ouverte de son atelier, sentit une présence derrière lui. Il se retourna et il vit Nathan qui se tenait debout sur le seuil de la porte. Il avait revêtu sa tunique des jours de fête, brodée, ornée de bandes de couleur, maintenue à la taille par une large ceinture de soie enroulée. Amenée par un souffle de vent, il reconnut sur lui l'odeur de l'origan dont, pour célébrer le commencement tout proche du Sabbat, il avait frotté son corps jeune vigoureux et propre. Il le regarda avec attention. Il ressemblait de plus en plus à sa mère : ses lèvres étaient aussi épaisses que celles de Suzanne et, bien que ses yeux fussent bleus, chose très rare en Judée, ils brillaient du même éclat. Il avait encore grandi ces derniers temps, il le dépassait d'une tête maintenant. Il ne se faisait pas à l'idée que, avec ses dix-sept ans, il avait depuis longtemps cessé d'être un enfant. Il pensa avec tristesse qu'il était en âge de trouver une épouse et que bientôt il s'en irait. Il se réjouissait qu'il devînt un homme et pourtant il regrettait le temps où il l'entendait jouer dans la cour, sous la fenêtre de son atelier. « J'ai terminé le coffre de Judas », annonça Nathan avec une pointe de fierté dans la voix. « C'est bien, répondit Lazare, nous l'avertirons demain, à la synagogue, qu'il peut venir le chercher. » Il contempla encore son fils. Il aimait son front haut, sa mâchoire volontaire. Il se demanda pourquoi il ne se décidait pas à laisser pousser sa barbe qui désormais devait être dure et fournie, il détestait cette mode des visages rasés et des cheveux plus courts qui faisaient ressembler les juifs à des païens, il faillit lui en faire la remarque, mais Nathan, sentant certainement que son père l'observait avec trop d'attention, rentra à ce moment dans l'atelier.

Lazare se retrouva seul, assis dans sa cour.

Il contempla ses mains épaisses de charpentier. Elles commençaient à devenir noueuses. Des veines bleues saillaient sous la peau grise, dure, marquée par des traces anciennes et plus claires de vieilles coupures cicatrisées depuis longtemps. Seule la blessure qu'il s'était faite avec son couteau à bois, deux jours plus tôt, rouge, un peu enflée, n'était pas refermée. Il se souvint de ses longs doigts de jeune homme, d'une finesse presque féminine... Il secoua la tête et il pensa que beaucoup d'années, depuis, avaient passé, sans qu'il s'en rendît compte.

Il regarda la rue du village qui s'étirait, droite, face à lui, bordée de maisons blanches cubiques semblables à la sienne avec leurs toits plats, puis il se tourna vers la colline, couverte en ce début de printemps de crocus d'or et de bouquets roses de fleurs d'amandier. Le soleil s'enfonçait derrière le champ d'oliviers et de longues ombres s'étiraient sur la terre rouge. Des cris d'enfants lui parvinrent et il entendit la voix de Marthe, sa sœur, dans la chambre haute. Il pensa à la table d'Isaïe qu'il fallait terminer au plus vite et aux poutres qu'Éliphas devait achever de tailler pour la charpente de Thomas... Plus que jamais les commandes affluaient et, ce soir, il se sentait fatigué. Son dos lui semblait raide et, à force d'avoir travaillé tout l'après-midi avec son rabot, courbé en deux au-dessus de son établi bas, une barre lourde ankylosait ses reins. Où était sa résistance d'autrefois ? Il contempla la cour face à lui et il pensa que toute chose vieillissait, que les pierres aussi, sur le sol, vieillissaient, qu'au fil du temps les objets s'usaient, s'abîmaient, changeaient d'aspect et de forme, avec infiniment de lenteur pour certains, avec plus de rapidité pour d'autres. Il leva les yeux et, dans le ciel qui commençait à s'assombrir, il aperçut une première étoile... Même les étoiles naissaient, grandissaient, brillaient, vivaient, puis s'effaçaient, disparaissaient. Combien de fois avait-il remarqué que l'éclat de certaines d'entre elles déclinait, nuit après nuit, pour finir bien souvent par s'éteindre, définitivement.

Quand la trompette du hazzan sonna, à trois reprises, sur le plus haut toit de Béthanie pour annoncer que le Sabbat *commençait à briller,* il rentra dans sa maison.

Les lampes brûlaient, disposées autour de la grande pièce qui servait à la fois de cuisine et de salle à manger. Sur la table, sa sœur et son épouse avaient disposé galettes, dattes, figues, vin et aromates. Nathan et les deux femmes l'attendaient, allongés sur les divans-lits. Suzanne, vêtue de sa robe en fine toile de lin, avait décoré ses cheveux tressés de rubans multicolores et maquillé ses joues avec la poudre rouge du *sikra.* S'approchant d'elle, il vit qu'elle portait ses très anciennes boucles d'oreilles rondes, dorées comme le soleil, l'un de ses premiers cadeaux, alors qu'ils n'étaient pas encore mariés. Marthe, âgée maintenant de plus de quarante ans, ressemblait à une vieille femme près d'elle. Le temps ne paraissait pas avoir de prise sur Suzanne, il ne l'atteignait pas, il l'effleurait, il glissait sur elle sans la toucher. Lazare regarda ses lèvres rouges, pleines, ses yeux à l'éclat vif, sa taille mince, et il se dit qu'il était un homme heureux. Doucement, il prit place à ses côtés et il commença à réciter à haute voix la Triple Bénédiction.

Tandis qu'il priait, penché au-dessus de ces aliments sanctifiés, de cette cruche pleine, de ces galettes et de ces fruits, il perçut des cris lointains au-dessus de sa tête, des bruits sourds. Il inclina son front. Un heurt inexplicable, parfaitement net, ébranla les murs qui l'entouraient, cela recommençait... Il se tut pour se mordre les lèvres. Il sentit l'eau qui montait maintenant jusqu'à ses chevilles. Il se redressa. Il tourna les yeux en tous sens, avec angoisse. Il eut le vertige. Il ne fallait pas qu'il sombre une fois encore, tout allait si bien, avant... quand rien ne troublait son silence absolu !

Le temps d'un souffle, il fut seul, aveugle dans le noir, puis la tache claire, encore jeune, du visage de Suzanne réapparut... Tout allait bien, elle priait à ses côtés, recueillie, la tête légèrement inclinée.

6

LAZARE marchait vite dans la rue droite de Béthanie. Toute la nuit, les bruits qui ébranlaient la voûte et les murs avaient résonné sous son front et dans sa poitrine. Cent fois il avait cru perdre Suzanne endormie à ses côtés, sur le lit de la chambre haute et, tandis qu'il se dirigeait vers la synagogue construite près de la rivière, sur la petite colline à l'entrée du village, la peur se collait à son ventre.

Ce matin, il avait posé le *taleth* de soie blanche sur sa tête et sur ses épaules ; il avait fixé les petites boîtes noires des *tephillin* sur son front, dans sa main, et, avec Nathan et Josué, l'époux de Marie, suivi à plus de trente pas par Suzanne et ses deux sœurs, il se rendait à l'office du Sabbat.

Il gravit les marches du perron, il passa devant la chambre carrée qui servait d'école, il entra dans la grande salle rectangulaire déjà pleine divisée en trois nefs par des alignements de colonnes au sommet desquelles reposaient les tribunes des femmes. Il salua les hommes de Béthanie rassemblés, coiffés eux aussi de leurs larges châles de prières, et il se sépara de son fils et de son beau-frère pour gagner sa place, la meilleure du premier rang, obtenue au fil des ans en raison de ses mérites, juste en face de l'armoire sacrée. Il sentit l'odeur fraîche de l'eau de menthe qui, répandue sur le sol avant l'office, purifiait l'air et, en silence, il remercia le Tout-Puissant pour le bonheur et la santé qu'il lui accordait.

Puis Éphraïm s'avança et, debout sur l'estrade, devant le meuble où l'on rangeait les rouleaux de la Loi, bras écartés, mains légèrement ouvertes, il commença à réciter tout haut le *Schema :*

Écoute Israël, l'Éternel est notre Dieu, l'Éternel est un.
Tu aimeras l'Éternel ton Dieu de tout ton cœur,
de toute ton âme et de tout ton esprit.

Tous, dans l'assistance, tournée vers le Temple de Jérusalem, lui répondirent d'une voix forte :

Ces commandements que je te prescris aujourd'hui
   seront gravés dans ton cœur.
Tu les enseigneras à tes enfants.
Tu les répéteras à la maison ou en voyage, au lever et au
   coucher chaque jour.

Des cris, le bruit de centaines de pas précipités descendaient jusqu'à Lazare et, malgré sa volonté d'honorer le Très-Haut avec ceux qui l'entouraient, il ne put s'empêcher de repenser à ses idées tristes de la veille, lorsque, assis face à sa cour, il avait songé que le temps passait sans qu'il parvînt à le retenir et que Nathan bientôt le quitterait, que les étoiles elles-mêmes vieillissaient, que leur éclat, au long des ans, se ternissait et s'éteignait. Il releva un peu la tête, et sur le côté de l'estrade, au second rang, il aperçut Éliphas dont la barbe était devenue blanche et Samuel, l'ami de son père, un vieillard aujourd'hui à demi impotent, et Simon, et Éléazar, avec lequel, autrefois, il avait partagé ses jeux d'enfant, et Juda qu'il avait tenu dans ses bras alors qu'il n'avait pas un an et qui, maintenant, attendait le coffre que Nathan venait de terminer pour lui, afin d'y ranger les robes et les châles de Myriam, son épouse... Le sol s'ébranla de nouveau sous ses pieds et il rassembla ses forces pour prier avec les autres. « *Tu lieras ses commandements en signe sur ta main*, proclamaient-ils, *tu les placeras sur ton front, entre tes yeux...* » Occupés à louer Yahweh, ils ignoraient ces bruits au-dessus de leur têtes, ces cris. Il voulut se joindre à eux mais il se rendit compte qu'il ne pouvait remuer ses lèvres.

Leurs voix décidées hélas ne couvraient pas le tumulte diffus inexplicable.

Une nouvelle fois Lazare comprit que les choses lui échappaient.

Il voulut s'accrocher à ses images, les retenir.

Dans une demi-brume, il vit le rabbi Yehuda, debout immobile derrière son pupitre, tenant entre ses mains les rouleaux de la Loi. Il sentit l'eau qui, depuis que cette agitation incompréhensible avait commencé, s'était mise à monter lentement autour de lui, atteignant désormais ses chevilles. Il se retourna pour chercher son fils, mais, au quatrième rang, il ne trouva que des visages brouillés impossibles à reconnaître.

7

Il entendit des pas près de lui.

Il ouvrit les yeux et il vit Suzanne qui venait s'allonger à ses côtés sur le lit.

Les lampes brûlaient dans la chambre haute, c'était le soir.

Il se tourna vers elle. Doucement, il posa sa main sur ses cheveux gris touffus. Il s'approcha et, très près de son visage, il regarda, une à une, les rides qui marquaient son front. Du bout des doigts, il toucha ses lèvres rentrées. Il frôla ses dents abîmées, et une tendresse indicible s'empara de lui. « Nous avons vieilli ensemble, dit-il, combien de fois le soleil s'est-il levé depuis que je suis venu, ce matin béni entre tous, te chercher à l'autre bout du village, dans la maison de ton père ? Ensemble nous avons traversé les années, nos cheveux ont blanchi et nous avons été si heureux que nous n'avons pas vu le temps passer.

— Oui, répondit Suzanne, les années ont passé et le bonheur que nous avons connu ensemble, mon bien-aimé, nous a empêchés de voir notre vie s'écouler. Nous sommes-nous seulement rendu compte que l'olivier que nous avons planté le lendemain de notre mariage sur la colline était devenu un arbre semblable aux autres avec un tronc plus noueux chaque année ? Dis-moi, combien de fois avons-nous cueilli ses fruits pendant la fête des Tabernacles ? »

Lentement, il caressa sa taille large. Il remonta vers son ventre, puis il posa sa tête sur sa poitrine lourde.

Contre sa joue il sentit la chaleur de sa peau encore douce.

Elle passa sa main sur son front dégarni, dans ses cheveux clairsemés, et il se répéta qu'à ses côtés il avait connu une vie heureuse, paisible et bonne.

Il se redressa, il la prit par les épaules, il mordit doucement la chair de son cou épais, il posa ses lèvres sur les siennes, jadis si pleines, si rouges.

Comme autrefois il sentit son désir monter.

Auprès d'elle il ne craignait pas la mort.

Puis il y eut un craquement sourd au-dessus de sa tête et le jour, soudain, tomba sur lui par une large fissure.

L'eau se mit à couler à flots, dans le canal, elle atteignit ses genoux.

8

LAZARE s'avança dans la galerie souterraine. L'eau qui se déversait montait jusqu'à sa taille, elle l'empêchait de marcher. Il pensa que le mur construit jadis par Pompée pour obstruer les conduits avait cédé. La lumière qui descendait sur lui l'aveuglait. Il arracha les chiffons noués qui depuis si longtemps couvraient, protégeaient son visage et ses mains des morsures de bête... Que se passait-il ? La voûte épaisse au-dessus de lui paraissait s'être fendue brusquement, s'être cassée... Pourquoi son rêve lui échappait-il ainsi ? Il avait besoin de Suzanne, et de Nathan ! Il ne fallait pas que la réalité étouffe *cette autre vie,* si patiemment, si difficilement, si précisément construite, avec toutes les apparences de la vérité. Dès que les bruits sourds avaient commencé à cogner sur sa tête, ébranlant le sol et les murs de sa galerie, il avait senti que des choses graves, inimaginables se passaient dans Jérusalem, des choses, des événements qui mettaient *son faux bonheur* en danger, mais, occupé simplement à préserver la précieuse construction de son imagination, presque aussi douce que son abandon dans le puits sans fond, il avait refusé de penser qu'il n'était sans doute qu'en sursis et que la paix relative qu'il connaissait risquait de s'éteindre brutalement.

L'eau continuait de monter, bientôt, elle atteindrait sa poitrine et il ne parviendrait plus à marcher. Il n'y voyait rien, il avançait à tâtons. Il ne se souvenait plus du chemin à emprunter pour rejoindre la sortie sous les remparts. Ne risquait-il pas de tomber dans un trou ? Quelle importance cela aurait-il puisqu'il ne pouvait se noyer ?... Aucune... Et pourtant, il avait peur.

Il se retrouva dans une obscurité totale, la voûte, à cet endroit, avait tenu. Il revint sur ses pas, vers la lumière éblouissante. L'eau, entraînée par un fort courant vers les boyaux les plus profonds, bouillonnait autour de lui. Il éprouvait une certaine peine, maintenant, à rester debout.

Il fallait qu'il sorte !

Un nouveau craquement se produisit. Il reçut un bloc de pierre sur l'épaule et, ébranlé par ce heurt inattendu, il eut juste le temps de se plaquer contre le mur tandis que la voûte tout entière s'effondrait. Dans le fracas assourdissant de l'éboulement, l'eau remonta jusqu'à son visage, il se sentit emmené, il perdit pied, il cessa de respirer. Il se débattit, il essaya de poser l'extrémité de ses pieds sur une surface solide, mais il ne rencontra qu'un vide liquide apparemment sans fond. D'autres chutes de pierres encore l'atteignirent, à peine amorties par le flux de l'eau. Étourdi par cette succession de chocs violents, il perdit toute force, ses jambes, ses bras devinrent mous, il cessa de s'agiter, un tourbillon l'entraîna, sa bouche, sa poitrine s'emplirent d'eau, il crut qu'il sombrait et, tandis qu'il s'enfonçait, à demi inconscient, il distingua brièvement les parois resserrées de son puits.

Sa tête émergea, il se retrouva à l'air libre au milieu d'un nuage de poussière, dans l'éclat d'un soleil aveuglant. Il se hissa sur un chaos de pierres. Deux fois, il retomba. Il se tordit les pieds, il arracha la peau de ses mains par lambeaux entiers, puis, dans la chaleur étouffante, il se coucha, à bout de forces, sur le sol, parmi les débris d'un mur, entre des poutres de bois arrachées.

Il attendit là, étendu sur le côté, une main devant les yeux. Il ne comprenait plus ce qui arrivait. Il sentit le souffle tiède du vent sur sa joue, ce devait être l'été. Très vite il s'aperçut qu'un silence absolu pesait sur Jérusalem, et qu'il s'agissait d'un silence anormal, d'un silence de mort.

Il eut le sentiment qu'un malheur terrible était arrivé et une fois de plus, il connut la peur.

Plutôt que de regarder autour de lui, il s'obligea à

penser au faux bonheur qu'il laissait au fond du canal détruit, à Suzanne, jeune et mince malgré le temps, avec sa taille fine et ses lèvres rouges épaisses, à Marthe sa sœur qui ressemblait maintenant à une femme âgée, à son fils dont les yeux bleus, si inhabituels en Judée, l'avaient toujours étonné...

Le cri lointain d'un enfant en pleurs le poussa à ouvrir les yeux. Il ne crut pas tout d'abord au spectacle flou, imprécis, qui s'étala devant lui, au-delà de son rideau de brume. Il se dit qu'il ne contrôlait plus les images de ses rêves éveillés et qu'à force de chercher à s'enfoncer à tout prix, avec une précision démentielle, dans une autre vie, il ne réussissait plus qu'à provoquer des visions de cauchemars pires encore que celles de son éternité glacée.

Malheureusement, chaque détail, face à lui, prit lentement des contours d'une netteté que jamais aucune figure, aucun paysage, aucun objet, n'avait atteint dans sa tête, au fond de son canal.

Les remparts, près de la porte de la Fontaine, étaient éventrés et la lourde poutre entourée de cordes, recouverte de peaux fraîches, d'un bélier romain, avec son épaisse pointe de fer, dépassait encore au milieu des décombres. De la tour de Siloé, abattue elle aussi, il ne restait qu'un pan de mur qui se dressait, nu, vers le ciel. Plusieurs maisons brûlaient encore autour de la piscine. Des dizaines de corps d'hommes, de femmes et d'enfants égorgés, sanglants, gisaient dans le lit à demi sec du Tyropéon, sur des filets d'eau rougie. Un essaim de mouches noires, tout près, bourdonnait autour du ventre ouvert d'une petite fille qui, dans sa main, tenait encore serrée une poupée de bois. Des cadavres de juifs et de soldats romains jonchaient le sol. Trois chiens affamés au milieu de la rue déserte se disputaient les restes d'une charogne abandonnée parmi les cendres des maisons.

Lazare, incrédule, se redressa. Plus loin, derrière les quartiers détruits de la cité basse, entre les volutes de fumée noire qui recouvraient la ville, il aperçut les ruines du palais des Asmonéens... Presque à côté, pourtant, il lui sembla que l'enceinte du Temple demeurait intacte.

De nouveau il mit les mains devant ses yeux pour cacher ce spectacle effrayant. Étaient-ce les bruits, les cris, d'une guerre qu'il avait entendus ainsi au fond de son canal ? Était-il possible que juifs et Romains en soient venus à se massacrer les uns les autres ?

Pensant soudain à Suzanne, à Nathan, il se précipita vers le rempart enfoncé. Il escalada les éboulis et il regarda dans la direction de la colline. Aussitôt, au-delà du long mur hérissé de fortins, construit autour de la ville pour l'encercler, l'isoler, l'assiéger, il vit l'incendie qui achevait de consumer Béthanie.

9

IL s'engagea dans les rues de la cité basse afin de rejoindre le Temple, seul endroit qui paraissait intact.

Il ne rencontra, sur son chemin, que monuments détruits, maisons brûlées, boutiques pillées, corps de juifs et de Romains morts étendus sur le sol au milieu de leurs sangs mêlés. Dans le quartier de la Fontaine, il s'arrêta devant le cadavre d'une toute jeune fille, à peine plus âgée que Suzanne au jour de leur mariage. Elle portait une robe bleue. Elle reposait sur les pavés, brune, avec des cheveux tressés, des lèvres épaisses encore rouges, des yeux fixes qui, grands ouverts, regardaient le ciel sans le voir. Sur elle il n'aperçut aucune trace de blessure. On aurait pu croire qu'elle vivait toujours.

Longuement, il contempla ce visage doux, blanc, immobile, et, de toutes ses forces, il regretta de ne pas s'être laissé emporter par les eaux dans le canal éventré.

Puis il reprit sa marche lente de boiteux.

Plus il avançait au milieu de ce spectacle désolant,

obligé souvent d'escalader des décombres, encore chauds du feu qui avait détruit ces quartiers de la cité basse, et plus il s'étonnait de ne pas rencontrer un seul Romain ni un seul défenseur de la ville. Jérusalem déserte paraissait abandonnée, ne restait-il donc aucun survivant ? Où se cachaient les légionnaires et leur armée d'assassins et de pillards ? En prêtant l'oreille pourtant il perçut une rumeur et, en regardant attentivement le temple, il distingua une mince colonne de fumée qui commençait à s'élever au-dessus des portiques, du côté de la forteresse, ne continuait-on pas à se battre là-bas, autour du sanctuaire ?

Comme il s'approchait de l'enceinte sacrée, il vit, au bout de la rue, un groupe d'hommes qui se pressait au pied de l'escalier reliant la vallée du Tyropéon au parvis des Païens. Incapable de courir, sans bâton sur lequel s'appuyer, il s'efforça, malgré sa démarche tordue, de les rejoindre avant qu'ils n'entrent dans le Temple.

Il pénétra le dernier sous le Portique Royal et aussitôt une dizaine d'insurgés, l'épée à la main, refermèrent les lourds vantaux de bronze derrière lui.

Ce qu'il découvrit alors le stupéfia.

Des milliers de gens se tenaient là, derrière les murs solides, *imprenables*. Les sons des flûtes et des tambourins retentissaient et, tandis que des fumées de sacrifices s'élevaient, du cœur du sanctuaire, la plupart des juifs rassemblés, front bas, ou bras écartés, mains ouvertes, priaient, un poignard au côté, le taleth posé sur leur tête, sur leurs épaules, les phylactères noués autour de leurs poignets. Ils louaient le Tout-Puissant qui *jamais ne permettrait la destruction de sa demeure*. Levant les yeux, Lazare vit que les sommets des portiques, autour de l'esplanade, regorgeaient de défenseurs et que des tours de bois carrées avaient été construites aux angles et au pinacle (il remarqua cependant que l'une d'elles était en feu et il en déduisit que des combats âpres se poursuivaient devant les fossés, au pied des murs).

Dans cette foule considérable il ne trouva que des visages et des corps décharnés, Jérusalem, à l'évidence, venait de subir l'épreuve d'un long siège. Beaucoup de malades affaiblis, incapables de se tenir debout, priaient, allongés sur le sol. Mais même dans le regard de ceux-là, parfois si près de leur fin, il vit briller la flamme d'une foi plus forte que la mort.

Il se sentit proche d'eux.

Lui qui pourtant n'appartenait plus à aucun peuple, à aucune communauté, il se réjouit de leur sérénité, de leur confiance, et, devant leur courage, il ressentit une grande fierté.

Il se rendit bientôt compte que la rumeur qu'il avait perçue dans les rues de la cité basse venait de l'autre extrémité de l'esplanade cachée à ses yeux par le mur du sanctuaire. Il hésita à aller voir ce qui se passait réellement. Il savait bien sûr que les combats se poursuivaient du côté de la porte des Brebis et il n'était pas certain de vouloir mesurer par lui-même le danger que courait le cœur de Jérusalem. On disait que, contre les armées de Pompée, les juifs enfermés ainsi sur le parvis des Païens avaient tenu trois mois, mais soutenir un siège était une chose et repousser l'envahisseur en était une autre... Pompée, de toute façon, avait fini par pénétrer en vainqueur dans le Saint des Saints, « par simple curiosité ». Un autre général romain aurait-il l'impudence, aujourd'hui, d'agir de même et de violer une nouvelle fois le lieu sacré ?

Quand, après être passé devant la Belle Porte, à l'angle nord-ouest de l'esplanade, il vit les quatre tours de la forteresse Antonia, ainsi que ses hauts murs, rasés, il s'arrêta sur place.

Déjà les béliers et les lourdes machines de guerre avaient défoncé l'enceinte. Les Romains, utilisant les décombres, achevaient d'élargir la rampe qu'ils avaient construite par-dessus le fossé de défense et la piscine du Strouthion. Malgré les projectiles de toutes sortes qui s'abattaient sur eux, les soldats finissaient de dégager l'accès et, derrière, les cohortes se rassemblaient dans un ordre impeccable pour pénétrer en force sur le parvis.

Il ne restait aucune chance. Avant que le soleil ne disparaisse, le Temple lui-même serait détruit, brûlé, rasé.

De Jérusalem, d'Israël, il ne resterait rien.

Lazare sentit des douleurs inconnues dans ses mains, dans sa nuque et il ferma les yeux. Quelles folies avaient-elles été commises pour qu'on en vienne à une telle extrémité ?

Était-ce pour assister à cette fin qu'on l'avait arraché à la nuit de son canal, à *son autre vie*, si paisible en comparaison, et si douce ?

Des chants à la gloire de Dieu montaient de toutes parts, les fumées des sacrifices continuaient à s'élever et beaucoup d'hommes, l'épée à la main, oubliant leur maigreur extrême et leur faiblesse si évidente, se préparaient au combat. Ce Temple, jadis, avait été le sien, que ne pouvait-il se joindre à eux pour le défendre, et mourir à leurs côtés pour lui !

Une rumeur nouvelle monta de la rampe et une souffrance aiguë s'enfonça dans sa poitrine. Il distingua le visage lisse et jeune de Suzanne avec ses lèvres rouges entrouvertes, mais il le chassa. Suzanne était morte ! Elle était devenue une vieille femme, sans lèvres, avec une taille épaisse, une poitrine lourde et une chevelure grise touffue, et puis, elle était morte... Elle s'était éteinte et, depuis longtemps déjà, elle reposait dans un tombeau à Béthanie, tout comme Marthe et Marie, ses deux sœurs tendrement aimées. Penser à elles ou à Nathan n'avait désormais plus aucun sens.

Il se mit à balancer la tête. Pourquoi avait-il eu peur, quelques heures plus tôt, alors que le tourbillon souterrain de l'eau l'entraînait ? N'avait-il pas, très brièvement, aperçu l'entrée de son puits sans fond tandis qu'il sombrait, la gorge et la poitrine remplies d'eau ?... L'idée lui vint qu'à ce moment-là, peut-être, tout avait vacillé, qu'une chance avait existé et qu'il ne l'avait pas saisie... Mais *quelle* chance ? Est-ce que l'on pouvait cesser, brusquement, d'être éternel ?... Et pourtant, pour la première fois depuis des temps indéfinis, il avait revu l'entrée de ce gouffre noir étroit dans lequel, après sa mort, il avait flotté, en suspens.

Qu'avait-il cherché à préserver en se débattant ?

De quoi continuait-il donc à avoir peur ?

Il se souvint de Yaïr qui s'éloignait, un matin, courbé en deux, dans la galerie basse du canal d'Ézéchias. Personne plus que lui n'avait craint la mort, et malgré tout, ce jour-là, de son plein gré, il était allé au-devant d'elle.

Il rouvrit les yeux. Des femmes et des enfants montaient maintenant se réfugier dans le sanctuaire. On se battait sur la rampe. Les insurgés formaient une ligne sur trois rangées en face des Romains. Des lames d'épées et de glaives brillèrent dans le soleil, éclaboussées de sang.

Il eut la vision brutale, oubliée depuis longtemps, des paumes arrachées, du corps nu, mou, qui s'affaissait et roulait dans la boue. Tandis que les musiques, les chants et les prières redoublaient de force autour de lui, il entendit dans sa tête les paroles du Galiléen : *celui qui croit en moi connaîtra la lumière,* disait-il, *celui-là vivra pour l'éternité.* Son visage poussiéreux de mendiant passa devant lui, connaissait-il seulement le sens de ce mot *éternité* qu'il employait si souvent ? Avait-il la moindre idée de ce qu'était réellement l'éternité ?

10

ALORS que le soleil finissait de disparaître derrière la colline, une clameur monta de la rampe. Une pluie de javelots s'abattit sur les insurgés qui continuaient désespérément à défendre leur Temple parmi les cadavres de leurs amis, de leurs fils ou de leurs frères. Lazare, assis sur l'esplanade, maintenant presque déserte, le dos appuyé contre le mur du sanctuaire, vit les dards aiguisés se planter dans des poitrines, traverser des gorges.

Le sol, à l'endroit où, auparavant, se dressait la forteresse, était jonché de morts. Les prières étaient devenues un murmure, on n'entendait plus les musiques ni les chants, mais les fumées des sacrifices s'élevaient encore vers le ciel déjà sombre. Alors que, depuis son réveil, il n'avait pratiquement connu aucune douleur, une souffrance aiguë serrait la gorge de Lazare. Il ne s'expliquait pas que tant de violence et de haine se soient déchaînées aussi brusquement, il n'acceptait pas d'avoir *vécu* assez longtemps pour assister à ce massacre, à cet anéantissement.

Cinq projectiles enflammés s'élevèrent brusquement au-dessus de l'enceinte. Ils allèrent s'écraser sur la Belle Porte encore entrouverte, alors qu'une poignée de combattants couraient se réfugier dans la cour des Israélites, sur le parvis des Prêtres. Un rideau de feu aussitôt s'éleva et une torche vivante jaillit du brasier, en hurlant. Titubante, les bras écartés, elle s'effondra sur les dalles, à vingt pas de Lazare. Un prêtre se précipita vers elle pour l'enrouler dans un manteau.

Le cœur de Lazare se souleva, comme s'il allait vomir. Il détourna la tête.

Serait-il, la nuit venue, le seul à survivre, parmi tous les juifs de Jérusalem ? Non, il fallait que le Galiléen vienne à son secours !... Hélas, il n'avait jamais aidé que ceux qui croyaient en lui, et Lazare, même s'il avait eu, parfois, la tentation de se laisser convaincre par Yaïr, n'avait jamais pensé qu'il était réellement le Messie.

D'autres défenseurs surgirent, mais plus il en venait et plus le rempart dérisoire qu'ils formaient paraissait prêt à se rompre.

Au moins n'avait-il pas combattu le Galiléen, et cela en dépit de la souffrance inimaginable qu'il connaissait par sa faute !

C'était la fin d'Israël. A quoi servait désormais qu'il continue, malgré lui, *à témoigner ?* Témoignait-on devant des morts ?

Un nouveau feu éclata et l'enceinte elle-même parut s'embraser. Lazare s'aperçut que des Romains entraient par la porte des Brebis laissée sans défense. Cent javelots s'abattirent sur le parvis, une vingtaine de juifs tombèrent frappés en pleine poitrine et la dernière ligne de défense se brisa en trois endroits. Aussitôt, ce fut la mêlée, atroce et, par-dessus le crépitement des flammes, le choc des épées, Lazare entendit les râles et les cris de douleur des blessés, des mourants.

A travers les fumées de plus en plus grises, de plus en plus épaisses, il distingua un carré de Romains qui s'avançaient, serrés derrière leurs larges boucliers de bois, lances en avant. Leur pas lourd et régulier martelait le sol. Visages et corps cachés, comme une machine aveugle dont aucune force ne pouvait arrêter la progression, ils venaient vers lui.

Il ne bougea pas.

« *Reconduis-moi dans cet endroit d'où tu m'as sorti*, murmura-t-il simplement, *car si tu es le Messie d'Israël, tu sais maintenant que tu n'as plus besoin de moi.* »

Achevé d'imprimer en octobre 1986
sur les presses de l'Imprimerie Bussière
à Saint-Amand (Cher)

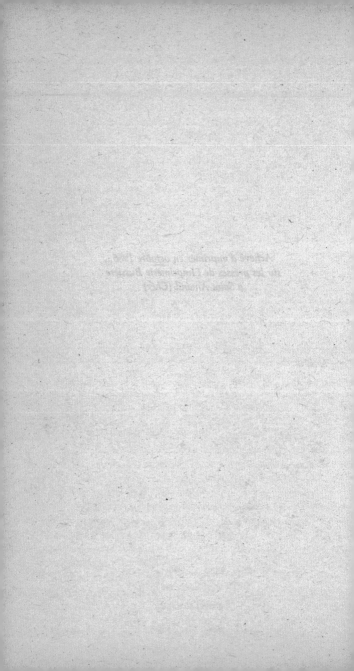

Presses Pocket, 8, rue Garancière 75285 Paris Cedex 06
Tél. : 46.34.12.80

— N° d'édit. 2302. — N° d'imp. 2421. —
Dépôt légal : octobre 1986.

Imprimé en France

Presses Pocket, 8, rue Garancière 75285 Paris Cedex 06
Tél. : 46.34.12.80

— N° d'édit. 6306. — N° d'imp. 2431. —
Dépôt légal : octobre 1986.
Imprimé en France